D0830849

# Schaamte

# Karin Alvtegen

# Schaamte

UIT HET ZWEEDS VERTAALD
DOOR EDITH SYBESMA

DE GEUS

Oorspronkelijke titel *Skam*, verschenen bij Natur och Kultur, Stockholm
Oorspronkelijke tekst © Karin Alvtegen, 2005
*Published by agreement with Salomonson Agency*
Nederlandse vertaling © Edith Sybesma en De Geus BV, Breda 2006
Omslagontwerp Heldhavtig
Omslagillustratie © Trinette Reed/TCS
Foto auteur © Ulla Montan
Druk Koninklijke Wöhrmann BV, Zutphen
ISBN 90 445 0725 7
NUR 302

*Voor mijn dappere kanjers, August en Albin*

Lieve, goede God,
Neem alle oorlogen en geweld weg en alles
wat onrechtvaardig is
en zorg dat alle armen geld krijgen
zodat ze wat eten kunnen kopen.
Zorg dat alle slechte mensen
aardig worden en dat niemand die ik ken
heel erg ziek wordt of doodgaat.
Help mij om flink te zijn en lief, zodat papa
en mama altijd trots op me kunnen zijn.
Zodat ze van me houden.

AMEN

# I

'Ik verklaar naar eer en geweten dat ik er bij de beoefening van de geneeskunde naar zal streven mijn medemensen te dienen, met humaniteit en respect voor het leven als richtsnoer. Ik stel mij ten doel om de gezondheid te onderhouden en te bevorderen, om ziekte te voorkomen en om zieken te genezen en hun pijn te verzachten.'

Ze had gefaald. De man die spoedig zou sterven zat kalm en bedaard op de stoel tegenover haar; zijn dooraderde handen rustten op zijn knieën. Zelf zat ze strak in zijn lijvige status te turen. Er was bijna twee jaar voorbijgegaan sinds zijn eerste bezoek. Haar hardnekkige pogingen om hem te genezen waren tevergeefs geweest en vandaag had ze haar nederlaag moeten erkennen. Het slechte nieuws moeten brengen. Het was altijd hetzelfde gevoel. Leeftijd deed er niet toe, evenmin als het feit dat de ziekte ongeneeslijk was, of dat het gebrek aan vooruitgang in het wetenschappelijke onderzoek niet haar persoonlijke mislukking was. Wat ertoe deed was leven. Leven dat zij niet had kunnen redden, omdat ze daar niet kundig genoeg voor was.

Hij glimlachte vriendelijk naar haar.

'Je moet het niet persoonlijk opvatten. We gaan allemaal een keer dood en deze keer ben ik blijkbaar aan de beurt.'

Ze schaamde zich. Het was niet zijn taak om haar te troosten, werkelijk niet, maar op de een of andere manier was hij er blijkbaar in geslaagd haar gedachten te lezen.

'Ik ben oud en jij bent jong, bedenk dat wel. Ik heb een lang leven gehad en de laatste tijd begin ik het feitelijk welletjes te vinden. Je weet dat er op mijn leeftijd zovelen zijn voorgegaan dat het hierbeneden nogal eenzaam begint te worden.'

Hij draaide aan een gladde trouwring aan zijn linkerhand. Die raakte een beetje van zijn plaats, zijn pezige vinger was magerder geworden in de jaren die verstreken waren sinds de dag waarop de ring eraan geschoven was.

Bij dit soort gelegenheden werd haar blik altijd naar de handen getrokken. Hoe wonderbaarlijk het was dat die door alle fasen van het leven heen alle ervaring en kennis hadden opgenomen, die spoedig verloren zou gaan.

Voorgoed.

'Hoewel ik me soms afvraag hoe Hij dit heeft kunnen verzinnen, ik bedoel, verder zit alles zo slim in elkaar, maar dit afbraakproces waar je doorheen moet, dat had Hij iets anders moeten inrichten. Eerst moet je geboren worden en groeien en van alles leren, en net als je er wat handigheid in hebt, wordt het je weer afgepakt, het ene na het andere. Het begint met je gezichtsvermogen en daarna gaat het allemaal achteruit. Aan het eind ben je globaal terug waar je was begonnen.'

Hij zweeg alsof hij nadacht over wat hij zojuist had gezegd.

'Maar dat is misschien juist het ingenieuze, als je erover nadenkt. Want als niets het meer goed doet, maakt het in feite niet zoveel meer uit allemaal. Je gaat denken dat het misschien toch niet zo verkeerd zou zijn om te mogen sterven, om eindelijk wat te mogen rusten.'

Hij glimlachte weer even.

'Alleen jammer dat het zo lang duurt, dat afbraakproces.'

Ze had geen antwoord, niet de juiste woorden om in te gaan op zijn overpeinzingen. Ze wist alleen dat niet iedereen met dat afbraakproces te maken kreeg. Sommigen werden midden in het leven weggerukt, nog voordat de opbouw klaar was.

Wie God bemint sterft jong.

Er school geen troost in die woorden.

In dat geval moest God degenen haten die achterbleven. Waarom dacht God anders dat Zijn eigen welbevinden de verwoesting rechtvaardigde die de dood achterliet?

Ze wilde niet dat God haar haatte. Ook al geloofde ze niet in een god.

'Maar weet je wat nog het mooiste is? Ik ga nu naar huis en schenk een echt goed glas wijn in, ik heb al zo lang niet mogen drinken. Ik heb een fles bewaard voor een speciale gelegenheid en vandaag mag je toch wel als zodanig beschouwen.'

Hij gaf haar een knipoog.

'Dus ieder kwaad brengt ook wel iets goeds mee.'

Ze probeerde zijn glimlach te beantwoorden, maar ze wist niet zeker of ze daar echt in slaagde. Toen hij een poging wilde doen om op te staan, stond ze snel op van haar stoel om hem de helpende hand te bieden.

'Dankjewel voor alles wat je hebt gedaan. Ik weet dat je echt hebt gevochten.'

Ze trok de deur achter hem dicht en probeerde diep adem te halen. Het rook muf in het vertrek. Ze keek op de klok en zag dat ze nog niet weg hoefde. Er waren wat papieren op haar bureau door elkaar geraakt en ze liep erheen om alles weer goed te leggen. Haar handen gingen over het bureaublad en toen alles op keurige stapels lag, hing ze haar witte jas aan een hangertje en trok haar jas aan. Tot haar ergernis constateerde ze dat ze nog steeds ruim de tijd had, maar ze kon er beter maar vast heen gaan in plaats van hier de tijd uit te zitten.

Want je kon niet hard genoeg lopen als datgene waaraan je probeerde te ontkomen in jezelf zat.


'Met je moeder. Ik wilde alleen weten hoe laat je me komt halen. Bel zodra je dit hoort.'

De mededeling stond op haar voicemail toen ze haar mobieltje aanzette op weg naar de parkeerplaats. Het was tien over vijf en de afgesproken tijd waarop ze haar zou halen was over twintig minuten. Waarom ze zou moeten bellen om dat nog een keer af te spreken was haar een raadsel, maar dat niet doen zou in dit verband een slecht alternatief zijn.

'Hallo, met mij.'

'Hoe laat kom je?'

'Ik ben al onderweg, ik ben er over een kwartier.'

'Ik moet nog even langs de Konsum, kaarsen kopen.'

'Ik kan er onderweg wel even langsgaan, als je wilt.'

'Goed, maar neem dan nu die van honderdtien branduren. De

9

vorige die je had gekocht waren veel te snel opgebrand.'

Als haar moeder er maar het flauwste benul van had gehad hoe zwaar hun continue bezoeken aan het graf haar vielen, zou ze niet klinken alsof ze uit een soort zuinigheid kaarsen had gekocht die het niet zo goed deden als ze hadden beloofd. Ze zou met liefde kaarsen kopen die een heel leven lang bleven branden, als die er waren. Maar die bestonden niet. Meer dan honderdtien uur kon je niet krijgen. En sinds haar moeder haar auto had verkocht omdat ze niet langer durfde te rijden, moest Monika altijd en eeuwig met haar naar het kerkhof rijden om nieuwe kaarsen aan te steken zodra de oude opgebrand waren.

Drieëntwintig jaar geleden. Hij was al langer dood dan hij had geleefd. Toch nam híj nog altijd de meeste plaats in.

Alle plaats.

Er stonden een paar auto's op de parkeerplaats, maar het kerkhof lag er op het oog verlaten bij.

Mijn geliefde zoon

Lars

∗ 1965  † 1982

Ze wende er nooit aan. Zijn naam op een grafsteen. Zijn naam hoorde boven aan de lijst met sportuitslagen. In een kranten-artikel over de meest talentvolle jeugdige ijshockeyspelers. Als ze vroeger op geen enkele andere manier indruk kon maken, kon ze altijd zeggen dat ze het zusje was van Lasse Lundvall. Hij zou dit jaar veertig zijn geworden en voor haar was hij nog steeds haar twee jaar oudere grote broer, degene tegen wie zijn vrienden opkeken, die altijd meisjes achter zich aan had, die altijd succes had in alles waar hij aan begon.

Die de trots was van zijn moeder.

Ze vroeg zich af hoe het allemaal gegaan zou zijn als hun vader al die jaren bij hen was gebleven. Als hij zijn gezin niet al had verlaten toen Monika nog in de buik van haar moeder zat en als haar moeder die eenzame jaren niet had hoeven meemaken. Monika had hem nooit ontmoet. In haar puberteit had ze hem ooit een brief geschreven en een kort, onpersoonlijk antwoord gekregen, maar de plannen voor een ontmoeting waren op niets uitgelopen. Ze had gewild dat het hem meer kon schelen, dat hij het idee om elkaar te ontmoeten zou doorzetten. Maar dat had hij niet gedaan en toen had haar trots het gewonnen. Ze ging heus niet achter hem aan sjouwen. Vervolgens gingen de jaren voorbij en hij verdween weer naar de periferie.

Zoals verwacht was de kaars opgebrand en ze zag hoe naar haar moeder het vond dat die uitgedoofd op het graf had gestaan. Ze haalde snel de lucifers uit haar zak, hield haar hand beschermend om het flakkerende vlammetje en stak een nieuwe kaars aan. Ze had daar zo vaak staan kijken naar de handen van haar moeder, die de lucifer langs het strijkvlak lieten gaan, het vlammetje gadegeslagen, dat sterker werd in de kunststof houder en ten slotte oversprong op de lont. Was de gedachte nog nooit bij haar opgekomen? Dat het met net zo'n klein vlammetje was begonnen. Dat dat de oorsprong was geweest van de hele verwoesting. Toch moest ze almaar hierheen om het vlammetje weer aan te steken zodra het eindelijk gesmoord was. Het moest daar op het graf staan branden in triomf over zijn slachtoffer.

Ze liepen terug naar de auto. Haar moeder had met een laatste zucht haar rug naar het graf gekeerd en was weggelopen. Monika was nog even blijven staan, had voor de miljoenste keer zijn naam gelezen en de bekende onmacht gevoeld. Wat doet een zus die de kans krijgt een leven te leiden als degene die de beste voorwaarden leek te hebben die kans kwijt is? Wat moet ze presteren om dat te verdienen? Om te rechtvaardigen dat zij nog steeds leeft?

'Je blijft zo toch wel eten?'
   'Ik kan vandaag niet.'
   'Wat ga je dan doen?'
   'Ik heb met een vriend afgesproken en daar ga ik eten.'
   'Alweer? Ik heb het idee dat je altijd weg bent tegenwoordig. Je

kunt je werk toch niet behoorlijk doen als je door de week zoveel uitgaat?'

Soms droomde ze het en soms was ze wakker als ze het zich voorstelde: een hoog hek, helemaal wit, met een zwarte, gietijzeren poort. Een poort die dichtzat en alleen maar openging als zij dat goed vond.

'Wie is die vriend?'

'Die ken jij niet.'

'O.'

Ze bleef een moment met haar ogen dicht op haar plaats achter het stuur zitten. Ze had nog geen gelegenheid gehad om te vertellen dat ze volgende week op cursus moest, en nu was het te laat. Er zouden geen vlammetjes ontstoken kunnen worden op het graf als haar moeder er niet met de bus heen ging en dat was niet iets waar je graag mee aankwam als ze al uit haar humeur was.

Monika deed de richtingaanwijzer aan en reed weg. Haar moeder zat met afgewend gezicht door de zijruit te kijken.

Monika gluurde naar haar.

'De drieëntwintigste houd ik een lezing in de bibliotheek, over het liefdadigheidsfonds dat we in de kliniek hebben. Je kunt wel mee, als je wilt, dan haal ik je voor die tijd op.'

Een korte stilte terwijl ze misschien nog...

Stel je voor dat ze één keer.

Eén keer maar.

'Nee, ik weet het niet.'

Eén keertje maar.

De rest van de autorit zwegen ze. Monika minderde vaart en bleef met draaiende motor op het garagepad staan. Haar moeder opende het portier en stapte uit.

'Ik had kip gekocht.'

Monika zag haar rug door de voordeur verdwijnen. Ze leunde met haar hoofd tegen de neksteun en probeerde het gezicht van Thomas voor zich te zien. Dank u wel, lieve God, dat hij bestaat, dat ze hem nou net had ontmoet. De vurige blik in zijn ogen waarmee hij haar aankeek zoals niemand dat ooit eerder had gedaan. Alleen zijn handen hadden iets bij haar teweeggebracht

12

wat in de buurt kwam van rust, wat je daar misschien mee kon vergelijken. Hij had er geen idee van hoe belangrijk hij eigenlijk voor haar was en hoe zou dat ook kunnen, ze had immers de juiste woorden nog nooit gebruikt.

De waarheid was dat hij een noodzaak was geworden.

Maar de gedachte alleen al dat ze hem zo belangrijk had laten worden maakte haar volslagen panisch.

# 2

Het was puur toeval dat haar oog erop viel, en het was eigenlijk allemaal Saba's verdienste. Het postmandje aan de deur onder de brievenbus was er door een van de mensen van de thuiszorg op geschroefd; waarom ze daar tijd en geld in gestoken hadden, was voor haar volkomen onbegrijpelijk. Ze begreep wel dat het de bedoeling was dat ze zelf bij haar post zou kunnen, maar aangezien ze die nooit kreeg was het pure verkwisting van kostbare gemeenschapsgelden. Terwijl er tegenwoordig verder op van alles werd bezuinigd. Natuurlijk kwam er wel eens een afschrift van de bank of zo, maar het lezen daarvan had niet zoveel haast dat het de kosten voor die voorziening wettigde. Ze had ook geen belang bij een krant; er kwam genoeg ellende in de nieuwsuitzendingen 's avonds op tv. Ze bewaarde haar ziektegeld liever voor iets anders. Voor eetwaar.

Maar nu zat er dus een brief in.

Een brief in een witte envelop met handgeschreven letters op de voorkant.

Saba was met de tong uit haar bek voor de deur gaan zitten en had de witte indringer bekeken, misschien zat er een geur aan die alleen voor haar gevoelige zintuigen waarneembaar was.

Haar bril lag op de tafel in de woonkamer en ze overwoog even of het de moeite waard was om in de leunstoel te gaan zitten. Na de kilo's die er de laatste jaren bij waren gekomen was het zo moeilijk geworden daar weer uit omhoog te komen dat ze er niet graag onnodig in ging zitten, niet als ze wist dat het maar voor even was.

'Ga je nog even naar buiten voordat het vrouwtje gaat zitten?'

Saba keerde haar kopje naar haar toe en keek haar aan, maar toonde weinig interesse. Maj-Britt schoof de stoel dichter naar de balkondeur en controleerde of de grijper binnen bereik lag. Daarmee zou ze de deur open kunnen doen zonder dat ze hoefde op te staan. Ze hadden het zo geregeld dat Saba zichzelf even uitliet op het grasveld. De thuiszorg had haar geholpen een van de spijlen uit het balkonhekje te schroeven en ze woonde op de begane grond. Maar binnenkort moesten ze er weer een losschroeven om het gat groter te maken.

Met een grimas plofte ze in de leunstoel. Haar knieën protesteerden altijd als ze een moment haar hele gewicht moesten dragen. Ze zou binnenkort een nieuwe stoel moeten aanschaffen, een hoger model. De bank viel al buiten haar mogelijkheden. De laatste keer dat ze daarop ging zitten, moesten ze versterking vragen bij de alarmcentrale of hoe dat ook heette om haar er weer af te halen. Twee potige kerels.

Ze hadden haar beetgepakt en dat had ze moeten toelaten.

Ze was niet van plan zich nog eens aan die vernedering bloot te stellen. Het was afschuwelijk als iemand haar lichaam aanraakte. De walging die ze bij de gedachte alleen al voelde, maakte het gemakkelijk om af te zien van de bank. Het was al erg genoeg dat ze al die verzorgstertjes in haar flat toe moest laten, maar aangezien het alternatief was dat ze zelf naar buiten moest, had ze geen keuze. De waarheid was dat ze van hen afhankelijk was, hoezeer het haar ook tegen de borst stuitte om dat toe te geven.

Ze kwamen haar flat binnenstormen, de een na de ander. Voortdurend nieuwe gezichten waar ze de namen niet bij wist omdat ze niet de moeite nam die te onthouden. Ze hadden allemaal een eigen sleutel. Een snel belletje, waar ze nooit zo snel op kon reageren, en dan hup, de voordeur open. Van privacy hadden ze zeker nog nooit gehoord. Vervolgens namen ze de flat in met hun stofzuigers en emmers en vulden met verwijtende blikken de koelkast bij.

*Heb je alles alweer op wat we gisteren hadden gekocht.*

Het was vreemd hoe duidelijk het was, hoe het gedrag van de mensen veranderde als er weer kilo's bij waren gekomen. Alsof haar intelligentie in hetzelfde tempo achteruitging als waarin haar lichaamsomvang toenam. Mensen met overgewicht hadden minder verstandelijke vermogens dan dunne mensen, dat leek de gangbare mening te zijn. Ze liet hen maar in de waan, ze maakte schaamteloos misbruik van hun domheid om zichzelf voordelen te verschaffen; ze wist precies wat ze moest doen om van hen gedaan te krijgen wat zij wilde. Ze was immers dik! Gehandicapt door overgewicht. Zij kon het niet helpen dat ze zich zo gedroeg, ze wist immers niet beter. Die boodschap straalden ze iedere seconde dat ze bij haar in de buurt waren uit.

Vijftien jaar geleden hadden ze geprobeerd haar te overreden naar een serviceflat te verhuizen. Omdat ze dan gemakkelijker naar buiten zou kunnen. Wie zei dat ze naar buiten wilde? Zij niet in ieder geval. Ze had geweigerd en geëist dat haar flat aan haar formaat werd aangepast. Het bad was vervangen door een ruime douche, aangezien ze altijd zeurden dat hygiëne zo belangrijk was. Alsof ze een klein kind was.

Er stond geen afzender op de brief. Ze draaide de envelop om en las de voorkant. 'Nazenden.' Wie adresseerde in vredesnaam een brief aan haar ouderlijk huis? Bij het zien van het adres werd ze door schuldgevoel overmand. Het huis dat daar stond te vervallen. De tuin die zo langzamerhand wel ondoordringbaar moest zijn. De trots van haar ouders. In die tuin hadden ze de vrije tijd besteed die overbleef na hun toegewijde werk binnen de Gemeente.

Wat miste ze hen. Dat mensen zo'n leegte na konden laten.

'Tja, Saba. Je had mijn ouders zeker gemogen. Jammer dat je ze nooit hebt leren kennen.'

Ze had er niet meer heen gekund. Ze kon de schande niet verdragen om zich daar nog te vertonen, niet zoals zij eruitzag, dus moest het huis daar zo maar blijven staan. Ze zou er waarschijnlijk toch niet veel voor kunnen krijgen, zo ver van de bewoonde wereld. De familie Hedman zou de brief wel hebben doorgestuurd. Ze vroegen niet meer of ze van plan was te verkopen of ten minste voor de inventaris te zorgen, maar ze vermoedde dat ze er nog steeds wel regelmatig gingen kijken. Misschien vooral voor zichzelf. Er zou wel niet veel aan zijn om naast een vervallen, leegstaand huis te wonen. Of ze hadden het geplunderd en gingen contact uit de weg omdat ze zich schuldig voelden. Je kon geen mens vertrouwen tegenwoordig.

Ze keek om zich heen of ze iets zag om de envelop mee te openen. Haar vinger paste met geen mogelijkheid in de nauwe opening. De klauw van de grijper deed echter uitstekend dienst, net als altijd.

De brief was met de hand geschreven op gelinieerd papier met gaatjes aan de zijkant en leek afkomstig uit een collegeblok.

*Hallo Majsan,*

Majsan?

Ze slikte. Diep in de windingen van haar hersenen schoot een brokstukje van een herinnering los.

Ze kreeg meteen zin om iets in haar mond te stoppen, ze kreeg de behoefte om iets door te slikken. Ze keek om zich heen maar er lag niets binnen handbereik.

Ze weerstond de verleiding om het blaadje om te draaien om te kijken wie de brief had gestuurd, of misschien was het omgekeerd, misschien wilde ze het eigenlijk liever niet weten.

Ze had die koosnaam jaren geleden voor het laatst gehoord.

Wie was onuitgenodigd door de tijd gereisd en door haar brievenbus naar binnen gedrongen?

*Je zult je wel afvragen hoe het komt dat ik na al die jaren weer iets van me laat horen. Ik moet eerlijk toegeven dat ik even heb geaarzeld voordat ik ging zitten om deze brief te schrijven, maar nu heb ik dan toch besloten om het te doen. De verklaring zal je vast vreemd in de oren klinken, maar ik kan het net zo goed gewoon zeggen. Ik heb een paar nachten geleden zo raar gedroomd. Het was een heel levensechte droom en hij ging over jou, en toen ik wakker werd zei een innerlijke stem me dat ik jou deze brief moest schrijven. Ik heb (uiteindelijk en na harde lessen) naar sterke ingevingen leren luisteren. Zo gezegd, zo gedaan...*

*Ik weet niet hoeveel je over mij weet en over hoe mijn leven geworden is. Ik kan me echter voorstellen dat er thuis heel wat afgepraat is en ik heb er alle begrip voor als je geen contact met mij wilt. Ik heb helemaal geen contact met familie of met iemand anders uit mijn jeugd. Je begrijpt wel dat ik hier alle tijd heb voor overpeinzingen, en ik denk vaak aan onze jeugd en aan alles wat we in die jaren hebben meegekregen en hoezeer het ons in ons latere leven heeft*

*beïnvloed. Daarom ben ik zo benieuwd te horen hoe het tegen-*
*woordig met jou gaat! Ik hoop van harte dat het allemaal goed*
*gekomen is met jou en dat je het goed maakt. Omdat ik niet weet*
*waar je nu zit of welke naam je als getrouwde vrouw gebruikt (ik*
*kan me met de beste wil van de wereld niet herinneren hoe Göran*
*van zijn achternaam heet!), stuur ik deze brief naar je ouderlijk*
*huis. Als het de bedoeling is dat hij je bereikt, dan gebeurt dat ook,*
*dat weet ik zeker. En anders zal hij een tijdje circuleren en de*
*posterijen aan het werk houden, wat kennelijk nodig kan zijn, want*
*ik heb begrepen dat het daar zware tijden zijn.*

*Hoe dan ook...*

*Ik hoop van ganser harte dat je nu, ondanks je moeilijke jeugd, een*
*goed leven hebt. Pas op volwassen leeftijd ben ik goed gaan beseffen*
*hoe zwaar het voor je is geweest. Ik wens je het allerbeste!*

*Laat alsjeblieft wat van je horen.*

*Je oude beste vriendin*
*Vanja Tyrén*

Ze kwam met een ruk uit de stoel omhoog. De plotselinge woede
gaf haar een extra zetje. Wat was dit voor flauwekul?

*Ondanks je moeilijke jeugd?*

Zoiets brutaals had ze in geen tijden meegemaakt. Wat verbeeldde ze zich wel, dat ze het recht nam om zulke neerbuigende
beweringen te sturen? Ze pakte de brief weer op en las het adres
dat onder aan het blad stond en haar blik bleef hangen aan het
middelste woord. Vireberginrichting.

Zelf had ze nauwelijks meer een herinnering aan haar, aan deze
vrouw, die kennelijk gevangenzat in Vireberg, maar die toch het
recht meende te hebben om een oordeel te vellen over haar jeugd
en in het verlengde daarvan ook over haar ouders.

Ze ging naar de keuken en rukte de koelkast open. Het pak
cacao stond al op het aanrecht en ze sneed snel een stukje boter af
en doopte dat in het bruine poeder.

Toen de boter smolt in haar mond, deed ze haar ogen dicht en
voelde de opluchting.

Haar ouders hadden alles voor haar gedaan. Ze hadden van

haar gehouden! Wie wist dat beter dan zij?

Ze verkreukelde het blaadje. Het moest verboden zijn om brieven te sturen aan mensen die geen brieven wilden. Ze begreep niet waar dat mens op uit was, maar ze kon deze belediging niet over haar kant laten gaan. Ze was wel gedwongen te antwoorden en haar ouders eerherstel te geven. De gedachte alleen al dat ze zelf niet kon kiezen, maar dat ze werd geprest om met iemand buiten de flat te communiceren bracht haar ertoe nog een stukje boter af te snijden. De brief was een aanslag. Een open aanval. Na alle jaren van vrijwillig isolement was iemand opeens door haar moeizaam opgebouwde barrière heen gebroken.

Vanja.

Ze wist er nog zo weinig van.

Als ze goed haar best deed kwamen er enkele losgerukte beelden boven. Ze waren veel met elkaar omgegaan, maar details wilden zich niet prijsgeven. Ze kon zich vaag een drukke huishouding herinneren, waar de tuin bij tijd en wijle wel een schroothoop leek. Lang zo netjes niet als bij haarzelf thuis. Ze meende zich ook te kunnen herinneren dat haar ouders erop tegen waren geweest dat ze met elkaar omgingen en kijk, ze hadden weer eens gelijk gehad! Wat hadden ze een strijd moeten leveren! Ze kreeg een dikke brok in haar keel als ze aan hen dacht. Ze was geen gemakkelijk kind geweest, maar ze hadden het niet opgegeven, ze hadden hun uiterste best gedaan om haar te helpen het goede spoor te vinden in het leven, hoe lastig ze ook was en hoeveel verdriet ze hun ook had gedaan. En dan kwam meer dan dertig jaar later dat mens en vroeg zich af in hoeverre zij beiden beïnvloed waren door hun jeugd, alsof ze een medeplichtige zocht aan haar eigen mislukking, iemand die ze de schuld kon geven. Wie van hen zat nou in de gevangenis? Met bedekte aantijgingen en verwijten aankomen, terwijl zijzelf gevangenzat. Waarom? vroeg je je af.

Ze pakte zich aan de keukenbank vast toen de pijn in haar onderrug zich weer liet voelen. Een plotselinge scheut, waardoor het haar bijna zwart voor de ogen werd.

Maar ze wilde er liever niets van weten. Vanja mocht wat haar betreft begraven blijven in het verleden en het stof dat ze had doen opwaaien moest maar weer gaan liggen.

Ze keek op de keukenklok. Niet dat ze ooit het benul hadden zich aan een tijd te houden, maar ze zouden over een uur of twee wel moeten komen. Ze deed de koelkast weer open. Die drang werd altijd sterker wanneer iets waar ze niets van wilde weten zich probeerde op te dringen.

De drang om zich vol te stoppen en de schreeuw in haar binnenste het zwijgen op te leggen.

# 3

Hij beweerde dat hij van haar hield. Alles wat hij zei en deed wees daar ook op. Toch was dat zo moeilijk te accepteren. Dat hij nu juist van haar hield.

Hij trachtte haar te doen geloven dat hij haar uniek vond, dat van alle mensen op de hele wereld uitgerekend zij bij hem op de eerste plaats kwam, dat zij de belangrijkste voor hem was. Dat hij haar onder geen enkele omstandigheid in de steek zou laten en altijd voor haar klaar zou staan.

Het was zo moeilijk te accepteren.

Want waarom zou een man als Thomas nou van haar houden? Vrijgezellen werden schaars als je tegen de veertig liep en je hoefde maar een blik op hem te werpen om te constateren dat hij een felbegeerde prooi was. Toch was ze in de eerste plaats voor zijn intelligentie gevallen. Voor de zelfspot waarmee hij haar in de meest merkwaardige situaties aan het lachen kreeg. Alleen een zelfbewuste man, die overtuigd was van zijn eigen mannelijkheid, kon zo hartelijk om zichzelf lachen. En alleen een man die zelf-kennis had durven opdoen wist waar hij de spot mee moest drijven. Ze had nog nooit eerder zo'n man ontmoet. Hij was weetgraag en leergierig; hij wilde altijd nieuwe dingen leren en meer begrijpen. Bereid als hij was om altijd zijn visie te verruilen voor een andere, als die plotseling logischer leek, probeerde hij continu zaken vanuit een nieuw perspectief te zien. Misschien was dat een van de redenen voor zijn succes als industrieel ont-werper, of een resultaat daarvan. Zijn ongewone eigenschappen en vrije gedachten stuwden hun gesprekken naar onverkende hoogten, ze moest zich soms zelfs inspannen om op zijn niveau te blijven. Ze vond het waanzinnig stimulerend.

Intellectueel was hij volledig haar gelijke. Zulke mannen had je niet veel.

Dus waarom zou hij nou net op haar verliefd worden?

Ergens moest een addertje onder het gras zitten. Maar hoe ze ook zocht, ze kon het niet vinden.

Natuurlijk waren er mannen geweest. Korte relaties genoeg in haar verleden, maar ze had nooit energie willen steken in een poging ze te verlengen. Andere ambities hadden haar keuzes bepaald. De lange artsenopleiding had haar volledig in beslag genomen. Een zes of een zeven voor een tentamen was een mislukking. Een acht was een voorwaarde voor tevredenheid en soms hielp dat niet eens. Het liefst moesten haar docenten van hun stoel vallen van bewondering voor haar resultaten en haar aanleg, maar ze had leren inzien dat je dat niet zomaar voor elkaar had. Er waren meer goede studenten. Daarom was ze continu bezig geweest met haar ontoereikendheid, met het idee dat ze niet goed genoeg was. En dan ging ze nog harder studeren.

Haar leeftijdgenoten waren een voor een het huwelijk en het gezinsleven in verdwenen, terwijl zij tot groot verdriet van haar moeder haar leven als alleenstaande had voortgezet. Het gebeurde tegenwoordig niet zo vaak meer, nu het toch binnenkort te laat zou zijn, maar jarenlang had haar moeder haar er zorgvuldig van op de hoogte gehouden hoe teleurgesteld ze was dat ze nooit kleinkinderen zou krijgen. En diep in haar binnenste, waartoe noch haar moeder noch iemand anders ooit toegang kreeg, had Monika die teleurstelling gedeeld.

Het leven als alleenstaande was niet altijd even gemakkelijk. Of het cultureel bepaald was of niet viel onmogelijk te zeggen, maar ergens in het menselijke mysterie leek er toch een principieel streven naar vereniging te zijn. Haar lichaam sprak klare taal. Na maanden van eenzaamheid smeekte het om een aanraking. En ze was aan niemand iets verplicht. Soms begon ze dan een korte romance om het bestaan even wat op te fleuren, maar ze liet de gevoelens nooit met haar op de loop gaan. Ze liet zich niet te veel meeslepen en de relatie kreeg nooit de kans om erg belangrijk te worden. Van haar kant in ieder geval niet. Er had wel eens een hart een dreun gekregen door haar botte manier van doen, maar niemand was ooit toegelaten tot de kern, waar de kleine Monika woonde, waar ze al haar angsten zorgvuldig had weggestopt.

En haar geheim.

Seks was simpel. Echt contact, dat was pas moeilijk.

Vroeg of laat trad er altijd een verschuiving op in het evenwicht. Ze belden te vaak, gingen te veel willen, onthulden hun verwachtingen en langetermijnplannen. En hoe meer belangstelling ze toonden, des te lauwer werd die van haar. Achterdochtig sloeg ze hun groeiende enthousiasme gade om vervolgens de relatie helemaal te beëindigen. Want liever alleen dan in de steek gelaten.

Iemand had haar 'ijskoningin' genoemd en dat had ze als een compliment opgevat.

Maar toen ontmoette ze Thomas.

Dat was in een trein gebeurd, in de restauratiewagen. Ze was een weekendje bij vrienden geweest in hun familie-idylle op het platteland en ze was met de trein gegaan omdat ze dan de reistijd kon gebruiken om over de nieuwe ontwikkelingen op het gebied van fibromyalgie te lezen. Nadat ze achtenveertig uur lang getuige was geweest van wat er aan haar leven ontbrak, werd ze op de terugreis door zwaarmoedigheid overvallen. Hoe futiel het allemaal was geworden. Zij was degene die leefde, maar die desalniettemin niet het vermogen had er iets van te maken. Maar aan de andere kant, hoeveel recht op geluk had zo iemand als zij eigenlijk?

Ze was naar de restauratiewagen gegaan voor een glas wijn en was aan een tafeltje blijven zitten, op het plaatsje bij het raam. Hij zat tegenover haar. Ze hadden geen woord gezegd, nauwelijks een blik gewisseld. Ze hadden allebei naar het voorbijschietende landschap gekeken. Toch was haar hele wezen zich bewust geweest van zijn aanwezigheid. Een eigenaardig gevoel van niet alleen zijn, dat ze elkaar in de gedeelde stilte toch gezelschap hielden. Ze kon zich niet herinneren dat ze ooit eerder iets dergelijks had meegemaakt.

Toen ze zag dat ze het station naderden waar zij moest uitstappen, stond ze op en wierp hem slechts een vluchtige blik toe, voordat ze terugliep naar haar plaats om haar koffer te halen. Op het perron kwam hij plotseling achter haar aan rennen.

'Hallo! Hoi, je moet het me echt maar niet kwalijk nemen.'
Ze bleef verbaasd staan.

'Je zult wel denken dat ik niet goed wijs ben, maar ik voelde gewoon dat ik dit moest doen.'

Hij keek gegeneerd, alsof hij de hele situatie feitelijk niet meer vertrouwde. Maar toen raapte hij al zijn moed bij elkaar en hij ging verder.

'Ik wilde je nog even bedanken voor je gezelschap.'

Ze zei niets en hij leek steeds opgelatener.

'Ja, we zaten tegenover elkaar in de restauratiewagen.'

'Dat weet ik. Jij ook bedankt.'

Er verscheen een brede glimlach op zijn gezicht toen hij begreep dat ze hem had herkend. Hij klonk bijna enthousiast toen hij verderging.

'Nogmaals, neem het me niet kwalijk, maar ik moet gewoon weten of jij het ook voelde.'

'Wat?'

'Ja, net alsof… Ik weet niet goed hoe ik het moet zeggen.'

Hij leek weer gegeneerd en ze aarzelde even, maar toen knikte ze voorzichtig en bij de glimlach die hij haar zond had ze de benen moeten nemen uit een pure drang tot zelfbehoud. Maar ze bleef staan, ze kon niet anders.

'Wow!'

Hij keek haar aan alsof ze plotseling uit het perron omhooggeschoten was en begon toen in zijn zakken te graven. Snel haalde hij een verkreukeld bonnetje te voorschijn en keek om zich heen, hij klampte de eerste de beste voorbijganger aan.

'Pardon mevrouw, hebt u een pen?'

De uitverkorene bleef staan en zette haar aktetas neer, deed haar handtas open en haalde er een ballpoint uit, het leek een dure. Hij krabbelde snel iets op het bonnetje en stak het haar toe.

'Hier heb je mijn naam en telefoonnummer. Ik zou jou liever om het jouwe willen vragen, maar dat durf ik niet.'

De vrouw met de aktetas nam haar pen glimlachend weer in ontvangst en liep door.

Monika las het briefje.

Thomas. En een mobiel nummer.

'En als je niets van je laat horen ga ik van mijn leven nooit meer naar een Hugh Grant-film.'

Ze moest wel lachen.

'Dus vergeet niet dat zijn hele acteercarrière van jou afhangt.'

Ze had een paar dagen getwijfeld. Ze had haar gewone routine gevolgd en had niet te happig willen lijken, maar intussen was hij wel voortdurend in haar gedachten geweest. Ten slotte had ze zichzelf ervan weten te overtuigen dat het vast geen kwaad kon als ze iets van zich liet horen. Ze hoefden elkaar immers maar één keer te zien. Dat haar lichaam allang hongerde naar een aanraking had het ook gemakkelijker gemaakt om de tien cijfers in te toetsen.

De derde dag had ze een sms'je gestuurd.

'De schuldgevoelens jegens Hugh worden ondraaglijk. Ik kan de verantwoordelijkheid niet meer aan.'

Hij belde een minuut nadat het sms'je was verstuurd.

Diezelfde avond aten ze voor het eerst samen.

'*Columba livia.* Weet je wat dat is?'

Hij glimlachte en schonk haar bij.

'Nee.'

'Zo heet een postduif in het Latijn.'

'Dieren zijn niet mijn sterkste kant, maar als je een lichaamsdeel hebt waar je niet zeker van bent, kan ik je vast wel helpen.'

Op het moment dat de woorden eruit kwamen, hoorde ze zelf hoe het klonk.

'Ik bedoel hoe ze in het Latijn heten, dus.'

Ze voelde dat ze bloosde en dat overkwam haar echt niet vaak. Ze zag dat hij het ook zag en dat hij het grappig vond.

'Toen ik klein was had mijn opa een duiventil met postduiven. 's Zomers was ik vaak bij hem en mijn oma en dan mocht ik altijd helpen met de duiven. Ze eten geven, ze naar buiten laten als ze vliegoefeningen moesten doen, helpen met ringen, ja, van alles en nog wat, die duiventil was een hele wetenschap.'

Hij leek in dierbare herinneringen te verzinken en ze nam de gelegenheid te baat om goed naar hem te kijken. Hij was echt een mooie man.

'Dus als ik zeg dat mijn opa een duiventil had, dan bedoel ik dat hij leefde voor die duiven. Oma vond het misschien niet altijd even leuk, maar ze liet hem maar begaan. Weet je hoe een postduif de weg naar huis vindt?'

Ze schudde haar hoofd.

'Ze volgen verschillende magnetische velden.'

'O ja? Ik dacht dat ze met behulp van de sterrenhemel navigeerden, dat heb ik ergens gelezen.'

'Hoe kunnen ze dan overdag de weg vinden?'

'Ja zeg... ik heb er verder niet nachtenlang over liggen piekeren.'

De ober ruimde de tafel af en ze verzekerden hem dat het goed had gesmaakt en dat ze geen nagerecht wilden, maar graag een kop koffie. Monika was de duivenles bijna vergeten toen hij plotseling weer werd hervat.

'Weet je ook waarom ze altijd naar huis vliegen en niet stiekem ergens anders heen?'

Ze schudde haar hoofd.

'Heimwee.'

Hij boog voorover.

'Een duivenpaar blijft altijd bij elkaar. Ze blijven elkaar hun leven lang trouw, dus waar je de helft van een paartje ook loslaat, hij vliegt altijd weer terug naar huis. Een van mijn opa's duiven was vermoedelijk een keer tegen een hoogspanningsleiding gevlogen, want hij was beide poten kwijt toen hij terugkwam, maar hij zette alles op alles om thuis te komen, bij zijn levensgezel.'

Ze dacht na over wat hij had verteld.

'Je zou bijna wensen dat je een duif was, alleen niet die met die poten.'

Hij glimlachte.

'Ik weet het. Zo dacht ik ook toen ik klein was, dat als ik later groot was in een vreselijk verre toekomst en mijn vrouw zou ontmoeten, dan moest het precies zo voelen, als zo'n magnetisch veld. Zo zou ik weten dat ik de ware had ontmoet.'

Ze veegde enkele onzichtbare kruimels van het tafelkleed, want ze voelde dat ze het wilde vragen, maar ze wilde ook absoluut niet te gretig lijken.

'En was dat ook zo?'

'Wat?'

Ze aarzelde even, want ze besefte dat ze eigenlijk geen antwoord wilde. Dus schoof ze haar servet een stukje op.

'Toen je je vrouw ontmoette.'

Hij nam een slok van de wijn.

'Dat weet ik niet.'

Ze voelde de teleurstelling in haar maag. Die trok zich samen toen ze begreep dat hij getrouwd was. Zo'n lafaard zonder trouwring. Ze begon nooit een relatie met een getrouwde man.

'Dat magnetische veld heb ik gevoeld, dat wel. Maar of ze ook mijn vrouw wordt, valt zo vroeg nog niet te voorspellen.'

Een andere ober verstoorde het moment en vroeg of alles naar wens was. Ze knikten beiden zonder hun ogen van elkaar af te houden en de ober maakte zich snel uit de voeten.

'Dus nu begrijp je mijn gedrag op het perron misschien wat beter. Aangezien het de eerste keer was dat ik dat magnetische veld überhaupt voelde, móést ik immers wel wat doen.'

Het was een bijzondere man die ze had ontmoet. Onderweg naar de afspraak had ze opengestaan voor de mogelijkheid dat ze de nacht samen zouden doorbrengen. Hoe later op de avond het werd, des te meer ze ging twijfelen. Niet omdat ze het niet meer wilde, maar omdat ze voelde dat ze het veel te graag wilde. Toen het echter uiteindelijk ter sprake kwam, nam hij het besluit.

'Ik zal je niet vragen of je vanavond met me mee naar huis gaat.'

Ze bleef doodstil staan. Het regende en ze waren voor het restaurant onder de markies blijven staan.

'Dit wil ik niet overhaasten. Daar voelt het veel te goed voor.'

Ze had nog nooit zo iemand als Thomas ontmoet. Ze waren uiteengegaan en hij had beloofd haar de volgende dag te bellen, maar zijn eerste sms'je kwam acht minuten later al. Die nacht spetterden de boodschappen van hun mobieltjes, hun formuleerkunst bereikte ongekende hoogten en ze betrapte zichzelf erop dat ze in het donker lag te glimlachen toen ze zijn originele berichten las. Gestimuleerd door de uitdaging moest ze zich inspannen om even vernuftige antwoorden te produceren. Om een uur of vijf moest ze erkennen dat hij had gewonnen.

'Het leven en de nacht naderen haastig. Nooit waren dromen dichterbij dan nu.'

Ze wist er niets op te zeggen.

Hij was weer een paar treetjes hoger geklommen.

En ze hadden gewacht. In de tijd die volgde hadden ze elkaar verkend. Langzaam maar zeker, vanbinnen en vanbuiten. Twee eenzame mensen die behoedzaam datgene naderden waarop ze stiekem hadden gehoopt, wat ze altijd hadden gemist, waarvan ze altijd hadden gedroomd dat het ooit in hun leven zou komen. Ieder gesprek was een avontuur, iedere ontdekking een nieuwe mogelijkheid tot verdieping. Ze wist dat ze nooit eerder op de plaats was geweest waar haar gevoelens haar nu hadden gebracht. Ze hadden alleen het beste met elkaar voor. Stukje bij beetje leerde ze hem kennen en niets van wat hij vertelde of bekende maakte haar minder geïnteresseerd. Integendeel.

Stap voor stap naderden ze het moment en ze waren beiden moedig genoeg om toe te geven dat ze zo nerveus waren als pubers, hoe middelbaar ze ook waren. Maar zoals altijd met Thomas ging het allemaal vanzelf. Op een zondagmiddag hadden ze gewoon geen weerstand meer kunnen bieden.

En ze besefte dat ze eigenlijk nog maagd was geweest.

Gemeenschap had ze vaak genoeg gehad. Van liefde was daarbij echter nooit sprake geweest.

De ervaring was revolutionair, ingrijpend, zo ver van de gewone heerschappij van haar intellect. Om compleet op te mogen lossen en samen te smelten, niet alleen met een ander lichaam, maar met de hele wereld. Om een kort ogenblik gezegend te worden met inzicht, de eenvoud te vermoeden in het grandioze mysterie van de zin van alles. Om overweldigd te worden door de wens om iedere verdediging op te geven, je kwetsbaar op te stellen en je in volledig vertrouwen over te geven, de gebeurtenissen over je heen te laten komen. Zo dicht bij haar kern was ze nog nooit geweest. Waar geen ongerustheid was en geen eenzaamheid.

Maar op maandag had de angst haar alweer te pakken.

Ze liet de hele dag niets van zich horen. Toen de laatste patiënt was vertrokken en ze haar voicemail afluisterde via haar mobieltje, had hij drie boodschappen achtergelaten en vier sms'jes gestuurd. Ze had geïrriteerd moeten raken. Als alles net als anders was geweest, was zijn belangstelling de doodsteek geweest voor hun relatie. Nu werd ze alleen nog maar banger. 'Je bent gewoon laf' hielp niet. Zelfs 'beschouw het als een uitdaging' niet. Haar gewone, oude trucjes om zich over haar angst heen te zetten werkten niet, deze keer niet, deze uitdaging bracht al te grote risico's mee. Ze kwam gewoon niet over de schrik heen. Ze zou het niet overleven als hij haar de bons gaf, als hij haar verliet terwijl ze hem zo dichtbij had laten komen. Het was gevaarlijk om afhankelijk te worden van iets wat je niet in de hand had. Zich zo bloot te geven als zijn innigheid eiste maakte haar kwetsbaarder dan ze kon verdragen.

Om halfeen 's nachts, toen ze nog steeds niets van zich had laten horen, stond hij bij haar voor de deur.

'Als je me niet meer wilt zien, zeg dat dan recht in mijn gezicht in plaats van je achter een uitgeschakeld mobieltje te verbergen.'

Voor het eerst zag ze hem kwaad. En ze zag hoe verdrietig hij was, hoe hij vocht met zijn eigen angst.

Ze zei niets, kroop gewoon in zijn armen en begon te huilen.

Ze lag op zijn arm. Achter het slaapkamerraam werd het al licht. Ze lag zo dicht mogelijk tegen hem aan, maar toch voelde het alsof het nog niet dichtbij genoeg was.

'Weet je wat Monika betekent?'

Ze knikte.

'De vermanende.'

'Ja, in het Latijn. Maar in het Grieks betekent het de eenzame.'

Hij draaide zijn hoofd en streek met zijn wijsvinger over haar voorhoofd.

'Ik geloof niet dat ik ooit iemand heb ontmoet die zo ten koste van alles probeert haar naam waar te maken.'

Ze deed haar ogen dicht. De eenzame. Dat was ze altijd geweest. Tot nu toe. En nu was ze niet moedig genoeg om zich te laten redden.

Hij ging rechtop zitten met zijn rug naar haar toe.

'Ik ben toch ook bang, snap je dat niet?'

Ze was doorzien. Dat vermogen had hij, om dwars door haar heen te kijken. Het was een van vele eigenschappen die ze in hem waardeerde, maar waar ze ook bang voor was. Hij stond op en liep naar haar slaapkamerraam. Haar ogen dwaalden over zijn naakte huid. Wat was hij mooi.

'Ik ben altijd in staat geweest voor- en nadelen tegen elkaar af te wegen, te bedenken wat ik moest doen en ik heb me mee laten slepen in van die rotspelletjes die je speelt om niet te geïnteresseerd over te komen. Maar bij jou werkt dat niet. Ik wilde altijd al zo vreselijk graag dat zoiets als dit me zou overkomen, zulke sterke gevoelens hebben dat je als het ware geen keus hebt.'

Ze wilde iets zeggen, maar ze kon niet bedenken wat. Alle woorden die geschikt geweest waren lagen onbereikbaar ver weg in een verborgen hoekje, aangezien ze nooit eerder van pas gekomen waren.

'Ik weet alleen dat ik dit gevoel nog nooit eerder heb gehad.'

Hij stond daar even naakt als zijn bekentenis. Ze stond op en liep naar hem toe, ging vlak achter zijn rug staan en stak haar armen onder de zijne door.

'Dus laat me nooit meer alleen met een zwijgende telefoon. Ik weet niet of ik dat nog een keer aankan.'

Hij was de moedigste man die ze ooit had ontmoet.

'Het spijt me.'

Een duizelingwekkend moment durfde ze volledig vertrouwen te voelen, te rusten in het gevoel door en door bemind te worden.

Ze voelde de tranen weer opwellen, iets zwarts en hards in haar binnenste was bezig op te lossen.

Hij draaide zich om en nam haar gezicht tussen zijn handen.

'Ik vraag maar één ding en dat is dat je eerlijk bent, dat je de waarheid zegt, zodat ik begrijp wat er aan de hand is. Als we gewoon eerlijk zijn hoeven we toch geen van beiden bang te zijn?'

Ze gaf geen antwoord.

'Toch?'

Toen pas knikte ze.

'Ik beloof het.'

En op dat moment meende ze het ook.

Ze zouden 's avonds uit eten gaan. De volgende ochtend ging ze naar de cursus en ze miste hem nu al. Vier dagen. Vier dagen en vier nachten zonder zijn nabijheid.

Haar moeder was verontwaardigd geweest. Niet over de cursus als zodanig, maar over het feit dat het een aantal dagen donker zou zijn op het graf. Monika had beloofd dat ze zo snel mogelijk weer thuis zou komen. Ze zou haar zondag om drie uur halen, zodra ze terug was.

Ze stond lang te wikken en te wegen voor haar kleerkast. Eigenlijk had ze al besloten wat ze aan zou trekken, ze wist heel goed wat hij het leukst vond, maar ze wilde zich er nog een keer van overtuigen dat ze het goed deed. Toen ze langs het raam liep bleef ze bij een van de orchideeën staan en trok er een verdorde bloem uit. De andere stonden er nog steeds prachtig bij en ze bekeek de perfecte creatie. Zo waanzinnig mooi, zo volmaakt symmetrisch, zo volledig vrij van fouten en gebreken. Toch had hij haar ermee vergeleken toen hij ze in de pot voor het slaapkamerraam had zien staan, dus zo slim was hij nou ook weer niet. Een orchidee was perfect. Zij niet. Hij wist haar het gevoel te geven dat ze van-binnen en vanbuiten uniek was. Maar alleen als hij in de buurt was en zijn blik haar die kalme overtuiging gaf. Anders werd dat andere de baas, datgene waarvan ze wist dat het in haar zat en dat geen liefde waard was. Snel en onbarmhartig nam het zijn verloren terrein weer in.

In de deuropening op weg naar buiten aarzelde ze. Als ze nu wegging zou ze precies op tijd komen. Wat zou er gebeuren als ze te laat kwam? Aardig wat te laat. Hoe geïrriteerd zou hij raken? Misschien zou hij dan inzien dat ze niet zo fantastisch was als hij dacht. Dan zou hij misschien eindelijk zijn verborgen kanten laten zien, het addertje onder het gras tonen waarvan ze zeker wist dat het er moest zitten. Laten zien dat hij alleen van haar hield zolang hij dacht dat ze perfect was. Ze schakelde haar mobieltje uit en ging op het halbankje zitten.

Ze liet hem drie kwartier wachten. Toen ze ten slotte aan kwam rennen, stond hij als een verzopen kat midden op het plein. Hij had het vertikt om de afgesproken plek te verlaten.

'Eindelijk! Jezus wat was ik ongerust, ik dacht dat je iets was overkomen.'

Geen onvertogen woord. Geen spoor van ergernis. Hij trok haar naar zich toe en ze verborg haar gezicht tegen zijn natte jack en schaamde zich.

Maar echt overtuigd was ze niet. Diep vanbinnen niet.

Ze sliepen die nacht samen in haar huis. Toen het ochtend werd en ze bijna weg moest, bleef hij liggen en hij hield haar lang in zijn armen.

'Ik heb uitgerekend dat je straks honderdacht uur weg bent, maar ik weet niet of ik het langer dan vijfentachtig uur red.'

Ze kroop tegen hem aan en rustte opnieuw een duizelingwekkend moment. Ditmaal wilde ze blijven. Het leven zelf voor één keer de keuze laten.

'Je weet dat ik gauw weer thuiskom, gedreven door magnetisch heimwee.'

Hij glimlachte en drukte een kus op haar voorhoofd.

'Maar wat je ook doet, kijk uit voor hoogspanningsleidingen.'

Ze lachte, keek op de klok en zag dat het hoog tijd was om te gaan. Ze had zo graag die vier woorden willen zeggen die zo moeilijk uit te spreken waren. In plaats daarvan raakte ze met haar lippen heel zacht zijn oor en fluisterde: 'Ik ben zo blij dat uitgerekend ik jouw duifje ben geworden.'

En op dat moment konden ze zich beiden in hun wildste fantasie nog niet voorstellen dat de Monika die zo meteen zou vertrekken nooit meer terug zou komen.

# 4

Het duurde vier dagen voordat ze zichzelf genoeg in de hand had om een antwoord te gaan formuleren. Haar nachten waren vol onrustige dromen, ze speelden zich allemaal af in de buurt van grote wateren. Enorme gedaantes zweefden als zwarte wolken onder het wateroppervlak en hoewel zij op het land stond, ervoer ze hen als bedreigend, alsof ze haar toch iets zouden kunnen doen. Ze was weer slank en zou zich vrij hebben kunnen bewegen als niet iets anders haar dat had belet. Iets met haar benen. Verscheidene keren was ze wakker geworden toen een reusachtige golf over haar heen kwam spoelen en het net tot haar was doorgedrongen dat ze niet zou ontkomen.

Het grote kussen achter haar rug was nat van het zweet. Ze zou zo graag gewoon willen kunnen liggen. Eén nacht liggen slapen als een gewoon mens. Dat kon niet meer. Als ze ging liggen zou ze stikken onder haar eigen gewicht.

Het was jaren geleden dat ze voor het laatst een brief had opgesteld. Ze had al meteen diezelfde dag een van de verzorgstertjes om briefpapier gestuurd, maar dat had ze weggestopt in de bovenste la van haar bureau. De brief die beantwoord moest worden lag daar al, zo goed mogelijk gladgestreken nadat hij eerst was verfrommeld, en elke keer dat ze erlangs liep werd haar blik naar het sierlijke geelkoperen beslag getrokken.

De afgelopen dagen waren er meer flarden van herinneringen uit de diepten opgedoken. Korte fragmenten waarin Vanja meespeelde. Vanja lachend op een blauwe fiets. Vanja volledig verdiept in een boek. Ze had haar donkerbruine paardenstaart, die altijd met een rood elastiek bijeengehouden werd, helder en duidelijk gezien. En dan een diffuus beeld van de houtschuur thuis, wat die er nu mee te maken had? Brokstukjes die niet op de goede plaats wilden gaan liggen. Kleine, nuchtere fragmenten die geen enkele emotionele betekenis hadden.

Ze had de koelkast leeggegeten. Alles was op. Drie keer had ze zo'n enorme trek gehad dat ze de pizzeria moest bellen. Er stond een halfuur op de bestellijst, maar het waren ook al van die sukkels die nooit op tijd kwamen.

Dat iets wat leeg was zoveel pijn kon doen.

De brief was voortdurend in haar gedachten. Ze zou hem het liefst verscheuren en weggooien, maar het was te laat. Ze had de woorden gelezen en die hadden zich in haar geheugen gegrift en ze kon ze onmogelijk naast zich neerleggen. Het ergste van alles was dat de woede af begon te nemen en plotseling ruimte openliet voor iets anders. Een duistere vrees.

Eenzaam.

Van dat gevoel had ze lange, lange tijd geen last gehad.

Het ergst waren de nachten.

Ze probeerde zichzelf wijs te maken dat ze nergens bang voor hoefde te zijn. Vanja zat opgesloten en kon haar niets doen. Mocht er een nieuwe brief komen, dan kon ze die ongelezen weggooien. Ze zou er niet nog een keer in trappen.

Maar verstandige woorden hielpen niet. En ze besefte dat ze eigenlijk niet bang was voor Vanja, maar voor iets anders.

Die ochtend stond ze vroeg op, nog voordat het licht was. Ze durfde nooit onder de douche te gaan staan als er een kans bestond dat zo'n verzorgstertje haar zou verrassen. Ze had er moeite mee om zich goed af te drogen tussen alle plooien en ze had wel een idee hoe het eczeem op haar rug eruitzag. De jeuk verried het haar. Als ze haar zagen, zouden ze alarm slaan en nooit van zijn leven zou ze toestaan dat iemand haar insmeerde. Ze had twee jurken waar ze nog steeds in paste. Lange tenten met een opening in de nok. Ze had ze vijftien jaar geleden laten naaien en ze wilde er niet over nadenken dat de ene binnenkort te klein zou zijn.

Toen Saba haar ochtendwandeling over het grasveld had gemaakt en de balkondeur dicht was, liep Maj-Britt naar de keuken en ging aan de keukentafel zitten. Ze keek op de klok. Het zou nog drie, vier uur duren voordat er iemand opdook, maar je kon nooit weten. Ze kwamen en gingen zo'n beetje zoals het hun goeddacht. Maar als ze eerlijk moest zijn, dan zou ze vandaag blij zijn als ze kwamen. Haar lege maag schreeuwde om bijvulling. En in weerwil van de verwijtende blik had ze extra boodschappen besteld.

*Hallo Vanja.*

Ze had eigenlijk helemaal geen zin om 'hallo' tegen haar te zeggen, maar hoe moest je anders een brief beginnen? En hoe reageerde je op impliciete beledigingen zonder te laten merken hoezeer je je daaraan had gestoord? Ze wilde net doen of het haar niet raakte, laten zien dat ze boven de kwetsende opmerkingen stond die een verwarde gedetineerde meende te mogen opschrijven.

*Zoals je al dacht was ik op zijn zachtst gezegd verbaasd over je brief. Het duurde even voor ik weer wist wie je was. Er zijn immers, wat je ook al zei, nogal wat jaren voorbijgegaan sinds we elkaar voor het laatst hebben gezien. Met mijn gezin en mij gaat het goed. Göran werkt als afdelingschef bij een groot bedrijf waar ze huishoudelijke apparaten maken en zelf werk ik in het bankwezen. We hebben twee kinderen, die op het moment allebei in het buitenland studeren. Ik ben erg tevreden met mijn leven en bewaar enkel goede herinneringen aan mijn jeugd. Mijn vader en moeder zijn jaren geleden overleden en dat is een groot gemis. Daarom komen we er ook niet zo vaak meer; we gaan in de vakantie liever naar het buitenland. Ik heb dan ook niemand meer gesproken en ik weet niets van jou of hoe het jou is vergaan. Ik begrijp echter uit het adres dat je in de narigheid verzeild geraakt bent.*

*Göran en ik gaan vanavond naar de schouwburg, dus ik moet nu stoppen.*

*Groeten,*
*Maj-Britt Pettersson*

Ze las door wat ze had geschreven. Uitgeput van de inspanning besloot ze dat het goed genoeg moest zijn. Nu wilde ze hem alleen haar flat uit hebben en gepost, zodat ze het allemaal achter zich kon laten.

Het had haar tegengestaan om zijn naam te schrijven.

Het verzorgstertje kwam die dag tegen enen en het was een nieuwe, eentje die ze nog nooit eerder had gezien. Het was weer zo'n jong ding, maar dit meisje was tenminste Zweeds. Zo'n kind dat gekleed ging in uitdagende shirtjes en topjes waar de bh-bandjes onderuit kwamen. En dan vonden ze het gek dat het aantal verkrachtingen toenam in de maatschappij. Als jonge meisjes als sletten gekleed gingen. Wat moesten de mannen dan denken?

'Hallo. Ik ben Ellinor.'

Maj-Britt keek met afkeer naar haar uitgestoken hand. Die ging ze dus echt niet pakken.

'Misschien ben je nog niet geïnformeerd over de gang van zaken in deze huishouding?'

'Hoe bedoel je?'

'Ik hoop dat je in ieder geval het goede lijstje hebt meegekregen toen je boodschappen ging doen.'

'Dat dacht ik wel.'

De indringster bleef glimlachen en dat ergerde Maj-Britt nog meer. Ze trok een versleten spijkerjack uit, versierd met kleurige buttons die het kledingstuk een zo mogelijk nog onverzorgder aanzien gaven.

'Zal ik ze in de koelkast zetten of wil je dat zelf doen?'

Maj-Britt bekeek haar van top tot teen.

'Zet ze maar op de keukentafel.'

Ze ruimde de etenswaren altijd zelf op, maar tassen dragen kon ze niet meer. Van de levensmiddelen wilde ze weten waar ze stonden. Voor het geval ze haast kreeg.

Toen ze alleen in de hal stond, ging ze de plastic speldjes wat beter bekijken. Met een pincetgreep trok ze aan het jasje en snoof toen ze de teksten las: Niemand mag zwijgen! JUSTICE PAYS

LIFE, Feministe – beslist! IF I AM ONLY FOR MYSELF – WHAT AM I? Een kaars met prikkeldraad eromheen met de tekst RIGHTS FOR ALL. Een heleboel geëngageerde kreten over ditjes en datjes, alsof zij alleen de verantwoordelijkheid op zich had genomen om de wereld te veranderen. Nou ja, dat ging wel over als ze wat ouder werd en begreep hoe het werkte.

Ze hoorde het verzorgstertje de badkamer in gaan en een emmer water pakken.

Een halfuur later was ze klaar. Maj-Britt stond bij de balkondeur te wachten totdat Saba weer binnenkwam. Op de speelplaats stond een vader een schommel te duwen. Een kind dat niet veel ouder kon zijn dan een jaar schaterde het uit als de schommel van richting veranderde en weer terugviel in zijn uitgestrekte armen. Ze had hen daar al vaak gezien. Soms was de moeder er ook bij, maar die leek ergens pijn te hebben, want soms moest de man haar omhoog helpen als ze op het bankje had gezeten. Saba bleef dicht bij het balkon en nam nooit notitie van degenen die ze daarbuiten tegenkwam. En Maj-Britt liet de poep ophalen door de thuiszorg, ze wilde geen klachten van de omwonenden over hun regeling.

Ze deed de balkondeur open om Saba binnen te laten. Op hetzelfde moment ging op de tweede verdieping tegenover haar een raam open en de moeder van het kind op de schommel stak haar hoofd naar buiten.

'Mattias, er is iemand aan de telefoon die vraagt of je mee wilt rijden naar de cursus. Iets over carpoolen.'

Verder hoorde Maj-Britt het niet, want nu was Saba weer binnen en was er geen reden om de balkondeur open te laten staan. Ze trok hem dicht. Toen ze zich omdraaide stond Ellinor in de kamer.

'Ik kan wel een eindje met haar lopen, als je wilt. Het schoonmaken ging zo snel dat ik nog wel tijd heb voor een wandelingetje.'

'Waarom zou je dat doen? Ze is net buiten geweest.'

'Ja, maar ik dacht dat ze misschien een langere wandeling

wilde maken. Wat beweging zou misschien wel goed voor haar zijn.'

Maj-Britt moest er stiekem om lachen. Deze was pittiger dan de meeste anderen, maar dat kreeg ze er op de een of andere manier vast wel uit.

'Waarom denk je dat ze dat nodig heeft?'

'Een beetje beweging is altijd goed.'

'Waarvoor?'

Ze zag dat haar blik onzeker werd. Hoe ze plotseling haar woorden met meer zorg ging kiezen, en dat was haar geraden ook. Het streven was dat ze helemaal geen woorden meer koos.

Maj-Britt bleef haar aankijken.

'Wat gebeurt er dan volgens jou als je niet beweegt?'

Deze keer bleef het eindelijk stil.

'Bedoel je misschien dat je dik wordt als je niet beweegt?'

'Het was maar een voorstel. Sorry hoor.'

'Wat jij zegt is dus dat het verschrikkelijk zou zijn om dik te worden. Of niet?'

Zo. Dit meisje zou in het vervolg geen problemen meer opleveren.


Ellinor had de voordeur al open toen Maj-Britt haar de brief toestak.

'Kun je deze op de bus doen?'

'Natuurlijk.'

Haar blik zocht nieuwsgierig naar het adres, net zoals Maj-Britt had verwacht.

'Ik heb je niet gevraagd hem persoonlijk af te geven. Alleen om hem in een brievenbus te stoppen.'

Ellinor stopte de brief in haar tasje.

'Bedankt voor de gezelligheid. De volgende keer kom ik ook weer, dus tot ziens.'

Toen ze geen antwoord kreeg, deed ze de deur achter zich dicht. Maj-Britt keek Saba aan en zuchtte.

'We kunnen haast niet wachten, hè?'

Zoals ze had verwacht luchtte het ietwat op. Zodra de brief uit haar appartement was verdwenen, hadden de muren weer iets van hun oude vermogen herwonnen om een grens te garanderen tussen haar en alles daarbuiten, waar ze niets mee te maken wilde hebben. Ze voelde zich weer veilig.

Twee dagen kon ze ervan genieten. Toen was Ellinor er weer en Maj-Britt begreep meteen dat ze haar niet zo volledig de mond had weten te snoeren als ze had gedacht. Ze was nog maar een paar minuten in het appartement toen haar woordenvloed alweer een diepe scheur maakte.

'Zeg, mag ik je iets vragen? Ik weet dat je liever niet met ons praat, maar...'

Ze had de vraag gesteld en ook zelf het antwoord al gegeven. Waarom zou Maj-Britt zich dan nog met haar gesprek moeten bemoeien? Ze keek Saba aan en ze waren het eens. Ze moesten iemand anders zien te krijgen in plaats van dit meisje.

'Die brief die ik heb gepost.'

Ze had de zin nog niet afgemaakt of Maj-Britt wenste haar al van ganser harte het appartement uit, zodat ze ongestoord de koelkast kon opendoen en kon kiezen wat ze naar binnen zou proppen.

'Was dat dé Vanja Tyrén?'

Ze zat weer klem. Opnieuw probeerde haar sinds lang vergeten 'beste vriendin' haar te dwingen tot iets waarvoor ze niet zelf had gekozen. Dat zou ze mooi niet toelaten. Ze zou geen antwoord geven. Maar dat hielp niet. Toen Ellinor geen antwoord kreeg, ging ze op eigen houtje verder en de woorden die ze zei lieten de scheuren uitgroeien tot grote bressen naar de vijandelijke buitenwereld.

'De Vanja Tyrén die haar hele gezin heeft omgebracht?'

# 5

Leidinggeven – technieken en methodes voor resultaatgericht werken.

Ze had de cursus maanden geleden geaccepteerd, lang voordat Thomas in haar leven was gekomen. In een tijd dat iedere zeldzame onderbreking van de dagelijkse sleur meer dan welkom was. Toen had ze zin gehad om ernaartoe te gaan.

Nu was alles anders. Nu zou ze niet weten hoe ze de vier dagen dat de cursus ging duren door moest komen.

Het cursusgeld werd voor haar betaald door een farmaceutisch bedrijf. Ze hadden haar geen moment wijs kunnen maken dat ze zich zorgen maakten over haar leidinggevende capaciteiten of haar vermogen om als chef haar medewerkers te motiveren. Misschien maakten ze zich zorgen of ze haar medewerkers wel kon motiveren hún geneesmiddelen te kiezen als ze een recept uitschreven, maar beide partijen speelden het spelletje mee. Het was niet de eerste keer dat een farmaceutisch bedrijf een van de artsen uit het ziekenhuis een extra blijk van waardering gaf. En ook vast niet de laatste keer.

Ze vond zichzelf niet zo'n goede chef, maar voorzover zij wist was het personeel op de afdeling tevreden. Van haar gebrekkige leidinggevende capaciteiten hadden zij zelden last, integendeel, daar had zijzelf het meeste extra werk van. Vervelende klussen delegeren had haar altijd tegengestaan, ze kon het eenvoudiger zelf doen om zure gezichten te voorkomen. Als ze iemand vroeg om iets te doen, voelde ze altijd de behoefte daar wat tegenover te stellen, om die medewerker vooral in een goede bui te houden. Maar eigenlijk ging het er waarschijnlijk meer om zich van blijvende waardering te verzekeren. Dat niemand een hekel aan haar mocht hebben.

Als arts had ze meer zelfvertrouwen. Als ze niet als competent en efficiënt werd gezien, was haar vier jaar geleden nooit de betrekking als chef de clinique aangeboden. Het was een privé-kliniek met een stichting als grootste aandeelhouder, en een betrekking aangeboden krijgen als chef de clinique was een duidelijke erkenning. Ze hadden negen specialismen in huis en zij was hoofd Algemene Chirurgie. Maar zoals gezegd, aan haar leidinggevende capaciteiten viel nog wel wat te verbeteren, en als dit in haar vorige leven was gebeurd, dat had geduurd tot aan de ontmoeting met Thomas, dan zou ze zich met hart en ziel op die opdracht hebben gestort. Nu leek het niet meer zo be-langrijk. Thomas vond haar goed genoeg zoals ze was, ondanks al haar tekortkomingen. Op dit moment wilde ze zich alleen maar wiegen in dat gevoel. Maar één tekortkoming had ze nog niet onthuld.

De lelijkste, laagste van allemaal.

Ze stond bij de bushalte te wachten. Thomas had haar daar afgezet en hoewel de deelnemers dringend verzocht werd om hun mobieltjes gedurende de vier dagen dat de workshop duurde uit te laten staan, had ze beloofd dat ze iedere avond zou bellen. Nu had ze er spijt van dat ze niet met haar eigen auto was gegaan. Een vrouw die ze niet kende had gebeld en gevraagd of ze samen zouden rijden, ze zei dat ze Monika's naam en nummer van de cursusleiding had gekregen, en waarom niet? Dat had ze in ieder geval gevonden op het moment dat de vraag zich voordeed. Nu was ze liever alleen geweest. Ze had helemaal alleen willen zitten genieten van het duizelingwekkende gevoel dat ze ervoer. Alles was plotseling veranderd in een veilige, blijmoedige verwachting. Het was perfect, ze had niets meer nodig. Als dit was wat ze geluk noemden, begreep ze plotseling heel het menselijke streven.

Ze keek op haar horloge. Het was al halfnegen en de vrouw had beloofd haar om twintig over acht op te pikken. Het was bijna honderd kilometer naar het congrescentrum en als ze niet snel vertrokken, zouden ze te laat komen voor de eerste bijeenkomst. Ze stelde er altijd een eer in om punctueel te zijn en ze voelde een steek van ergernis.

Ze draaide zich om en wierp een blik op de kiosk. Onwillekeurig nam ze de tekst op de aanplakbiljetten van de roddelbladen in zich op.

13-JARIG meisje drie maanden gebruikt als SEKSSLAVIN.

En de concurrent ernaast:

8 op de 10 diagnoses onjuist. HOESTEN kan een DODELIJKE ZIEKTE zijn. Test het zelf.

Ze schudde haar hoofd. Je zou de krantenmakers er nog van verdenken dat ze neurowetenschappelijk waren opgeleid. Het rechtstreeks aanspreken van het primitieve alarmsysteem van hun beoogde kopers was een ijzersterke methode om hun aandacht te trekken. Diep in de oude hersenen zat het, en net als bij alle andere zoogdieren had het de taak om voortdurend de omgeving af te speuren naar eventueel gevaar. De aanplakbiljetten waren één groot waarschuwingssignaal: er was een mogelijke bedreiging ontstaan. Een angstige persoon had informatie nodig over het waaróm, niet alleen maar over het hóé, en zeker niet in walgelijke details. Dergelijke informatie maakte geen eind aan de angst, maar vergrootte die eerder. Ze was bang dat de koppen van de roddelbladen een grotere invloed hadden op het maatschappelijke klimaat dan de mensen doorhadden. Je ontkwam er niet aan om ze te lezen en wat moest je anders met al die angst, waar continu nog wat bovenop werd gedaan, dan hem in een verborgen hoekje wegstoppen, waar hij de achterdocht jegens vreemdelingen aan kon wakkeren en het algemene gevoel van hopeloosheid kon vergroten?

Dat mensen kranten kochten die met zulke slogans adverteerden was de overwinning van de primitieve hersenen op de intelligentie van de hersenschors.

Een rode bestelwagen kwam met hoge snelheid aanrijden vanaf Storgatan, maar ze schonk er weinig aandacht aan. Börjes Bouw stond met grote letters op de zijkant. Als ze het zich goed herinnerde had de vrouw zich voorgesteld als Åse. De auto stopte en bleef met draaiende motor staan. De vrouw achter het stuur was in de vijftig en leunde over de passagiersstoel heen om het zijraampje naar beneden te draaien.

'Monika?'

Ze trok het handvat van haar koffer op wieltjes omhoog en liep naar de auto.

'O, je bent het toch. Hallo. Ja, ik ben Monika.'

De vrouw krabbelde terug naar de bestuurderskant en stapte uit. Bij Monika aangekomen stak ze haar hand uit en stelde zich voor.

'Het spijt me dat ik je heb laten wachten, maar wil je wel geloven dat de auto niet wilde starten. Jemig, wat een toestand. Toen heb ik de auto van mijn man maar genomen. Ik hoop dat je het niet erg vindt, ik heb de meeste rommel van de stoelen gehaald.'

Monika glimlachte. Er was heel wat meer voor nodig dan een bestelauto om haar goede humeur te temperen.

'Natuurlijk vind ik dat niet erg.'

Åse pakte haar koffer en zette die achterin. Voordat Åse de zijdeur weer dichttrok, ving Monika een glimp op van een metalen bord met timmergereedschap en een vastgesnoerde zaag met een rond blad.

'Nog een geluk dat we maar met zijn tweeën zijn. Ik heb geprobeerd om nog een paar van hier te pakken te krijgen, maar godzijdank hadden die al samen wat geregeld, anders hadden ze achterin moeten liggen.'

'O, doen er meer van hier mee?'

'Nog vijf. Ik weet alleen dat er een bij de gemeente werkt en iemand bij KappAhl, geloof ik. Of misschien was het Lindex, dat weet ik niet meer.'

Monika opende het portier en ging op de passagiersstoel zitten. Er hing een groen geursparretje aan de achteruitkijkspiegel. Åse volgde haar blik en zuchtte.

'Ik heb echt een schat van een man, maar veel smaak heeft hij nooit gehad.'

Ze deed het handschoenenkastje open en gooide het boompje erin. De geur bleef nog even in de cabine hangen en ze draaide het raampje naar beneden voordat ze de auto in de versnelling zette en wegreed.

'Zo.'

Het woord kwam er als een zucht van verlichting uit.

'Eindelijk op weg. Een paar van dit soort ochtenden per jaar en je wordt niet oud.'

Monika keek door het zijraampje naar buiten en glimlachte. Ze had nu al zin om te bellen.

Het geel en wit geverfde congrescentrum zag eruit als een oud pensionaat. Er stond een nieuw gebouw naast met daarin alle hotelkamers. Ze hadden onderweg heel wat afgelachen en er waren wijze inzichten geuit. Åse bleek zowel scherp als grappig te zijn en misschien was haar gevoel voor humor wel een onontbeerlijke eigenschap, gezien het feit dat ze directeur was van een behandelcentrum voor verslaafde tienermeisjes.

'Als je hoort wat sommigen van die meisjes hebben meegemaakt, dan zinkt de moed je in de schoenen. Maar elke keer dat je beseft dat je zo'n meisje hebt geholpen om verder te komen en haar gedrag radicaal te veranderen, dan weet je weer waar je het voor doet.'

De wereld was vol met heldhaftige mensen.

En met mensen die dat graag hadden willen zijn.

Op het schema dat ze thuisgestuurd hadden gekregen stond dat de cursus zou beginnen met een gezamenlijke bijeenkomst en een voorstelrondje van leiders en deelnemers. De rest van de dag zouden ze leren hoe ze hun medewerkers konden motiveren vanuit 'begrip voor de basisbehoeften van de mens'. Monika voelde haar belangstelling verflauwen. Ze wilde naar huis. Toen ze de sleutel had gekregen en naar haar kamer was gegaan, nam ze de kans waar om te bellen. Hij nam na het eerste signaal op, hoewel hij in een vergadering zat en eigenlijk niet kon praten. Daarna was haar motivatie om zich 'begrip voor de basisbehoeften van de mens' eigen te maken nog kleiner.

Ze was al volleerd.

'Ja, nu weten jullie wie ik ben, dus wordt het voor ons allemaal tijd om te horen wie jullie zijn. Hoe jullie heten staat op de naambordjes, dus dat kun je overslaan. Maar verder hebben we er geen idee van wie jullie zijn.'

Drieëntwintig pas gearriveerde deelnemers zaten in een kring aandachtig te luisteren naar de vrouw in het midden, die zich als enige op haar gemak leek te voelen. De cursisten keken gegeneerd de kring rond. Het viel Monika op hoe goed die gêne te voelen was. Drieëntwintig volwassenen, allemaal met een leidinggevende positie, een aantal van hen in pak, plotseling uit hun vertrouwde, comfortabele kader gerukt, de controle over hun situatie kwijt. Ze leken wel omgetoverd in drieëntwintig bange kleuters. Ze had er zelf ook last van, het was een onaangenaam gevoel, en zelfs de gedachte aan Thomas maakte haar situatie er niet draaglijker op.

'Met het oog op ons onderwerp van vanmiddag heb ik een voorstel en zou ik jullie graag bepaalde dingen over jezelf willen horen vertellen, dus daarom wilde ik beginnen met een oefening.'

Monika en Åse keken elkaar aan en wisselden een glimlach uit. Åse had in de auto verteld dat ze nog nooit naar een cursus voor 'persoonlijkheidsontwikkeling' was geweest en dat ze feitelijk een beetje sceptisch was. Zij kwam voor het onderdeel stressmanagement.

De vrouw in het midden ging verder: 'Om te beginnen wil ik dat iedereen zijn ogen dichtdoet.'

De deelnemers gluurden onzeker naar elkaar met een onuitgesproken vraag voordat ze zich een voor een in het duister terugtrokken. Daarbinnen voelde Monika zich nog meer te kijk staan, alsof ze daar naakt op de stoel zat en niet meer wist voor wiens blikken ze zich moest verschuilen. Een stoelpoot schraapte over de vloer. Ze had spijt dat ze zich had laten omkopen.

'Ik ga zes woorden opnoemen. Ik wil dat jullie op je eigen gedachten letten en vooral in de gaten houden wat de eerste specifieke herinnering is waar jullie aan denken bij het horen van een bepaald woord.'

Links van Monika kuchte iemand. Verder was alles stil. Alleen

een zwak geruis van het ventilatiesysteem.

'Zijn jullie klaar? Dan gaan we nu beginnen.'

Monika schoof heen en weer op haar stoel.

De vrouw liet lange stiltes vallen tussen de woorden, zodat ze tijd kregen om te bezinnen.

'Angst. Verdriet. Woede. Jaloezie. Liefde. Schaamte.'

Er volgde een lange stilte waarin Monika zich al te zeer bewust werd van haar gedachten en van de specifieke herinnering waarnaar ze haar hadden geleid. Zes kaarsrechte gedachten, die haar onverbiddelijk naar de herinnering hadden gedreven die ze juist het liefst zou willen vergeten. Ze deed haar ogen open om zich te bevrijden.

De impuls om op te staan en weg te lopen was overweldigend.

Om haar heen zaten de meesten nog steeds met hun ogen dicht, maar een paar waren net als zij gevlucht voor de ervaring achter hun oogleden. Nu ontmoetten hun beschaamde blikken elkaar om zich in het wilde weg verder te haasten op zoek naar een uitweg.

'Zijn jullie klaar? Dan mogen jullie je ogen weer opendoen.'

Ogen gingen open en lichamen bewogen. Iemand glimlachte en anderen leken te overpeinzen wat ze hadden gedacht.

'Is het gelukt?'

Velen knikten, maar anderen leken meer te twijfelen. Monika zat helemaal stil. Met geen blik gaf ze te kennen wat ze voelde. De vrouw in het midden glimlachte.

'Ze zeggen dat deze zes gevoelens universeel zijn en dat ze in alle culturen op aarde bestaan. Aangezien we het in het volgende blok over de basisbehoeften van de mens gaan hebben, zou het nogal stom zijn om onze eigen deskundigheid buiten beschouwing te laten. Ik denk namelijk dat datgene waar jullie zonet aan hebben gedacht de meest bepalende gebeurtenis of een van de meest bepalende gebeurtenissen in jullie leven is geweest, die jullie het meest heeft beïnvloed.'

Monika balde haar vuist en voelde de nagels in haar handpalm dringen.

'Als iemand het voorstelrondje wil gebruiken om aan de

47

anderen te vertellen waar hij of zij aan moest denken, dan heel graag. Maar ik kan jullie natuurlijk niet dwingen en ik kan al helemaal niet controleren of jullie de waarheid spreken.'

Hier en daar een glimlach, iemand lachte zelfs hardop.

'Wie wil beginnen?'

Niemand meldde zich. Monika probeerde zich onzichtbaar te maken door doodstil te zitten met neergeslagen ogen. Ze was hier vrijwillig gekomen. Dat viel op dit moment niet te begrijpen. Toen nam ze een beweging waar rechts van haar en ze besefte tot haar grote schrik dat de man die daar zat zijn hand opstak.

'Ik wil wel beginnen.'

'Mooi.'

De vrouw kwam glimlachend naderbij om de letters op zijn naambordje te kunnen onderscheiden.

'Mattias, ga je gang.'

Monika kreeg hartkloppingen. Het feit dat hij zijn hand had opgestoken had een natuurlijke startvolgorde geschapen en plotseling was zij de volgende die aan de beurt was. Ze moest iets verzinnen om te vertellen. Iets anders.

'Goed dan, als het braafste jongetje van de klas zal ik doen wat me gezegd is en dus sla ik alle formaliteiten en dergelijke over en kom meteen ter zake.'

Monika draaide haar hoofd en gluurde naar hem. Begin dertig. Spijkerbroek en gebreide polotrui. Hij liet zijn blik glimlachend langs de kring gaan bij wijze van groet en een seconde lang ontmoetten hun blikken elkaar. Zijn hele persoon straalde zekerheid uit, zonder dat hij daardoor arrogant overkwam. Gewoon een gezond zelfvertrouwen, dat de omgeving deed ontspannen. Maar haar hielp het niet.

Hij krabde even in zijn nek.

'Voor mij was het geen specifiek ogenblik waar ik aan moest denken, maar een proces dat jaren heeft geduurd. Maar ik had deze oefening niet nodig om erachter te komen wat het belangrijkste moment in mijn leven was. Dat was toen mijn vrouw weer haar eerste wankele stappen zette.'

Hij zweeg, pulkte iets van zijn ene leuning en kuchte.

'Het is nu ruim vijf jaar geleden. We waren indertijd nogal gevorderde sportduikers, Pernilla en ik, en toen het ongeluk gebeurde, waren we met vier vrienden aan het duiken naar een wrak.'

Hij had dit al veel vaker verteld, dat kon je merken. De woorden kwamen er losjes en ontspannen uit en hij had er geen moeite mee.

'Het was niets bijzonders, we hadden dergelijke duiken honderd keer eerder uitgevoerd. Ik weet niet hoevelen van jullie iets van duiken weten, maar voor degenen die er niets van weten: je duikt altijd met zijn tweeën. Ook als je met een groep bent, heb je altijd een buddy waar je tijdens de duik bij blijft.'

Een man in pak aan de andere kant van de kring knikte als om aan te geven dat hij de regels van het duiken heus ook wel kende.

Mattias lachte en knikte naar hem voordat hij verderging.

'Deze keer dook Pernilla met een vriendin. Mijn buddy en ik waren iets van drie kwartier beneden geweest en wij waren het eerst boven. Ik herinner me dat ik de flessen af had gedaan en dat we even praatten over wat we beneden hadden gezien, maar toen begon het wel erg lang te duren en Pernilla en Anna waren de enigen die nog niet boven waren.'

Nu gebeurde er iets met de klank van zijn stem. Misschien bleef het moeilijk om over een nare ervaring te vertellen, hoe vaak je dat ook al had gedaan. Monika wist niet of dat zo was. Hoe zou ze dat ook moeten weten?

'Ik was nog niet lang genoeg boven om weer naar beneden te kunnen en de anderen probeerden me tegen te houden, ja, jullie weten wel, vanwege de stikstofopname en zo, maar wat maakte mij dat uit, ik besloot om toch naar beneden te gaan. Het was of ik voelde dat er iets mis was.'

Hij onderbrak zichzelf, haalde een keer diep adem en glimlachte verontschuldigend.

'Neem me niet kwalijk, ik heb dit al zo vaak verteld, maar...'

Monika kon niet zien wie er rechts van hem zat, maar ze zag aan de hand dat het een vrouw was. De hand legde zich op de zijne in een meelevend gebaar en verdween toen uit zicht. Mattias toonde met een knikje dat hij de goede bedoeling waardeerde en ging verder.

'Hoe dan ook, ik kwam Anna halverwege tegen en ze was helemaal hysterisch. Ja, we konden dan wel niet met elkaar praten, maar we gebaarden naar elkaar en ik begreep dat Pernilla ergens in het wrak vast was komen te zitten en dat haar zuurstof opraakte.'

Nu kwam de vanzelfsprekendheid terug in zijn stem. Alsof hij werkelijk wilde dat iedereen het zou begrijpen. Zijn ervaring delen. Zijn woorden klonken bijna dringend toen hij verderging.

'Ik geloof dat ik nog nooit eerder in mijn leven zo bang ben geweest, maar wat er gebeurde was zo bijzonder. Alsof alles kristalhelder werd. Ik ging gewoon naar beneden om haar te halen, dat was gewoon zo, een andere gedachte was er niet.'

Monika slikte.

'Ik weet niet of het waar is dat er een soort zesde zintuig bestaat dat in dergelijke situaties wordt ingeschakeld, want het was net of ik kon voelen waar ze was. Ik vond haar meteen, in het wrak.'

Nu sprak hij weer vloeiend. Zijn handen wapperden door de lucht om te onderstrepen wat hij zei.

'Ze was buiten bewustzijn en ze lag half bedolven onder een heleboel planken die boven op haar gevallen waren, ik herinner me ieder detail alsof ik het in een film heb gezien.'

Hij schudde zijn hoofd alsof hij het zelf onbegrijpelijk vond.

'Ik wist haar in ieder geval boven te krijgen, maar daar houden de herinneringen op. Ik weet er bijna niets meer van, de anderen hebben mij moeten vertellen wat er was gebeurd.'

Hij zweeg weer. Monika duwde haar nagels harder in haar handpalm.

Alles wat hij had gedaan en zij niet.

'Haar ruggengraat was beschadigd geraakt toen die wand op haar viel. Ik lag eerst in een decompressietank, dus de eerste dag kon ik niet bij haar zijn en dat was de volgende beproeving.'

Hij plukte weer aan zijn armleuning en ditmaal volgde er een langere pauze. Niemand zei iets. Iedereen zat zwijgend op het vervolg te wachten en ze lieten hem de tijd die hij nodig had.

Toen keek hij weer op van de armleuning en nu was hij ernstig. Iedereen was zich ervan bewust hoe zwaar het was geweest, welke sporen het ongeluk in zijn leven had achtergelaten. Toen hij verderging was de toon nuchter meedelend en zakelijk.

'Ja, ik wil niet de hele middag aan het woord zijn, maar om een lang verhaal kort te maken: ze heeft bijna drie jaar gevochten om weer te leren lopen. En alsof dat nog niet genoeg was, bleek onze verzekeringspremie twee dagen te laat bij de maatschappij te zijn binnengekomen, dus ze weigerden ook maar een cent te betalen gedurende de hele revalidatieperiode. Maar Pernilla was gewoonweg fantastisch, ik begrijp gewoon niet hoe ze het voor elkaar heeft gekregen. Ze heeft zo keihard gezwoegd die jaren en voor mij was het zo vreselijk moeilijk dat ik haar alleen maar vanaf de zijlijn kon aanmoedigen.'

Toen keek hij de kring rond en glimlachte weer.

'Dus van de dag waarop ze haar eerste stappen zette, kan ik eerlijk zeggen dat dat de mooiste van mijn hele leven is. Die én de dag dat onze dochter Daniella werd geboren.'

Het was doodstil. Mattias keek om zich heen en ten slotte maakte hij zelf een eind aan de eerbiedige stilte.

'Ja, aan dat voorval moest ik denken.'

Spontaan applaus brak los, nam in sterkte toe en wilde niet ophouden. Het geluid vormde een hoge muur om Monika heen. De cursusleidster was tijdens zijn relaas op een lege stoel gaan zitten, maar toen het applaus weg begon te ebben stond ze op en richtte zich tot Mattias.

'Bedankt voor een ongelooflijk aangrijpend en interessant verhaal. Ik zou graag één vraag willen stellen, als het mag.'

Mattias spreidde zijn handen.

'Natuurlijk.'

'Kun je nu achteraf je gevoelens hierover in een paar woorden samenvatten?'

Hij hoefde maar een paar seconden na te denken.

'Dankbaarheid.'

De vrouw knikte en wilde nog iets gaan zeggen, maar Mattias was haar voor.

'Feitelijk niet alleen omdat Pernilla het er levend heeft afge-bracht, hoe raar dat ook klinkt.'

Hij nam een pauze, alsof hij erover nadacht met welke woor-den hij het allemaal begrijpelijk zou kunnen maken.

'Het is wat moeilijk uit te leggen, maar de andere reden is feitelijk nogal egoïstisch. Ik heb naderhand ingezien hoe dank-baar ik ben dat ik zo heb gereageerd en niet heb geaarzeld om weer naar beneden te gaan.'

De vrouw knikte.

'Je hebt haar het leven gered.'

Hij viel haar bijna in de rede.

'Ja, dat weet ik, maar dat is het niet alleen. Het is dat je weet hoe je in een crisissituatie reageert, want daar heb je geen idee van voordat je je in zo'n situatie bevindt, dat is iets wat ik pas na het ongeluk echt heb begrepen. Wat ik bedoel is dat ik verdomd dankbaar ben dat ik zo heb gereageerd.'

Hij glimlachte even, bijna verlegen, en sloeg zijn ogen neer.

'We dromen er waarschijnlijk allemaal van om een held te zijn, als het er echt op aankomt.'

Monika voelde dat het vertrek slagzij maakte.

Nu kon zij ieder moment aan de beurt zijn om te vertellen.

# 6

Ze kon zich niet bewegen. Ze zat op een stoel en was dun, maar om de een of andere reden kon ze zich niet bewegen. Een smaak in haar mond waar ze misselijk van werd. Iets deed haar denken aan de keuken thuis, maar ze was omgeven door water zonder horizon. Er waren geluiden van naderende voetstappen, maar ze kon niet zien waar die vandaan kwamen. Eén enkele drang, om te vluchten om aan de schande te ontsnappen, maar er was iets met haar benen waardoor ze zich niet kon bewegen.

Ze deed haar ogen open. De droom was weg, maar het gevoel dat hij had achtergelaten niet. Dunne, kleverige draden van haar bewustzijn hielden het vast en probeerden tevergeefs het in een begrijpelijk verband te plaatsen.

Het kussen achter haar rug was opzij gegleden. Met grote inspanning slaagde ze erin zich uit bed te hijsen en overeind te komen. Saba tilde haar kopje op en keek haar aan, maar ging weer liggen en viel opnieuw in slaap.

Waarom droomde ze opeens zoveel? De nachten waren vol gevaren en het was al moeilijk genoeg om zittend in slaap te komen zonder je zorgen te hoeven maken over wat het verstand zou uitspoken als zij haar greep liet verslappen.

Het moest wel de schuld zijn van dat verzorgstertje. Het meisje dat de laatste tijd kwam en zo moeilijk haar mond kon houden. Maj-Britt had er niet naar gevraagd, maar Ellinor had het toch verteld. Ongevraagd had ze de woorden uit haar mond laten stromen en stuk voor stuk waren ze in Maj-Britts onwillige oren doorgedrongen. Vanja was een van de weinige vrouwen in het land die tot levenslange gevangenisstraf waren veroordeeld. Vijftien of zestien jaar geleden had ze haar kinderen in hun slaap verstikt, haar man de keel doorgesneden en vervolgens het huis waar ze woonden in brand gestoken, in de hoop dat ze zelf bij de brand zou omkomen. Dat had ze tenminste naderhand beweerd toen ze het met zware brandwonden had overleefd. Zoveel meer wist Ellinor niet, het weinige wat ze nog wist had ze in een weekendbijlage van een van de avondbladen gelezen. Een reportage over de zwaarst bewaakte vrouwen van Zweden.

Maar wat ze had onthouden en gerapporteerd was meer dan Maj-Britt ooit had willen weten. En dat niet alleen. Dat was voor het verzorgstertje nog niet mooi genoeg geweest, ze was ook gaan vissen hoe ze Vanja kende en of ze nog meer wist. Ze had uiteraard geen antwoord gegeven, maar het was al storend genoeg dat ze niet gewoon haar mond hield en schoonmaakte, want dat was de enige reden waarom ze zich überhaupt in het appartement bevond. Het was een voortdurend gekakel. Het ging maar door, je zou nog denken dat haar spraakorgaan actief moest blijven om de rest van haar lichaam te laten functioneren. Op een dag had ze zelfs een plantje meegenomen, een vreselijk, paars groeisel, dat niet van bleekwater hield. Of misschien lag het aan de vorst 's nachts op het balkon, dat het daar niet goed tegen kon. Ellinor beweerde dat ze in de winkel zou gaan klagen en een nieuwe zou vragen, maar godzijdank kwam ze die in ieder geval niet bij Maj-Britt brengen.

'Moet ik nog iets anders kopen volgende keer of zal ik gewoon het gebruikelijke lijstje aanhouden?'

Maj-Britt zat in de leunstoel tv te kijken. Een van al die programma's die ze tegenwoordig uitzonden; dit ging over een groep luchtig geklede jongelui die alles op alles moesten zetten om in een hotel te mogen blijven door zo snel mogelijk een kamergenoot van het andere geslacht te verschalken.

'Oordopjes graag. Het liefst van die gele van schuimrubber die je bij de apotheek kunt krijgen en die werklieden gebruiken die lawaaiig werk doen, die opzwellen en de hele gehoorgang afsluiten.'

Ellinor schreef het op het lijstje. Maj-Britt wierp een blik op haar en had het idee dat ze stiekem een beetje moest glimlachen, vlak boven het laag uitgesneden shirtje, waar haar borsten bijna uit rolden.

Maj-Britt werd gek van dit typetje. Ze begreep niet wat er mis was met haar dat ze zich niet liet provoceren. Nog nooit eerder had ze zo dolgraag van iemand af gewild, maar plotseling werkten haar gebruikelijke trucjes niet.

'Wat is er toch van Shajiba geworden? Zo'n aardig meisje, waarom komt zij tegenwoordig nooit meer?'

'Dat wil ze niet. Ik heb met haar van rooster geruild, want ze weigerde hier ooit nog heen te gaan.'

Kijk eens aan. Misschien was Shajiba toch niet zo verkeerd geweest. Op dit moment leek ze gewoon ideaal.

'Wil je tegen haar zeggen dat ik erg ingenomen was met haar werk.'

Ellinor stopte het boodschappenlijstje in haar zak.

'Jammer dan dat je de laatste keer dat ze hier was "negerhoer" tegen haar hebt gezegd. Ik geloof niet dat ze dat opvatte als een bewijs van je waardering.'

Maj-Britt keerde terug naar de tv.

'Sommige dingen worden pas duidelijk als je vergelijkings-materiaal hebt.'

Ze wierp een blik in Ellinors richting en nu glimlachte ze weer, Maj-Britt kon zweren dat ze een zweem van een glimlachje zag. Er was iets mis met haar, overduidelijk. Misschien was ze wel verstandelijk gehandicapt.

Ze kon zich voorstellen hoe er gekletst werd op het kantoor van de thuiszorg. Hoe gehaat ze moest zijn als Gebruiker. Zo werden ze genoemd, geen patiënten of cliënten, maar Gebrui-kers. Gebruikers van de thuiszorg. Gebruikers van de hulp van akelige verzorgstertjes, omdat ze het zonder hen niet konden redden.

Ze mochten zeggen wat ze wilden. Ze speelde de rol van de Dikke Vette Pad die niemand op zijn rooster wilde graag. Het maakte haar niet uit. Het was niet haar schuld dat het zover was gekomen.

Dat was de schuld van Göran.

Op tv had een van de deelneemsters net een goedgelovige vrien-din voorgelogen en ze begon haar bovenlichaam te ontbloten om een mogelijke kamergenoot te lokken. De laagste menselijke gedragingen werden plotseling verheven tot vermaak van niveau en mensen vernederden zich voor het oog van iedereen. Het programmaoverzicht stond er vol mee, ze waren op alle zenders te zien, je hoefde maar te zappen met je afstandsbediening. En allemaal probeerden ze elkaar te overtreffen met de meest choquerende inhoud om zo hun kijkers te behouden. Het was walgelijk om te zien.

Ze sloeg bijna nooit een aflevering over.

Ze zag uit een ooghoek dat Ellinor nog in de kamer stond, met haar blik op de tv. Een verontwaardigd snuiven klonk door het vertrek.

'Jezus, stompzinniger kan het echt niet.'

Maj-Britt deed net of ze het niet hoorde. Alsof dat wat hielp.

'Weet je dat de mensen bloedserieus zitten te discussiëren over dit soort programma's, alsof dat belangrijk is? Intussen gaat de wereld ten onder, maar dat kan de mensen niet schelen, die houden zich liever met zoiets bezig. Ik weet zeker dat er een plan achter die hele rotzooi zit, dat we zo dom mogelijk moeten worden, zodat de machthebbers hun gang kunnen gaan zonder dat wij ons ermee bemoeien.'

Maj-Britt zuchtte. Wat zou het mooi zijn om wat rust te krijgen. Maar Ellinor gaf het niet op.

'Je wordt gewoon verdrietig als je ernaar kijkt.'

'Kijk dan niet.'

Toegeven dat ze het gedeeltelijk met haar eens was, was uitgesloten. Ze zou liever een cholera-epidemie verdedigen dan toegeven dat ze het met haar eens was. Nu kwam Ellinor pas goed op stoom.

'Ik vraag me af wat er zou gebeuren als ze een paar weken lang alle tv-programma's zouden staken en er tegelijkertijd voor zouden zorgen dat de mensen geen alcohol konden innemen. Dan zouden in ieder geval diegenen die zich niet meteen van kant maakten genoodzaakt zijn te reageren op wat het verdorie ook is wat er gaande is.'

Hoezeer het Maj-Britt ook tegen de borst stuitte om van de

telefoon gebruik te maken, binnenkort zou ze er niet meer aan ontkomen; ze moest de thuiszorg bellen voor een ander meisje. Het was nooit eerder nodig geweest. Ze waren altijd uit zichzelf weggegaan.

De gedachte aan een gedwongen telefoongesprek maakte haar nog kwader.

'Misschien moet je vragen of je ook mee mag doen. Met die kleren hoef je je er niet eens voor te verkleden.'

Het was even stil en Maj-Britt hield haar blik op de tv gericht.

'Waarom zeg je zulke dingen?'

Of ze boos was of verdrietig viel niet uit haar stem op te maken en Maj-Britt ging verder.

'Als je langs een spiegel loopt en een blik op jezelf werpt, hoef je zulke stomme vragen niet eens te stellen.'

'Wat heb je dan op mijn kleren aan te merken?'

'Wat voor kleren? Ik heb mijn bril al een hele poos niet meer op gehad, dus ik heb helaas geen kleren kunnen onderscheiden.'

Het werd weer stil. Maj-Britt had graag willen zien wat voor uitwerking haar woorden hadden, maar zag ervan af. Op tv was de aftiteling gaan lopen. Het programma werd gesponsord door Norlevo, een morningafterpil.

'Mag ik je iets vragen?'

Ellinors stem klonk nu anders.

Maj-Britt zuchtte.

'Ik kan heel moeilijk geloven dat ik jou dat plotseling zou kunnen beletten.'

'Geniet je ervan om zo lelijk te doen, of is het alleen omdat je jezelf zo mislukt voelt?'

Maj-Britt voelde tot haar ontzetting dat ze rood werd. Dit was ongehoord. Niemand was ooit eerder de strijd aangegaan. Dat had niemand gedurfd. De veronderstelling dat zij zich mislukt voelde was een belediging waarvoor dit vreselijke persoontje haar ontslag zou kunnen krijgen.

Maj-Britt zette met de afstandsbediening het geluid harder. Ze had geen enkele reden om op kwetsende opmerkingen in te gaan.

'Ik ben trots op mijn lichaam en ik zie geen reden om het te verstoppen. Jij hebt dan misschien iets tegen dit shirt, maar ik vind dat het me goed staat.'

Maj-Britt bleef strak naar de tv kijken.

'Ja, wie er als een slet bij wil lopen moet dat zelf maar weten.'

'Ja, en wie zich in zijn appartement op wil sluiten en zich dood wil eten moet dat ook maar zelf weten. Maar dat wil toch nog niet zeggen dat je geen verstand hebt. Of wel?'

Dat was het laatste wat die dag werd gezegd. En het ergerde Maj-Britt mateloos dat Ellinor het laatste woord had gekregen.

Zodra ze alleen was, belde ze de pizzakoerier.

Er waren zes dagen verstreken sinds ze haar antwoord had verstuurd. Zes dagen waarin het gevoel van onbehagen langzaam maar zeker was weggeëbd en haar in ieder geval niet méér dwarszat dan ze kon verdragen. Ze had al genoeg te stellen met haar ergernis over Ellinor. Maar op een ochtend hoorde ze weer een bons in het overbodige brievenmandje en nog voor de brievenbus dichtklapte wist ze dat er weer een brief van Vanja was. Ze kon het door het hele appartement voelen, ze hoefde er niet eens voor naar de deur om het bevestigd te krijgen.

Ze liet de brief liggen, vermeed het om naar de deur te kijken als ze door de hal liep. Maar toen kwam uiteraard Ellinor en die hield hem haar stralend voor de neus.

'Kijk! Je hebt een brief!'

Ze wilde hem niet aanpakken. Ellinor legde hem op de tafel in de woonkamer en daar bleef hij liggen terwijl Ellinor schoonmaakte en zijzelf zwijgend in de leunstoel zat en net deed of er niets lag.

'Moet je hem niet lezen?'

'Hoezo? Wil je misschien weten wat erin staat?'

Ellinor ging door met schoonmaken en praatte wat met Saba. Het arme dier kon er niets tegen doen en Maj-Britt zag hoe ze daar in stilte lag te lijden.

Maj-Britt stond op en liep naar de badkamer.

'Heb je last van je rug?'

Dat ze nou nooit eens haar mond kon houden.

'Hoezo?'

'Nou, ik zie dat je je gezicht vertrekt en je hand tegen je rug houdt. Misschien zou er eens een dokter naar moeten kijken.'

Nooit van zijn leven!

'Als jij maar zorgt dat je de boel aan kant krijgt, je spullen pakt en verdwijnt, dan zul je zien dat ik zo weer opknap.'

Ze deed de badkamerdeur achter zich op slot en bleef binnen totdat ze er zeker van was dat dat nare persoontje weg was.

Maar de pijn zat er onmiskenbaar. Die was er altijd, de laatste tijd steeds duidelijker. Maar ze zou zich van zijn levensdagen niet uitkleden en laten onderzoeken door iemand die haar lichaam zou aanraken.

De brief bleef liggen. Dagen en nachten lang, terwijl hij ieder zuurstofdeeltje in het appartement verbruikte en Maj-Britt voor het eerst in tijden zin kreeg om weg te gaan. Ze was niet in staat hem weg te gooien. Ze zag dat het deze keer een dikke brief was, heel wat dikker dan de vorige. Hij lag haar daar te tarten en schreeuwde dag en nacht naar haar.

'Je hebt geen karakter, dikkerd! Je gaat me toch wel lezen!'

En dat was ook zo. Toen 's nachts de koelkast leeg was en de pizzeria gesloten, kon ze er niet meer tegenop. En van de woorden die Vanja had geschreven wilde ze er niet één lezen.

*Hallo Maj-Britt,*

*Bedankt voor je brief! Als je eens wist hoe blij ik ermee was! Ik vond het vooral fijn te horen dat het met jou en je gezin goed gaat. Alweer een bewijs dat je naar de stem van je hart moet luisteren! Toen ik je voor het laatst zag was je zwanger en ik weet nog hoe je eronder leed dat je genoodzaakt was om je tegen de wil van je ouders te verzetten toen je met Göran trouwde. Het stemt me zo blij dat het allemaal goed is gegaan en dat je ouders uiteindelijk op betere gedachten zijn gekomen. Je moet de dingen uitpraten, anders wordt het zo zwaar voor de achterblijvers. Als je eens wist hoe ik je vastberadenheid en moed bewonderde, en nog steeds!*

*Ik denk vaak aan onze jeugd. Hoe verschillend die voor ons was.*

*Bij mij thuis was het altijd rommelig, dat weet je nog wel, en je wist nooit in wat voor toestand mijn vader thuis zou komen – als hij thuiskwam. Ik heb het nooit zo direct gezegd, maar ik schaamde me tegenover anderen en vooral tegenover jou. Maar ik herinner me ook dat jij het liefst bij mij thuis wilde spelen, dat je zei dat je het gezellig vond bij ons, en daar was ik zo blij om. Ik moet toegeven dat ik een beetje bang was voor jouw ouders. Er werd veel gepraat over de gemeente waar jullie bij hoorden en over hoe streng de regels waren. Bij mij thuis had niemand het over God. Misschien was een soort tussenvorm tussen hoe het bij jou en bij mij thuis was het beste geweest, tenminste wat het geestelijk voedsel betreft?!*

*Weet je nog die keer dat we doktertje speelden bij jullie in de houtschuur en dat die jongen, Bosse Öman, erbij was? We waren een jaar of tien, elf, denk ik, zou het niet? Ik weet nog hoe je schrok toen jouw vader ons betrapte en Bosse zei dat jij het had bedacht. Ik schaam me er nog over dat ik toen de schuld niet op me heb genomen, maar we wisten immers allebei dat jij zulke spelletjes niet mocht doen, dus het had ook niet geholpen. Het was nog wel zo'n onschuldig spelletje, zoals alle kinderen dat spelen. Je bent daarna weken thuisgebleven en toen je weer op school kwam wilde je niet vertellen waarom je weg was geweest. Er was zoveel wat ik niet begreep, aangezien het bij jou thuis zo anders was dan bij mij. Net als die keer een paar jaar later, toen zullen we wel pubers zijn geweest, toen je vertelde dat je altijd tot God bad of hij je wilde helpen alle gedachten weg te nemen die je niet wilde hebben. Op die leeftijd dachten we toch allemaal aan jongens, dus ik begreep waarschijnlijk niet hoe je eronder leed, ik vond het waarschijnlijk vooral een beetje raar. En jij was immers zo knap, altijd hadden de jongens belangstelling voor jou en daar was ik best wel eens jaloers op. Maar jij bad tot God of hij je wilde vermorzelen om je te leren gehoorzamen en...*

Maj-Britt liet de brief op de grond vallen. Uit de diepte van alles wat ze was vergeten kwam de misselijkheid als een woesteling aanstormen. Ze wrong zich met kracht uit de leunstoel, maar kwam niet verder dan de hal voordat ze ging overgeven.

# 7

Je bent arts. Je kunt dit. Vertel iets, het geeft niet wat!

Drieëntwintig paar verwachtingsvolle ogen waren op haar gericht. Monika's geest was leeg. Eén enkele herinnering schoot als een etterbult omhoog uit het niets en maakte alle bij elkaar verzonnen fantasieën onmogelijk. De seconden gingen voorbij. Iemand glimlachte bemoedigend en iemand anders voelde aan hoe moeilijk ze het had en koos ervoor weg te kijken.

'Als je wilt kunnen we eerst naar de volgende gaan, dan vertel jij daarna. Ik bedoel, als je even wilt nadenken.'

De vrouw glimlachte vriendelijk, maar Monika moest er niet aan denken dat ze medelijden met haar zouden krijgen. Drieëntwintig mensen vonden haar op dit moment incapabel. Als ze ergens haar best voor had gedaan in haar leven, dan was het wel om als het tegenovergestelde te worden beschouwd. En dat was haar gelukt. Ze hoorde het vaak. Collega's op het werk zeiden dat ze goed was. Nu zat ze tussen drieëntwintig onbekenden en had net een speciale behandeling aangeboden gekregen vanwege haar ondeugdelijkheid. Iedereen in dit vertrek beschouwde haar gewoon als doorsnee, iemand die niet in staat was om de opdracht uit te voeren waar Mattias zich op zo'n schitterende manier van had gekweten. De behoefte om haar positie te heroveren was zo sterk dat het haar lukte haar wankelmoedigheid te overwinnen.

'Ik aarzelde alleen even, omdat het bij de herinnering waar ik aan dacht ook om een ongeluk gaat.'

Haar stem was vast en opzettelijk een tikje arrogant. Iedereen keek weer naar haar. Ook degenen die uit discreet meegevoel hadden weggekeken.

De vrouw die haar hieraan had blootgesteld kwam op het slechte idee om te glimlachen.

'Dat maakt niet uit. Het was immers de bedoeling dat jullie vrij zouden associëren en het zijn de ingrijpende ervaringen die het eerst opduiken. Ga je gang, vertel maar precies wat jij wilt.'

Monika slikte. Nu was er geen weg terug. Ze kon alleen nog kleine aanpassingen in de waarheid aanbrengen, als die niet te harden was.

'Ik was vijftien en mijn broer Lasse was twee jaar ouder. Hij was uitgenodigd op een feest bij zijn vriendin Liselott, haar ouders waren niet thuis, en aangezien ik een oogje had op een vriend van hem, die ook zou komen, had ik hem zover gekregen dat ik ook mee mocht.'

Ze voelde haar eigen hartslag en vroeg zich af of iemand anders die ook kon horen.

'Liselott woonde een eindje weg, dus we hadden afgesproken dat we daar zouden blijven slapen. Mijn moeder was er niet helemaal van op de hoogte hoe het er op zulke feesten aan toeging, dat er nogal wat gedronken werd en zo, bedoel ik. En ook al had ze daar wel een idee van, dan dacht ze waarschijnlijk dat mijn broer en ik daar niet aan meededen. Ze had nogal een hoge pet van ons op.'

Tot zover was er nog geen vuiltje aan de lucht. Tot zover lukte het om behoedzaam langs de waarheid te manoeuvreren.

Tot zover was ermee te leven.

'Sommigen namen 's avonds een sauna. Er werd vrij stevig gedronken en naderhand schakelde niemand het aggregaat van de sauna uit.'

Ze zweeg. Ze wist het nog zo goed. Zelfs de stem van Liselott herinnerde ze zich nog, hoewel het nu zo lang geleden was en ze die na die avond nooit meer had gehoord. 'Monika, zet jij beneden de sauna uit?' En ze had ja gezegd, maar door al het bier tolde haar hoofd en de jongen op wie ze heimelijk verliefd was, had eindelijk belangstelling getoond en ze had beloofd om op de trap te blijven wachten terwijl hij naar het toilet ging.

'Toen gingen degenen die bleven slapen naar bed. Er waren er nog drie, behalve Lasse en ik. We sliepen overal waar maar een plekje was, op banken en in bedden, overal. Lasse sliep op de bovenverdieping bij Liselott op de kamer en ik beneden.'

Haar pas verworven vriendje was naar huis gegaan. Lasse was al in slaap gevallen in de kamer van Liselott. Zelf was Monika draaierig van verliefdheid en van het bier op de bank vlak voor hun gesloten deur gaan liggen.

Op de bovenverdieping.

Op de overloop boven aan de trap.

Ze had nog nooit van haar leven opgebiecht dat ze daar die nacht had gelegen.

'Ik werd om vier uur wakker doordat ik geen lucht meer kreeg en toen ik mijn ogen opendeed stond het huis al in brand.'

De schrik. De paniek. De vreselijke hitte. Eén gedachte maar. Naar buiten. Ze was in een paar stappen bij de gesloten deur geweest, maar daar had ze geen moment aan gedacht. Ze was meteen de trap af gerend en had hen aan hun lot overgelaten.

'Overal was rook en ook al denk je dat je de weg kent in een huis, het wordt een heel ander verhaal als je niets kunt zien.'

De woorden stroomden naar buiten in een wanhopige poging de opdracht zo snel mogelijk tot een einde te brengen.

'Ik kroop naar de trap en probeerde naar boven te gaan, maar de brand was al veel te fel. Ik probeerde hen wakker te schreeuwen, maar het geluid van het vuur was oorverdovend. Ik weet niet hoe lang ik daar op de trap heb gestaan en heb geprobeerd boven te komen. Keer op keer moest ik een paar treden teruggaan, om het daarna opnieuw te proberen. Het laatste wat ik weet is dat een brandweerman mij daar heeft weggehaald.'

Ze kon niet verder vertellen. Tot haar ontzetting voelde ze dat ze bloosde. Ze voelde hoe het schaamrood zich uitbreidde over haar wangen.

Ze had veilig buiten op het gazon gestaan en had gezien hoe de hitte de ruiten in de kamer van Liselott had laten exploderen. Als versteend had ze langzaam maar zeker begrepen dat hij nooit naar buiten zou komen. Dat hij in de val zou blijven zitten die zij had gezet. Ze had daar levend staan kijken naar de boosaardige vlammen, die het huis en de mensen die erin waren blijven zitten vernietigden. Haar knappe, vrolijke grote broer, die zoveel moediger zou zijn geweest dan zij. Die nooit geaarzeld zou hebben om die paar stappen te zetten om haar leven te redden.

Die had moeten overleven in haar plaats.

En dan alle vragen. Alle antwoorden die ze toen in haar wanhoop over de waarheid al had verdraaid. Ze had in de woonkamer op de benedenverdieping geslapen! Liselott had beloofd dat ze het aggregaat van de sauna uit zou zetten! Weken van angst dat een van de vrienden die naar huis waren gegaan haar had horen beloven dat zij de sauna zou uitzetten of dat ze haar op de bank boven hadden gezien. Maar haar beweringen waren niet tegengesproken en mettertijd waren ze de officiële waarheid geworden over wat er was gebeurd.

'Wat is er met je broer gebeurd?'

Monika kreeg de woorden niet over haar lippen. Dat was toen ook al zo geweest, toen haar moeder over het gazon was komen aanstormen met alleen een jas over haar nachtpon. De bovenverdieping was ingestort en de brandweerlieden hadden hun best gedaan om de vlammen te blussen, die zich niet wilden laten beteugelen. Iemand had haar gebeld en ze was in de auto gesprongen.

Het beeld dat nog het duidelijkst in Monika's geheugen zat, was dat van het gezicht van haar moeder toen ze haar vraag eruit gooide. Haar ogen opengesperd in angst over wat ze eigenlijk al wist, maar weigerde te begrijpen.

'Waar is Lars?'

Het lukte haar niet om te antwoorden. De noodzakelijke woorden waren niet te gebruiken. Het kon niet waar zijn en zolang niemand het zei, was het nog steeds geen werkelijkheid.

Ze voelde de handen op haar schouders, de vingers die haar pijn deden toen haar moeder probeerde een antwoord uit haar te schudden.

'Geef antwoord, Monika! Waar is Lars?'

Een brandweerman kwam haar te hulp en het kostte hem maar een paar seconden om de woorden uit te spreken die alles onherroepelijk maakten. Die bepaalden dat niets ooit meer hetzelfde zou kunnen zijn.

'Hij heeft het niet gered.'

Iedere lettergreep hakte doelbewust in de ruimte tussen toen en nu. Het verleden, zo nietsvermoedend en zo naïef, werd voorgoed losgerukt van de toekomst.

En op dat moment zag ze het. Ze zag het vaag in de ogen van haar moeder, die daar in haar nachtpon stond en zich in haar vertwijfeling probeerde te verweren tegen de onbarmhartige woorden. Daar zag ze wat het grootste verdriet van haar leven zou worden, datgene waar ze haar leven lang verandering in aan zou proberen te brengen.

Wat nooit kon.

Het verdriet van haar moeder over de dood van Lasse was groter dan de vreugde die ze kon voelen over het feit dat Monika nog leefde.

# 8

'En indien uw rechterhand u tot zonde zou verleiden, houw haar af en werp haar van u; want het is beter voor u, dat één uwer leden verloren ga en niet uw gehele lichaam ter helle vare.'

Ze sloeg haar ogen op. Het was de stem van haar moeder geweest. Ze trok haar hand terug en walgde van de geur die haar tegemoetkwam. Zo snel als ze kon stond ze op en ze liep naar de wastafel in de badkamer, waste zich met zeep en liet het warme water de viezigheid wegspoelen.

Het was allemaal Vanja's schuld. Haar brief had kanaaltjes geopend die Maj-Britt niet kon controleren, stroompjes van gedachten die ze niet wilde denken kropen bij haar binnen en ze was niet in staat ze buiten de deur te houden. Zolang de dreiging van buitenaf was gekomen, had ze die met haar oude trucjes het hoofd kunnen bieden, maar nu kwam die van binnenuit en al het verzet van jaren werd uitgeschakeld en het gebied lag open.

Onreine gedachten.

Daar had ze al jong last van gehad; waar ze vandaan kwamen had ze nooit begrepen, plotseling zaten ze gewoon in haar. Ze waren als zwarte wormen uit haar hersenen gekropen en hadden haar dingen laten willen die ondenkbaar waren. Zondig. Misschien was het toch Satan die haar in verzoeking bracht, net wat ze zeiden. Nu wist ze het weer, dat ze dat hadden gezegd.

Ze wilde het niet meer weten!

Plotseling werd ze steeds dichter naar het raster gedrongen dat haar beschermde, en toen ze er heel dichtbij kwam kon ze details aan de andere kant ervan onderscheiden, details die er niet mochten zijn. Het ene stroompje na het andere kwam binnensijpelen door de kanaaltjes en herinneringsfragmenten werden tot complete brokken samengevoegd. Er kwamen allerlei dingen boven die ze meende voorgoed achter zich gelaten en vergeten te hebben. Samen met de woorden die Vanja had geschreven hadden ze zich in haar bewustzijn gewurmd. Niemand zou deze keer aan haar zijde strijden. Haar ouders waren dood, en hun Jezus had haar allang in de steek gelaten.

Ze had gebeden en gebeden, maar ze had nooit mogen deelhebben aan hun geloof. God had niets van haar gebeden willen weten. Ze gaf alles op om haar gehoorzaamheid te tonen en om omvat te worden door Zijn liefde, maar Hij antwoordde nooit. Hij gaf taal noch teken dat Hij luisterde, dat Hij haar gevecht en haar offers zag. Hij zweeg haar dood omdat zij niet waardig was. Hij had haar afgewezen en haar alleen gelaten met haar vunzige gedachten.

Ze liep de keuken binnen. Er was nog wat over van het vlees dat ze had gebraden; ze sneed er een stukje af en legde het op haar tong. Het was maar heel even aangebraden. Toen ze achterover leunde in haar bed liet ze het stukje vlees in haar speeksel zacht en warm worden voordat ze haar ogen sloot en het doorslikte.

Een kort moment van welbehagen.

Meerdere keren was ze wakker geworden met haar handen op haar onderlijf en de schaamte die ze voelde was bloedrood. Waarom was ze geboren in een lichaam met zulke ziekelijke driften? Waarom had hun God niet van haar kunnen houden? Waarom had Hij haar ouders gestraft toen ze bereid was om alles op te offeren?

Op een nacht was ze pas wakker geworden toen het al te laat was. Ze was pas midden in het moment van schaamte wakker geworden.

En haar moeder had tegen haar gesproken in haar slaap.

Ze hadden wel gezien wat ze deed.

Een grote zaal. Ze zat op een stoel en was weer omringd door water. Ze kon zich niet bewegen. Er was iets met haar rechterbeen waardoor ze niet weg kon komen. Ze schrok van een geluid en keek omhoog. Hij stond pal voor haar in een zwart kostuum, zo reusachtig, zijn gezicht zo ver weg dat ze het niet kon zien. Ze wilde vluchten, maar er was iets met haar rechterbeen waardoor dat niet kon. Achter hem lag een zwaargewonde man op de vloer met gescheurde witte kleren aan. Er stroomde bloed uit de spijkergaten in zijn handen en dat kleurde het water rood. Hij keek haar aan en smeekte om hulp.

De stem van de enorme man bulderde als onweer.

'Jezus is aan het kruis gestorven voor jouw zonden en jouw onreine begeerten en omdat je handen je hebben verleid.'

Ze hoorde geluid achter zich. Er waren mensen binnengekomen, ze kwamen voor haar, om wat zij had gedaan. Hun blikken brandden in haar nek.

'Er zijn drie vormen van liefde: onze liefde voor God, Gods liefde voor ons en de erotische liefde die ons van God wegvoert.'

Het water naderde van opzij. Haar ouders zaten even verderop met gevouwen handen. Ze keken vragend op naar de man die sprak, smekend om hulp.

'Het schandelijke van de begeerte is dat die onafhankelijk is van de wil. Deugdzaamheid vereist de volledige controle over het lichaam. Begrijp je dat, Maj-Britt?'

Haar naam echode door de ruimte, maar ze kon geen antwoord geven. Iets was bezig haar te verstikken. Mensen achter haar, die ze niet kon zien, legden hun handen op haar hoofd.

'Voor de zondeval konden Adam en Eva zich vermeerderen zonder begeerte, zonder de lust waartoe wij nu gedwongen zijn. Hun lichaam stond helemaal onder de controle van de wil.'

Het water bleef stijgen. De gewonde man op de vloer verdween onder het oppervlak en ze wilde naar hem toe rennen en hem helpen, maar ze kon het niet. Haar been en alle handen hielden haar op haar plaats. Spoedig zouden haar ouders ook verdwijnen, door haar zouden ze verdrinken, omdat zij hen had gedwongen om ten einde raad hier hulp te zoeken.

'Je moet je relatie met God leren onderhouden en eraan werken, je moet je smoezelige ziel reinigen. Een ware christen ziet af van de vloek van de seksualiteit. Wat jij hebt gedaan is zonde, je bent van het rechte pad afgeweken.'

Met een geweldige dreun stortten de muren ineen en het hele vertrek werd overstroomd. Haar ouders bleven doodstil zitten in hun verdriet en lieten het water over zich heen spoelen. Ademhalen ging niet meer, geen lucht meer, geen lucht.

Toen ze wakker werd lag ze op haar rug. Ze probeerde op haar zij te draaien, maar haar lichaam verhinderde dat. Het grote kussen was op de vloer gegleden en ze was gestrand, gevangen onder haar eigen gewicht. Als een kever op zijn rug probeerde ze vergeefs weer de baas te worden, maar die inspanning kostte haar de laatste zuurstof die ze nog in haar longen had. Ze zou stikken. Ze zou hier sterven, overtroefd door haar eigen lichaam, dat haar hele leven haar gevangenis al was, of het nu dun was of dik. Nu had het gewonnen. Eindelijk had het zijn zin gekregen en haar overwonnen, haar gedwongen zich te schikken en het op te geven.

Ze zouden haar hier vinden. Dat meisje, Ellinor, zou haar morgen vinden en aan de anderen van de thuiszorg vertellen dat ze in haar eigen bed was gestorven, verstikt door haar eigen vet.

Eeuwige schande.

Met een laatste krachtsinspanning slaagde ze erin op haar zij te rollen en ze kwam met een harde bons op de vloer terecht. Haar linkerarm raakte bekneld, maar ze voelde de pijn niet, alleen de opluchting toen de zuurstof een nauwe doorgang vond naar haar longen.

Saba jankte ongerust en drentelde heen en weer door de kamer. Saba. Lieve Saba. Haar trouwe vriendin, die er altijd was als ze haar nodig had. Maar nu kon Saba niets doen. Maj-Britt zou hier blijven liggen totdat Ellinor kwam, maar ze zou in ieder geval niet dood zijn.

De uren verstreken traag. Haar linkerarm sliep al na een poosje, maar ze durfde zich niet te bewegen, durfde het risico niet te lopen om weer op haar rug terecht te komen. Uiteindelijk moest ze wel. Met behulp van een minimale verschuiving lukte het haar de bloedstroom naar haar arm vrije doorgang te geven. Het ergst was de pijn in haar onderrug. De pijn die tegenwoordig maar bleef knagen en soms zo erg was dat ze bijna niet kon lopen.

Ze had geluk. Ellinor was vroeg. Op haar wekkertje was het nog maar even over tien toen ze eindelijk de sleutel in de deur hoorde.

'Ik ben het maar!'

Ze reageerde niet, Ellinor zou haar toch zo vinden. Ze hoorde dat Ellinor de tassen met boodschappen op de keukentafel neerzette en Saba groette, die van haar zijde was geweken toen de voordeur openging.

'Maj-Britt?'

Het volgende moment stond ze in de deuropening van de slaapkamer. Maj-Britt zag dat ze schrok.

'Mijn god, wat is er met je?'

Ze zat op haar hurken naast haar, maar raakte haar nog steeds niet aan.

'Jee zeg, hoe lang lig je hier al?'

Maj-Britt kon geen woord uitbrengen. De vernedering die ze voelde was zo diep dat haar kaken weigerden te bewegen. Toen voelde ze Ellinors handen op haar lichaam en dat was zo afschuwelijk dat ze wilde schreeuwen.

'Ik weet niet of het me lukt je omhoog te hijsen. Ik zal de alarmcentrale moeten bellen.'

'Nee!'

Die dreiging deed de adrenaline toestromen en Maj-Britt stak haar arm uit naar het hoofdeinde van het bed om zich schrap te kunnen zetten.

'We doen het zelf. Probeer het kussen achter je rug te krijgen.'

Ellinor werkte zo snel ze kon en even later zat Maj-Britt half overeind. Ze kon het wel uitschreeuwen van de pijn in haar onderrug, maar ze beet haar tanden op elkaar en ploeterde verder. Zo gingen ze door. Het ene kussen na het andere werd erbij gepropt en het kostte hun bijna een halfuur, maar ze kregen het voor elkaar. Zonder de mannen van de alarmcentrale en hun walgelijke aanraking. Toen Maj-Britt hijgend in haar stoel plofte en alles voorbij was, voelde ze een vreemde emotie.

Ze was dankbaar.

Ze was Ellinor dankbaar.

Ze had dit niet hoeven doen; volgens de regels had ze de

alarmcentrale moeten bellen. Maar Ellinor had daarvan afgezien omwille van haar en ze hadden het voor elkaar gekregen.

Het hoge woord moest eruit.

'Bedankt.'

Maj-Britt keek haar niet aan toen ze het zei, anders was het woord onuitgesproken blijven steken.

In het daaropvolgende uur werd er niet veel gezegd. Het gevoel dat ze plotseling een team waren geworden, dat hun gemeenschappelijke ervaring Maj-Britt had gedwongen haar dekking te laten zakken, was bedreigend. Ze was dankbaarheid verschuldigd, en daarvan zou gemakkelijk misbruik gemaakt kunnen worden als ze niet oppaste. Dit betekende niet dat ze vrienden waren. Verre van. Ze had Saba, verder had ze niemand nodig.

Ze had zich niet druk gemaakt om de tassen met boodschappen. Ze hoorde dat Ellinor ze uitpakte en de deur van de koelkast opende.

'Goh, wat is er nog veel eten.'

'Ik kan het wel opeten als je dat liever hebt.'

Ze kon haar tong wel afbijten, zo had ze het niet bedoeld, ze had het er zomaar uitgeflapt. Ze had spijt, maar het idee alleen al dat ze haar woorden terug wilde nemen was onprettig. Ze was dankbaarheid verschuldigd. Dat zou op den duur onverdraaglijk worden.

Ellinor dook op in de deuropening.

'Ik was gewoon verbaasd. Over het eten bedoel ik. Je bent toch niet ziek of zo?'

Maj-Britt keek naar de brief. Daar kwam het van. Alles wat ze ongelezen had gelaten en alles wat ze wel had gelezen, maar liever nooit had gezien. Zelfs eten bood geen soelaas meer.

'Is er nog iets speciaals wat ik de volgende keer voor je moet kopen?'

'Vlees.'

'Vlees.'

'Alleen vlees. Voor de rest hoef ik niks.'

71

Ze bleef in de stoel zitten terwijl Ellinor om haar heen schoonmaakte; ze deed haar best om net te doen alsof ze niet bestond. Ze voelde Ellinors bezorgde blikken, maar trok zich er niets van aan. Ze wist dat ze haar zin niet zou krijgen, alleen vlees kopen, daar zou de thuiszorg niet mee akkoord gaan. Ze had lang moeten vechten om überhaupt haar extra rantsoen te krijgen, dit zou beslist een brug te ver zijn.

Maar alleen vlees kon de gedachten temperen die weer bij haar waren binnengedrongen.

Ellinor stond al bij de voordeur toen ze plotseling weifelde en omkeerde.

'Weet je, ik zal mijn mobiele nummer op je nachtkastje bij de telefoon leggen. Voor het geval het weer gebeurt, bedoel ik.'

Ze verdween naar de slaapkamer, maar was algauw weer terug.

'Tot overmorgen dan.'

Ze verdween naar de hal en toen ze de voordeur had opengedaan riep ze naar binnen: 'Trouwens, de oordopjes die je had besteld liggen op de keukentafel. Doei.'

Maj-Britt gaf geen antwoord, maar tot haar ontzetting voelde ze plotseling dat ze moest huilen. Een dikke brok in haar keel maakte dat ze vreselijk moest huilen en ze verborg haar gezicht in haar hand totdat Ellinor de voordeur uit was.

Ellinor was zo verwarrend. Maj-Britt begreep totaal niets van al haar vriendelijkheid, die maar niet minder werd, hoe ze zich ook gedroeg. Ze had alle reden om wantrouwig te worden, want Ellinor moest toch altijd iets terug verwachten. Ze was als het reclamedrukwerk dat in de bus kwam, soms zelfs met sierlijke letters gedrukt, alsof het alleen aan haar was gestuurd. *Beste Inga Maj-Britt Pettersson. We hebben het genoegen jou dit fantastische aanbod te doen.* Hoe voordeliger de aanbieding leek, hoe meer reden om achterdochtig te zijn. Zorgvuldig verborgen in de overvloed van welwillende formuleringen zat er altijd een addertje onder het gras, en hoe moeilijker dat te ontdekken was, hoe meer reden voor waakzaamheid. De mensen deden niet zomaar iets omdat ze het beste met je voor hadden. Ergens was er altijd een winstoogmerk. Zo zat de wereld in elkaar en iedereen deed zijn best om aan zijn trekken te komen.

Ellinor was net als dat reclamedrukwerk.

Er was alle reden om wantrouwend te zijn.

Ze pakte de grijper en reikte daarmee naar de brief. Die had daar als een magneet op tafel liggen wachten op haar capitulatie. Nu kon ze niet langer weerstand bieden. Haar handen trilden toen ze het vervolg openvouwde.

*Die keer dat ik het geloof van jouw vader voor het eerst in twijfel trok vergeet ik nooit meer. Achteraf gezien begrijp ik niet hoe ik dat durfde. We hadden net op school geleerd dat het christendom niet de grootste religie ter wereld was en ik weet nog hoe verbaasd ik daarover was. Als er méér mensen waren die in een andere God geloofden, dan hadden zij misschien gelijk! Jezus, wat werd hij kwaad. Hij zei dat ik met dergelijke gedachten in de hel zou belanden, en ook al geloofde ik hem niet echt, toch duurde het een hele poos voor ik over die woorden van hem heen was. Het was de eerste keer dat ik God als een dreiging ervoer. Hij zei dat iemand die Jezus Christus niet erkende als de zoon van God, niet welkom was in het hemelrijk, en ik had zo graag willen vragen hoe het zat met alle mensen die hadden geleefd voordat Jezus was geboren. Of het niet wat onrechtvaardig was tegenover hen, omdat ze niet eens de kans hadden gehad, maar dat durfde ik niet te vragen. Eén keer verdoemd worden op een dag was genoeg.*

*Ik vond het altijd maar raar dat wij mensen zo 'zondig' waren en dat je God in de kerk moest vragen om 'ons onze zonden te vergeven', of je nou vond dat je zonden had begaan of niet. Ik weet nog dat je mij probeerde uit te leggen dat niet alleen de zonden die je bewust had begaan telden, maar dat het om de erfzonde ging, waarmee je werd geboren. 'In zonde geboren en ontvangen.' Die woorden vergeet ik nooit. Ze waren zo verwarrend dat ik ze pas jaren later verwierp toen ik besefte dat 'in zonde ontvangen' de enige manier was waarop we ons konden voortplanten. Ik kwam tot de conclusie dat God toch wel zou willen dat we dat deden, aangezien Hij er zo'n puzzel aan had gehad om ons te scheppen.*

*In onze jeugd was seks iets waarin de jongens 'helaas' geïnteres-*
*seerd waren en waarvan wij meisjes begrepen dat we het langzamer-*
*hand zouden 'leren accepteren', maar waarin we beslist niet 'toe-*
*geeflijk' moesten zijn. Vind je het raar dat we verward raakten toen*
*we in de puberteit kwamen en we alleen nog maar aan jongens*
*dachten en we feitelijk helemaal vanzelf zin kregen om een beetje*
*'toegeeflijk' te worden? Ik zou willen dat ze iets hadden toegevoegd*
*aan alle vermaningen en angstpropaganda en hadden uitgelegd dat*
*het heel gewoon is dat mensen lustgevoelens hebben en zin om zich*
*voort te planten.*

*Iets anders wat ik me ook nog heel goed kan herinneren uit onze*
*jeugd is die keer dat we die blaadjes bij jouw vader in de la vonden. Ik*
*zou echt niet meer weten wat we daar te zoeken hadden, maar ik*
*vermoed dat ik het had bedacht. Dat was immers altijd het geval als*
*we iets deden wat niet echt mocht. Die blaadjes waren ook voor die*
*tijd nogal onschuldig, maar om ze bij jou thuis te vinden was net als*
*het ontdekken van een satansteken in de kerk en je schrok je wezenloos.*
*Je was ervan overtuigd dat een insluiper ze daar had neergelegd, maar*
*je durfde absoluut niets tegen je ouders te zeggen. Weet je nog dat we*
*die blaadjes op de grond lieten liggen en ons toen onder het bed*
*verstopten? Ik zie de benen van je moeder nog voor me toen ze de*
*kamer in kwam, en haar hand toen ze ze opraapte. En ik weet ook nog*
*heel goed hoe verward we naderhand waren toen we ontdekten dat ze*
*de blaadjes gewoon had teruggelegd waar we ze hadden gevonden.*

*Op volwassen leeftijd ben ik tot de gedachte gekomen dat het wel*
*wat zegt over hoe sterk onze driften eigenlijk zijn, als zelfs jouw vader*
*ondanks zijn sterke geloof niet de kracht had ze te weerstaan.*

*Nu leven we echter in een heel andere tijd, in ieder geval is dat het*
*beeld dat ik krijg door de kranten en de tv. Tegenwoordig moet je zo*
*positief staan tegenover seksualiteit dat het wel om een commerciële*
*vrijetijdsbesteding lijkt te gaan, waarvoor je zowel een handleiding*
*als bepaalde attributen nodig hebt. Zo van een afstand lijkt het*
*vooral te gaan om zelfverwerkelijking en het bereiken van een*
*geweldig orgasme, waarbij liefde van ondergeschikt belang is. Het*
*lijkt me wat triest allemaal. Maar wat weet ik ervan, hier in mijn*
*gevangeniscelibaat.*

*Het is wel een lange brief geworden, zeg, maar ik ben zo blij dat we weer contact hebben. Ik wist wel dat het de bedoeling was dat mijn brief aan zou komen!*

*Nu gaat het licht uit en morgen heb ik een tentamen. Ik heb het voorrecht dat ik mag studeren (ik volg afstandsonderwijs — een merkwaardige uitdrukking, maar in mijn geval is er nauwelijks een passender omschrijving te vinden). Ik heb al een onderdeel theoretische filosofie afgesloten en ben net met een scriptie over godsdienstgeschiedenis begonnen. Nu maar hopen dat ik morgen het tentamen haal!*

*Doe mijn hartelijke groeten aan de rest!*

*Het allerbeste,*
*je vriendin Vanja*

Maj-Britt liet de brief langzaam zakken en voelde voor het eerst in meer dan dertig jaar de behoefte om tot God te bidden. Wat Vanja had geschreven was vreselijk. Hopelijk zou God haar vergeven dat ze er ingetuind was en deze regels had gelezen.

Ze waren verdergegaan met het voorstelrondje en dat had zo'n beetje de hele donderdagmiddag in beslag genomen. Mattias had de lat hoog gelegd en de overige deelnemers hadden de uitdaging aangenomen. Niemand van hen wilde bij een middelmatig groepje horen door met een half-interessant verhaal aan te komen, ze hadden niet voor niets allemaal een leidinggevende positie bereikt. Het ene fascinerende verslag na het andere passeerde de revue. Monika kon er maar met een half oor naar luisteren. Toen ze eindelijk klaar was met haar verhaal en de aandacht van iedereen overging naar de volgende die aan de beurt was, besefte ze pas goed hoeveel energie het had gevergd. Wat er nog van over was had ze nodig om rechtop op haar stoel te blijven zitten. Ze was zo lang niet in de buurt van die herinnering geweest, en de keren dat dat toch had gemoeten, was ze er snel langs gegleden en had ze alle details in een barmhartige schaduw gelaten.

Vreemde stemmen losten elkaar af en werden alleen door het geluid van applaus van elkaar gescheiden. Zij deed ook mee, ze klapte in haar handen zoveel als nodig was om niet op te vallen. En aldoor was ze zich ervan bewust dat hij vlak naast haar zat. De man die de karaktereigenschap bezat die zijzelf aantoonbaar miste.

Dat hij altijd de juiste keuze maakte. Dat dat zo diep in zijn karakter verankerd zat dat hij nooit aarzelde, niet eens in het aangezicht van de dood, als de angst het verstand verblindde.

Eén keer had ze zich naar hem omgedraaid. Ze wilde zien of ze iets uit zijn gelaatstrekken kon aflezen. Ze wilde weten hoe iemand eruitzag die alles was wat ze zelf altijd zo graag had willen zijn, maar nooit kon worden, aangezien het ongedane nooit gedaan kon worden gemaakt. Hij was en bleef dood en zij was en bleef degene die de sauna niet had uitgeschakeld en vervolgens nog geen stap extra had gezet.

Die nacht was haar persoonlijke tekort aangetoond en sindsdien was er geen dag voorbijgegaan dat ze dat tekort niet in zichzelf had voelen schuren. Haar beroepskeuze, alle prestigieuze bezittingen, haar manier om zichzelf meedogenloos op te zwepen naar betere resultaten: het was allemaal een manier om het innerlijke defect te compenseren. Om te rechtvaardigen dat zij leefde, terwijl hij dood was. Ze had met haar gevecht veel weten te bereiken, maar aan dat ene kon ze niets veranderen: dat ze wist dat ze in het diepst van haar karakter een egoïstisch, laf mens was. En als dat feit bewezen was, verdiende je ook geen liefde.

Ook al leefde je nog steeds.

Na de bijeenkomst ging ze naar haar kamer. De anderen waren naar de bar gegaan, maar daar had ze geen puf voor. Ze was niet in staat om een praatje te maken en net te doen alsof alles in orde was. Ze zat op het bed met haar uitgeschakelde mobieltje in haar hand. Ze wilde zijn stem zo graag horen, maar hij zou merken dat er iets was en dan zou ze het niet kunnen vertellen. De ervaring van deze middag had de twijfel weer doen oplaaien. Hij wist niet wie ze eigenlijk was.

Ze was helemaal alleen, zelfs Thomas kon haar schande niet delen.

Haar schuld. Ze had zichzelf nooit toegestaan om te rouwen. Niet echt. Want hoe zou ze zichzelf dat kunnen toestaan? Ze had hem zo vreselijk gemist nadat ze alleen thuis was achtergebleven bij haar moeder. Zo erg als ze nooit voor mogelijk had gehouden. Hij was er altijd geweest en het was zo vanzelfsprekend geweest dat hij er altijd zou blijven. Niemand kon zijn plaats innemen. Maar haar verdriet was zo laag dat ze hem ermee zou schenden. Ze had het recht niet. In plaats daarvan deed ze alles wat in haar vermogen lag om het verlies voor haar moeder draaglijker te maken; ze probeerde vrolijk te zijn, het haar moeder naar de zin te maken, haar zo goed mogelijk op te beuren. Ze was jaloers op het recht van haar moeder om zich te kunnen overgeven aan haar verdriet en zich erin te wentelen, zonder verplichtingen aan de levenden. Haar verdriet was edel, oprecht, niet zoals dat van Monika, dat evenzeer als doel had de ondraaglijke waarheid te verbergen.

Het verraad. Geschokt had ze beseft dat het leven buitenshuis doorging alsof er niets was gebeurd. Niets stond op zijn kop of werd anders na de vreselijke gebeurtenis. Dezelfde mensen zaten 's ochtends weer in de bus, het waren dezelfde programma's op tv, de buurman ging verder met zijn verbouwing. Alles ging gewoon door. De buitenwereld nam er geen notitie van dat hij er niet meer was, het viel niemand op. Haar eigen leven ging ook verder. De herinnering aan hem zou op een dag haar vaste contouren verliezen en verbleken, de leegte zou blijven, maar de buitenwereld zou zo veranderen dat zijn lege plaats niet meer zo duidelijk te zien was. De weg die hij genomen zou hebben, zou steeds smaller worden, om ten slotte te verdwijnen in onzeker-heid, te veranderen in de vraag wie hij geworden zou zijn en hoe zijn leven vorm gekregen zou hebben. En ze kon niets doen om te veranderen wat er was gebeurd.

Niets.

Succes, bewondering, status. Ze was iedere dag van haar leven bereid geweest alles wat ze had bereikt in te ruilen voor een herkansing.

Want de dood stelde onredelijke eisen. Die wilde dat je het volledig zou begrijpen. De onvoorwaardelijke waarheid accepte-ren van Nooit meer.

Nooit meer.

Nooit, nooit meer.

Ze at op haar kamer. Vlak voor de maaltijd belde ze Åse en wendde hoofdpijn voor. Een kwartier later werd er aangeklopt en daar stond Åse met een rijk gevuld dienblad.

'Ik heb tegen de goeroe gezegd dat je op je kamer eet. Hopelijk knap je een beetje op.'

Zodra ze in bed lag viel ze in slaap en ze sliep bijna negen uur. Ze kroop de slaap binnen om te ontkomen aan haar schuldgevoel over het feit dat ze Thomas niet had gebeld, zoals ze had beloofd.

*Laat me nooit meer alleen met een zwijgende telefoon. Ik weet niet of ik dat nog een keer aankan.*

Toen ze wakker werd toetste ze zijn nummer in, hoewel het eigenlijk nog te vroeg was.

'Hallo?'

Ze hoorde dat hij net wakker was.

'Met mij. Sorry dat ik gisteren niet heb gebeld.'

Hij zei niets en ze schrok van zijn zwijgen. Ze probeerde een excuus te verzinnen, maar ze had er geen waar ze voor uit kon komen. En liegen wilde ze niet. Niet tegen hem. Hij had alle recht van de wereld om te zwijgen. Ze wist maar al te goed hoe zij zich zou voelen als hij op cursus was geweest en niet had gebeld.

*Ik vraag maar één ding en dat is dat je eerlijk bent, dat je de waarheid zegt, zodat ik begrijp wat er aan de hand is.*

Ze sloot haar ogen.

'Sorry, Thomas. Het was zo'n razend vermoeiende dag gisteren en daarna heb ik me gewoon op mijn kamer opgesloten, ik had niet eens de puf om met de groep te gaan eten.'

'Ach toch. Nou, wat een leuke cursus. Wat was er zo vermoeiend?'

Er klonk iets door in zijn stem waardoor ze meteen besefte dat ze het hiermee alleen maar erger had gemaakt. Dat ze hem had afgewezen door hem niet te bellen, hem er niet in te betrekken en het liever alleen te willen klaarspelen.

Zoals altijd.

Dit zou ze ook kapotmaken. Haar lafheid zou zich weer laten gelden en daardoor zou ze verliezen wat ze het allerliefst wilde hebben. Het enige wat hij eiste was eerlijkheid, en dat was het enige wat ze niet kon geven. Het geheim zou als een schrijnende plek de afstand tussen hen laten voortbestaan. Hij was binnen bereik, puur en wijs, de droom waar ze niet eens meer op had gehoopt. Aan geen succes ter wereld kon ze zoveel kracht ontlenen als aan zijn liefde. En toch was ze niet sterk genoeg. Dat ze geen heldin was, daar kon ze niets aan doen, maar ze kon in ieder geval genoeg moed verzamelen om het te vertellen.

*Als we gewoon eerlijk zijn, hoeven we toch geen van beiden bang te zijn?*

Net wat ze altijd had gewild, niet meer bang hoeven zijn.

Ze wist dat ze het moest vertellen en wat had ze nou helemaal te verliezen? Ze zou hem ook verliezen als ze bleef zwijgen.

Ze moest het durven vertellen.

Maar niet nu, niet over de telefoon. Ze wilde hem kunnen zien.

'Ik vertel het als ik weer thuis ben. En Thomas…'

Ze zou in ieder geval dat andere bekennen, dat ook zo moeilijk was.

'Ik hou van je.'

De vrijdag en zaterdag gingen voorbij. Ze was vastbesloten om het te vertellen en het feit dat ze een richting had bepaald gaf haar rust. Het straffe tempo van de cursus hielp ook om haar af te leiden. Volgepompt met wijsheden over visies en doelen, effectief delegeren, het motiveren van je medewerkers en het creëren van een positief werkklimaat ging ze op zaterdagavond aan een van de mooi gedekte tafeltjes in de eetzaal zitten. Ze had tot nu toe iedere maaltijd bij Åse gezeten en ze hadden elkaar beter leren kennen. Dat Åse een frisse wind was, was zacht uitgedrukt, ze was eerder een orkaan die voorbijraasde iedere keer dat je bij haar in de buurt was. Monika had veel waardering voor haar en ze had al bedacht dat ze haar en Börje een keer te eten wilde vragen. Bij haar en Thomas. Twee stellen bij elkaar.

Als hij bij haar bleef.

'Is deze plaats vrij?'

Ze draaide zich om en daar stond Mattias. Tot nu toe hadden ze maar enkele woorden gewisseld, ze had zonder er verder over na te denken bij eerdere maaltijden steeds een ander tafeltje gekozen dan dat waaraan hij zat.

'Ja hoor.'

Maar eigenlijk wilde ze het niet.

'Jij heet toch Monika?'

Ze knikte en hij trok de stoel naar achteren en ging zitten. Aan haar rechterkant, waar hij de vorige keer ook had gezeten.

Op ieder bord stond een kunstig gevouwen stoffen servet en Mattias bekeek de constructie even voordat hij die vernietigde en het servet op zijn schoot legde.

'Je had een erg goed verhaal. Ik heb nog niet eerder de kans gehad dat te zeggen.'

Op de man af. Ze had het eerder gezien. Mensen die een hevige crisis hadden doorgemaakt en door hun ervaringen sterker waren geworden, die zich niet bezighielden met traditionele beleefdheidsprietpraat. Recht voor zijn raap. Of de mensen in hun omgeving er klaar voor waren of niet.

'Dank je, jij ook.'

Åse redde haar. Op haar gebruikelijke luidruchtige manier ging ze op de stoel tegenover haar zitten en vouwde meteen haar servet uit, zonder ook maar een blik te wijden aan het kunstige vouwwerk.

'Jongens, wat heb ik een honger!'

Ze werd niet vrolijk van het menu dat bij iedereen op het bord stond.

'Zalmcarpaccio? Dat kun je eten tot je van honger omkomt.'

Mattias lachte. Monika was zich onaangenaam bewust van zijn aanwezigheid. Zijn hele bestaan was één grote herinnering.

Er kwamen meer mensen aan hun tafeltje zitten en algauw waren de acht plaatsen bezet. De sfeer was bijna familiair te noemen. Het was een geniale zet geweest van de cursusleiding om hen te dwingen zich al tijdens de voorstelronde bloot te geven. Daarna had er geen enkele zaak te privé geleken om aan elkaar te vertellen. Monika wist van sommige deelnemers al meer dan van haar collega's. Maar ze wisten niet zoveel van haar. En ze vroeg zich af of er meer waren die net als zij de waarheid wat hadden verfraaid toen ze de kans kregen.

'Hoe gaat het nu met je vrouw?'

Het was Åse die dat vroeg en haar vraag was aan Mattias gericht. Ze had haar zalmcarpaccio allang verorberd en nu was ze bezig boter op een stuk knäckebröd te smeren in afwachting van het hoofdgerecht.

'Ja, het gaat eigenlijk best goed. Ze zal nooit helemaal herstellen, maar wel in zoverre dat ze alles weer kan. En ze heeft geen pijn meer. Als jullie haar zouden ontmoeten en van niets wisten, dan zou je het niet aan haar kunnen zien, het is meer dat ze last krijgt als ze te lang zit en zo.'

'En hoe oud is jullie dochtertje?'

Mattias begon te stralen toen het gesprek op haar kwam.

'Daniella wordt over drie weken één. Het is zo merkwaardig, dat vader worden. Een paar dagen weg zijn van huis wordt plotseling een hele opgave. Er kan immers van alles gebeuren terwijl je weg bent.'

Er werd geknikt rond de tafel en iedereen was het ermee eens. Ze hadden kennelijk allemaal kleine kinderen die binnen enkele dagen enorm konden veranderen. Alleen Åse dacht er anders over.

'Ik vond het juist geweldig om af en toe een paar dagen weg te kunnen toen de kinderen klein waren. Alleen al een hele nacht door mogen slapen! Maar nu ze groot zijn, mis ik het geluid van die kleine voetjes die 's nachts binnen komen sluipen.'

Åse had verteld over haar kinderen. Een volwassen zoon en dochter die de trots van haar leven waren. De zoon was om onverklaarbare redenen zonder armen geboren en ze had haar tegenstrijdige gevoelens na de bevalling beschreven en vervolgens haar vreugde over het wonderbaarlijke vermogen van kinderen om zich aan de omstandigheden aan te passen. Nu had hij haar twee kleinkinderen geschonken.

Monika nam een slok wijn en leunde achterover. Ze verlangde naar Thomas. Ze schakelde de geluiden om zich heen uit en genoot. Het was geweldig om zo te kunnen verlangen als nu. Haar leven lang had ze gehoopt dat ze ooit een aanleiding zou hebben voor zo'n verlangen. En nu had ze die eindelijk.

Ze besefte plotseling dat Mattias iets tegen haar had gezegd.

'Sorry, wat zei je? Ik was even heel ergens anders.'

Hij glimlachte.

'Dat zag ik. Maar zo te zien was het een goed plekje, dus laat me je niet storen.'

Alsof hij haar niet al genoeg had gestoord. Ze voelde instinctief dat ze niet met hem wilde praten, maar aan de andere kant wilde ze niet onsympathiek overkomen. Als ze dan toch moest praten, dan maar over een neutraal onderwerp.

'Wat voor werk doe je?'

Die vraag was zo saai dat het stof er bijna af kwam, maar Mattias liet zich niet uit het veld slaan.

'Ik ben net aan een nieuwe baan begonnen als personeelschef bij een grote sportzaak, niet een van zo'n grote keten, maar een zelfstandige. Ik ben nooit eerder chef geweest, dus daarom hebben ze me naar deze cursus gestuurd.'

Hij grijnsde.

'Niet dat het mij nou zo vreselijk noodzakelijk lijkt, want er zijn maar zes werknemers, maar een vriend van me is eigenaar van de zaak en hij weet hoe moeilijk we het financieel hebben na Pernilla's ongeluk. Je weet wel, wat ik vertelde dat we geen verzekering hadden.'

Ze wilde iets passends zeggen, dat ze blij was voor hem, maar haar leugens waren op. In plaats daarvan zei ze iets over verzekeringsmaatschappijen in het algemeen en daar haakte hij op in en plotseling zat ze midden in een interessant gesprek. Hoe graag ze ook had gewild, ze kon het niet ontkennen. Hij was een heel aardige tafelheer en het volgende uur was het echt gezellig, hij kreeg haar zelfs een paar keer aan het lachen. En zoals hij over zijn vrouw sprak. Zo liefdevol en loyaal, er gingen in het gesprek geen tien minuten voorbij of ze kwam wel weer ter sprake. Heel natuurlijk en vanzelfsprekend, omdat ze bij zijn leven hoorde. Ze vroeg zich af of Thomas ooit zo over haar zou praten. Of zij ooit zo natuurlijk en vanzelfsprekend deel zou uitmaken van zijn leven. Mattias vertelde van de zware jaren na het ongeluk, hoe het hen nog steviger aan elkaar had gesmeed. Lachend vertelde hij hoe ze hadden geprobeerd het gat op te vullen dat was ontstaan toen ze niet meer aan hun grote hobby, duiken, konden doen. Dat ze de ene liefhebberij na de andere hadden uitgeprobeerd, maar aangezien het allemaal geen cent mocht kosten was het aanbod nogal beperkt geweest. Hij moest het hardst lachen toen hij hun dappere pogingen beschreef om vogelaar te worden. Dat ze na een dag in de bosjes met alleen een ekster en twee kwikstaarten in hun logboek hadden beseft dat het waarschijnlijk leuker zou zijn om erover te vertellen dan om het nog een keer mee te maken. Maar toen was Pernilla plotseling na een bezoek aan de bibliotheek over de Zweedse geschiedenis gaan lezen en na een tijdje was haar belangstelling zo groot geworden dat hij vond dat het meer op een obsessie begon te lijken. Glimlachend gaf hij toe dat ze wel erg veel belangstelling voor Gustav II Adolf en die andere kerels begon te krijgen, maar dat moest dan maar, aangezien het in ieder geval niet belastend was voor haar rug. En hij vertelde hoe blij hij was met zijn nieuwe baan, omdat de schulden voor Pernilla's revalidatie eindelijk hanteerbaar zouden worden, om het over de kosten van alle chiropractors en masseurs nog maar niet te hebben, die hard nodig waren om ervoor te zorgen dat ze geen pijn leed.

Een tinkelend glas deed alle gesprekken verstommen en alle ogen zoeken naar de herkomst van het geluid. De cursusleidster was opgestaan.

'Ik wilde even van de gelegenheid gebruikmaken, nu we allemaal bij elkaar zijn. Ik heb een vraag aan jullie en dat is of jullie morgen twee uur langer kunnen doorgaan, zodat alle geplande onderdelen nog aan bod kunnen komen. Ik ben bang dat we anders het college over stressmanagement moeten schrappen.'

De cursus zou volgens het programma tot aan de lunch duren. Ze had beloofd dat ze haar moeder om drie uur zou halen om naar het graf te gaan.

'Wil iedereen die kan blijven zijn hand opsteken?'

Zo goed als alle handen gingen omhoog. Ook die van Åse. Aan hun tafeltje waren Monika en Mattias de enigen die hun hand niet opstaken. Åse kreeg het in de gaten, ze werd zich kennelijk bewust van haar verantwoordelijkheid als chauffeur en liet haar hand zakken.

'O, moet je op tijd thuis zijn?'

Monika kreeg niet de kans om te antwoorden, omdat de cursusleidster alweer verderging.

'Zo te zien kunnen de meesten wel blijven, dus dan doen we het zo. Dan wens ik jullie nog een prettige voortzetting van de maaltijd.'

Åse kreeg een rimpel in haar voorhoofd.

'Wacht, ik moet even iets uitzoeken.'

Ze stond op en liep weg zonder haar plannen nader toe te lichten. Mattias dronk het laatste restje uit zijn glas.

'Ik sla het omgaan met stress graag over voor een paar vrije uurtjes thuis. Ik weet dat de anderen met wie ik mee ben gereden ook graag snel naar huis willen.'

Hij had ook gepoold. Hij hoorde bij het gezelschap waarover Åse het had gehad toen ze afgelopen donderdagochtend op pad gingen. Monika besloot dat het de eerste en de laatste keer was geweest dat ze haar eigen auto had thuisgelaten. Als ze nog eens naar een cursus ging, wat ze onder de huidige omstandigheden sterk betwijfelde, zou ze ervoor zorgen dat ze van niemand afhankelijk was. Haar moeder bellen om het bezoek aan het kerkhof uit te stellen was uitgesloten. Ze had al ingeteerd op het weinige wat er was.

Åse kwam terug en nam haar plaats weer in.

'Nee, het kon niet, ze hadden de auto al vol. Ik dacht dat je misschien met de anderen uit de stad mee kon rijden als je haast had, want zij wilden ook op tijd weg. Maar wat maakt het ook uit, dan maar geen stressmanagement.'

Dat was nou net het cursusonderdeel waarvoor Åse was gekomen en nu was het Monika's schuld als ze dat zou mislopen. Wat haatte ze die eeuwige bezoeken aan het graf. Ze had zo graag tegen Åse willen zeggen dat het niet uitmaakte, dat ze wel twee uur langer kon blijven als het belangrijk was. Maar ze wist wat dat zou betekenen. Weken van verongelijkt zwijgen waarmee haar moeder er zonder een woord in slaagde het schuldgevoel te versterken dat zei dat Monika altijd in de eerste plaats aan zichzelf dacht. En als haar moeder zo dicht bij de waarheid kwam, werd het bestaan ondraaglijk. Haar enige uitweg was vleien en paaien om ervoor te zorgen dat alles weer gewoon werd. Dat zou ze nu niet kunnen. Niet nu ze had besloten dat ze alles aan Thomas zou opbiechten. Het was het een of het ander.

'Ik wou dat ik kon blijven, maar ik moet morgenmiddag op huisbezoek bij een patiënt.'

Ze voelde dat ze bloosde en ze deed net of ze iets in haar oog had gekregen om haar gezicht te kunnen verbergen. Ze zat hier een partij te liegen en weer werd het bewijs geleverd. Zij offerde zich niet op, maar Mattias aarzelde geen moment.

'Als je op tijd thuis moet zijn kun je mijn plaats wel nemen in de andere auto, dan kan Åse naar stressmanagement. Ik kan me niet voorstellen dat Daniella net voor morgen vier uur leert praten.'

Ze kon de dankbaarheid die ze voelde moeilijk toegeven.

'Weet je het zeker?'

'Absoluut. Ik wil gewoon naar huis, maar niet om iets in het bijzonder. Ik blijf en rij met Åse mee.'

En zo was de keuze gemaakt.

Er veranderde niets om hen heen. Alles leek hetzelfde als even tevoren. Het is toch verbazingwekkend dat je de tweesprongen die het leven veranderen niet ziet op het moment dat je ze passeert.

# 10

Ze was twee dagen in bed gebleven. Geen seconde had ze durven slapen. Ze stond alleen op om haar blaas te legen en de balkondeur open te doen voor Saba. Al haar energie ging op aan het verjagen van de gedachten. Als boosaardige insecten vielen ze haar werkelijkheid binnen en het was een heel gevecht om ze van zich af te houden. Vanja's herinneringen en insinuaties dwongen haar keer op keer naar de rand van de wereld die ze tot de hare had gemaakt. Een appartement van achtenzestig vierkante meter of een lichtkring met een scherp afgegrensde rand. Een beperkt gebied gevormd door een interpretatie van de werkelijkheid waar mee te leven was. Daarbuiten was alles wit. Een wit niets, waar niets was. Maar nu stond ze keer op keer aan de uiterste rand van de lichtkring, met haar gezicht naar het wit, en plotseling besefte ze dat daarbuiten iets bewoog, dat er meer was. In al het wit daarbuiten waren plotseling schaduwen te onderscheiden. Schaduwen van iets wat geen vorm wilde aannemen, maar wel steeds dichterbij kwam.

Vanja's brief was tot as verbrand op het balkon. Toch had dat niet geholpen. Vanja was een geesteszieke vrouw, die gebeurtenissen navertelde die nooit hadden plaatsgevonden en wat misschien eventueel wel echt was gebeurd, was onherkenbaar verwrongen. Alle andere gedachten en overpeinzingen waarmee ze Maj-Britt had opgescheept, waren zo afschuwelijk dat Maj-Britt wilde dat ze ze nooit had gelezen. Ook al was haar eigen relatie met God al lang tamelijk gespannen, om niet te zeggen afwezig, ze wilde beslist niet spotten. En dat deed Vanja wel! Ze spotte vreselijk en aangezien Maj-Britt kennis had genomen van haar woorden, was ze medeschuldig. Ze moest Vanja zo ver krijgen dat ze geen brieven meer stuurde. Ze kon geen troost meer vinden door iets in haar mond te stoppen. Die uitweg was er niet meer, want de afgelopen week was de pijn in haar onderrug zo erg dat ze er misselijk van werd.

Het was twee dagen geleden dat ze uit haar bed was gevallen en Ellinor haar had gered. Vandaag kwam ze weer. Maj-Britt had die nacht bedacht hoe ze van die verplichting tot dankbaarheid af kon komen en wat ze moest doen om het greintje verzoening dat was ontstaan teniet te doen. Ze had zich al uitgekleed. In haar ondergoed lag ze nu op Ellinor te wachten. Als die haar weerzinwekkende lichaam zag, zou ze terugdeinzen van walging en niet meer de overhand hebben. Dan zou ze zich moeten schamen over haar reactie, die ze niet zou kunnen verbergen, en daarmee zou Maj-Britt haar positie herwinnen en het recht om zelf haar afschuw te tonen.

Het briefpapier en een pen lagen al een dag op het nachtkastje. Vlak ernaast lag het briefje met Ellinors mobiele nummer, en hoe zwaar het haar ook viel, ze moest toegeven dat het haar een goed gevoel gaf dat het er lag. Voor als het weer gebeurde.

Ze haatte dat gevoel.

Dat Ellinor haar iets kon bieden wat ze wilde hebben.

Vier verkreukelde kladversies lagen op de vloer. Saba had er een paar keer nieuwsgierig aan gesnuffeld, totdat ze besefte dat het niets interessants was en haar belangstelling verdween. Haar haatgevoelens jegens Vanja waren zo hevig dat de woorden zich niet wilden laten formuleren. Wat ze had gedaan was zo onvergeeflijk. Binnendringen in een wereld waar ze niet welkom was en alles overhoop halen. Beslag leggen op iemands tijd alsof haar verwrongen meningen het overwegen waard waren.

Maj-Britt reikte nog een keer naar de pen en het briefpapier en begon te schrijven.

*Vanja,*

*Ik schrijf je deze brief met maar één doel. Om jou ertoe te bewegen mij geen brieven meer te schrijven!*

Dat was goed. Zo zou ze beginnen. Eigenlijk wilde ze daar ook stoppen, omdat dat het enige was wat ze wilde zeggen.

*Jouw gedachten en overpeinzingen interesseren me niet, integendeel, ze staan me nogal tegen.*

Ze streepte 'nogal' door en schreef er 'vreselijk' boven.

*Wat jij denkt en vindt is jouw zaak, maar ik zou dankbaar zijn als ik het niet hoefde te weten. Dat jij je het recht aanmeet om het geloof van mijn ouders te veroordelen, om vervolgens af te zakken naar een heidendom van eigen makelij, doet me gewoon pijn, en gezien het feit...*

'Hallo!'

Maj-Britt legde het briefpapier gauw op het nachtkastje en wierp het dekbed van zich af. Ze hoorde dat Ellinor haar jas ophing aan een van de hangertjes in de hal.

'Ik ben het maar!'

Met grote inspanning slaagde Saba erin haar zware lijf over de rand van haar mand te hijsen om Ellinor tegemoet te gaan. Maj-Britt hoorde haar tassen met boodschappen in de keuken neerzetten en naar de slaapkamer lopen. Haar hart ging sneller slaan, niet van ongerustheid, maar eerder van verwachting. Voor het eerst in lange tijd voelde ze zich rustig, absoluut de sterkste. Haar afschuwelijke lichaam was ook haar machtigste wapen. Ze hoefde het maar tentoon te spreiden om de toeschouwer uit zijn evenwicht te brengen.

Ellinor bleef abrupt in de deuropening staan. Je kon zien dat ze iets had willen zeggen, maar dat de woorden in haar mond bleven steken. Een tiende van een seconde dacht Maj-Britt dat ze in haar opzet was geslaagd. Een tiende van een seconde voelde ze zich tevreden, maar toen deed Ellinor haar mond open.

'Mijn god, wat zie je eruit! Dat eczeem moeten we nodig insmeren.'

Maj-Britt trok snel aan het dekbed om zich ermee te bedekken. De vernedering brandde als vuur. Het gevoel van naaktheid overweldigde haar en ze voelde tot haar ontzetting dat ze bloosde. Het had niet gewerkt. Wat altijd werkte bij alle anderen, werkte als gewoonlijk bij Ellinor weer niet. In plaats van dat ze macht had gewonnen en een veilige afstand had herkregen had Maj-Britt haar grootste schande verraden, zich ontbloot en onthuld hoe meelijwekkend ze was.

'Heb je geen zalf die we kunnen gebruiken? Het zal wel hartstikke zeer doen.'

Ellinors bezorgdheid was onmiskenbaar en Maj-Britt slikte en trok het dekbed nog verder omhoog. Ze beschermde zich tegen Ellinors blik en voelde zich net zo voor gek staan als die keer dat…

De vage gewaarwording loste op en verdween in al het wit. Maar iets was dichter bij haar gekomen en ze kreeg plotseling meer moeite met ademhalen.

'Waarom heb je er nooit wat over gezegd? Dit heb je vast al heel lang.'

Maj-Britt reikte naar het briefpapier, maar probeerde haar blote arm zo goed mogelijk te verbergen achter het dekbed.

'Als we er niets aan doen, krijg je straks open wonden. Alsjeblieft, Maj-Britt, mag ik nog eens kijken?'

Dit was ongehoord. Nooit van zijn leven. Ze zou zich van zijn levensdagen niet ontbloten voor dit meisje, dat niet het benul had dat ze afstand moest bewaren. Ellinor en Vanja. Het was net of de hele wereld plotseling tegen haar was gaan samenspannen. Had besloten om binnen te dringen en haar koste wat het kost te pakken te krijgen.

'Ga weg en laat me met rust! Ik probeer een brief te schrijven en je stoort me!'

Ellinor stond haar even zwijgend aan te kijken. Maj-Britt hield haar blik strak op het briefpapier gericht. Er klonk een zacht snuiven, waarna Maj-Britt uit een ooghoek zag dat Ellinor achteruit de kamer uit liep. Saba stond er nog, heel even maar, toen draaide ze zich ook om en liep achter Ellinor aan.

*Gezien het feit dat je je hele gezin hebt omgebracht en daarvoor levenslang in de gevangenis zit, zie ik feitelijk geen reden om kennis te nemen van jouw zieke bedenksels! Je brieven storen me en ik wil van meer brieven van jou verschoond blijven. Mijn gezin en ik willen maar één ding en dat is met rust gelaten worden!!!*

*Maj-Britt Pettersson*

Ze schreef het adres erop en zonder eerst nog door te lezen wat ze had geschreven, likte ze de envelop dicht. De geluiden van Ellinors bewegingen door het appartement waren hard en boos en het duurde niet lang voor ze weer in de deuropening opdook.

'Ik heb het eten in de koelkast gezet.'

Ze was duidelijk geërgerd.

'Maar ik heb alleen maar vlees gekocht, zoals je wilde.'

Daarop verdween ze weer. Ze maakte lawaai met emmers en de stofzuiger en kweet zich van haar taken. Maj-Britt bleef in bed liggen en besefte dat Ellinor haar opnieuw ter wille was geweest. Haar baan had geriskeerd door van alle voorschriften af te wijken om het haar naar de zin te maken. Maj-Britt sloeg haar handen voor haar gezicht. Ze kon nergens meer heen vluchten. Haar toevluchtsoord was ingenomen.

Plotseling stond Ellinor in de deuropening van de slaapkamer. Maj-Britt had de voordeur open horen gaan en na een korte aarzeling weer dicht en toen de voetstappen naderden, had ze hartkloppingen gekregen. Ellinor kwam naar haar toe en ging op de rand van het bed zitten, zo ver mogelijk naar het voeteneind toe, waar nog een klein plekje over was. Saba verliet haar mand en ging naar haar toe.

'Ik heb een oudere broer, die zonder armen is geboren. Toen we klein waren, dachten we er niet zo bij na dat hij anders was, het sprak gewoon vanzelf, omdat hij altijd zo was geweest. Mijn ouders hadden er ook nooit veel ophef over gemaakt. Natuurlijk was het een schok toen hij zo werd geboren, maar daarna hebben ze er altijd het beste van gemaakt. Hij was de beste broer van de hele wereld. Hij kon zulke leuke spelletjes verzinnen!'

Ellinor aaide Saba glimlachend over haar kop.

'Pas toen hij een tiener was, besefte hij hoe anders hij was. Zoals toen hij voor het eerst verliefd werd en besefte dat hij niet kon concurreren met jongens die armen hadden en die net zo waren als iedereen. Die "normaal" waren.'

Haar vingers verlieten Saba's nek en markeerden in de lucht dat ze dat een erg slechte benaming vond.

'Mijn broer is zo'n jongen waar alle meisjes van dromen. Grappig, slim, aardig. Hij heeft een humor en een fantasie waar de jongens die ik heb ontmoet niet aan konden tippen, of ze nu armen hadden of niet. Maar toen, in de puberteit, zagen de meisjes hem niet staan, ze zagen alleen de ontbrekende armen, en ten slotte zag hij die zelf ook alleen nog maar.'

Maj-Britt had het dekbed tot aan haar kin opgetrokken en hoopte dat Ellinor gauw klaar zou zijn met de merkwaardige onthulling die ze meende te moeten doen.

'En toen het tot hem doordrong dat hij nooit zou kunnen worden waar hij van droomde, werd hij maar het tegenovergestelde. Van de ene dag op de andere werd hij een echte rotzak, waar niemand raad mee wist. Hij deed zo gemeen dat er niet met hem om te gaan was. Niemand die er iets van begreep. Ten slotte eiste hij dat mijn ouders eigen woonruimte voor hem zouden regelen in een serviceflat, maar daar kon het personeel ook niet veel met hem beginnen. Hij was toen achttien. Achttien jaar en compleet eenzaam, aangezien hij mij en mijn ouders niet wilde zien, ook al waren wij de enigen die zich echt druk maakten om hem. Maar ik trok me er niets van aan. Ik ging een paar keer in de week naar hem toe om hem precies te vertellen hoe ik erover dacht. Dat hij een slome zak en een stumper was en dat hij voor mijn part weg mocht rotten in die kutflat, als hij dat nou zo graag wilde. Hij zei dat ik op moest hoepelen, maar ik bleef hem toch opzoeken. Soms vertikte hij het zelfs om de deur open te doen. Dan schreeuwde ik door het sleutelgat tegen hem.'

Hemel, wat een taalgebruik! Dat iemand zulke onwelvoeglijke taal kon uitslaan! Het getuigde van weinig beschaving en het was platvloers!

Ellinor zweeg plotseling en Maj-Britt vermoedde dat dat was omdat ze adem moest halen. Zelfs zij kon blijkbaar haar onuitputtelijke woordenvloed niet laten stromen zonder zuurstoftoevoer. Jammer dat sommige mensen zo snel konden ademhalen. Ellinor keek Maj-Britt recht in de ogen en ging verder.

'Blijf jij hier maar zitten, stomme lafbek, en verpest je leven maar. Maar je moet niet denken dat je van me af bent, ik zal hier om de haverklap blijven opduiken om je eraan te herinneren wat voor stompzinnige idioot je bent.'

Maj-Britt klemde haar kaken zo stijf op elkaar dat het pijn deed.

'Dat zei ik dus tegen mijn broer.'

Ellinor aaide Saba nog één keer over haar rug voordat ze opstond.

'Nu is hij getrouwd en hij heeft twee kinderen, want hij kon ten slotte niet meer tegen mijn gezeur op. Is er nog iets speciaals wat ik voor de volgende keer moet kopen?'

## II

Er flakkerde een nieuw vlammetje op het graf. Ze zag de handen van haar moeder, die de afgebrande lucifer terugstopten in het doosje. Voor de hoeveelste keer wist ze niet, alleen dat het te vaak was geweest.

Haar besluit stond vast. Ze zou het aan Thomas vertellen en voor het eerst in haar leven opbiechten wat er was gebeurd en wat ze had gedaan. En niet had gedaan. Deze keer zou ze niet alles verloren laten gaan door haar angst. Niet nog eens.

Het rook muf in de flat en ze wilde het raam in de woonkamer openzetten om te luchten toen haar mobieltje ging. Ze was net van plan geweest zelf te bellen en had hem zo graag voor willen zijn. Haar mobieltje zat in haar handtas en ze liep naar de hal om op te nemen. Er stond een onbekend nummer op de display en dat deed haar aarzelen. Ze wilde alleen met hém praten en ze had helemaal geen zin om in een lang gesprek met iemand anders verwikkeld te raken. Maar haar plichtsgevoel gaf de doorslag.

Al die keuzes die samen het leven vormen. Had ze maar niet opgenomen. Had ze maar eerst met Thomas kunnen praten voordat ze het hoorde. Maar die kans kreeg ze niet.

'Ja, met Monika.'

Eerst dacht ze dat het iemand was die een verkeerd nummer had gebeld, of iemand die haar in de maling probeerde te nemen. Een vrouwenstem die ze niet herkende, schreeuwde in de hoorn en ze kon met geen mogelijkheid verstaan wat ze zei. Ze wilde net ophangen toen ze plotseling besefte dat het Åse was. De nuchtere, spontane Åse, die haar alleen al door haar aanwezigheid door de afgelopen dagen heen had geholpen. Ze begreep er niets van. Åse hoorde bij de cursus en klonk vreemd hier thuis in haar ongeventileerde appartement. Misschien had ze het daarom niet meteen door.

'Åse, ik versta je niet. Wat is er gebeurd?'

En toen kon ze plotseling een paar woorden onderscheiden. Iets van dat ze moest komen en dat ze dokter was. Maar ze kreeg de tijd niet om bang te worden. Toen niet. Het was enkele seconden stil. Toen hoorde ze het geluid van naderende sirenes. Pas toen kwam het eerste gevoel van ongerustheid. Nog niet alarmerend, maar een begin van verhoogde alertheid.

'Åse, waar zit je? Wat is er aan de hand?'

Hijgende ademhaling. Oppervlakkig en snel als van iemand in een shock. Onbekende stemmen op de achtergrond, een woordeloos geluidsbehang dat geen informatie gaf. De keus werd onbewust gemaakt. Iets in wat er gaande was bracht Monika ertoe in de rol van arts te stappen.

'Åse, luister goed. Vertel me waar je bent.'

Misschien hoorde Åse de verandering. Misschien had ze dat nou net nodig. Iemand met gezag, die haar vertelde wat ze moest doen.

'Ik weet het niet, ergens onderweg, ik knalde er gewoon bovenop, Monika, ik zag hem niet, ik kon niet eens meer remmen.'

Haar stem begaf het. De nuchtere, spontane Åse barstte in een wanhopig huilen uit. De rol van arts omsloot Monika als een pantser toen ze door Åses pijn werd getroffen. Hij schoof op zijn plaats om haar ervoor te behoeden in de val te worden meegetrokken.

'Ik kom eraan.'


Toen ze op weg ging was ze op-en-top arts. Haar gedachten volgden een zakelijke koers, die alleen maar informatie eiste, er mocht geen sentimenteel gedoe bij komen. Je mocht geen overhaaste conclusies trekken voordat je je van betrouwbare feiten had verzekerd. Na iedere bocht verwachtte ze een tegemoetkomende ambulance te zullen zien, maar er dook er geen op. Eén keer rinkelde haar mobieltje en zag ze zijn naam op de display. Hij hoorde hier niet bij, hij moest nu wijken, op dit moment was ze arts, op weg naar een ongeval.

Ze zag het al van verre. Aan het eind van een lang, recht stuk weg pulseerden blauwe lichten tegen een grijsblauwe horizon. Op de top van een heuvel. Auto's van hulpdiensten stonden schots en scheef geparkeerd om vervolgens ingesloten te worden achter een afzetting van pylonen en rood-wit plastic tape. Er was een korte file ontstaan en een agent deed zijn best om die weer in beweging te krijgen. Monika stuurde achter de file naar de kant en parkeerde met de waarschuwingslichten aan. Het was ongeveer honderd meter naar de pylonen en ze liep op een holletje langs de auto's. Ze had alleen nog maar oog voor de plaats van het ongeval daar vooraan. Dat was het enige wat van belang was. Stap voor stap kwam ze dichterbij en nu was ze er bijna, maar een brandweerauto vlak achter de afzetting benam haar het zicht. Ze bukte zich om onder het rood-witte tape door te kruipen.

'Hallo, het is hier afgesloten.'

'Ik ben arts en ik ken Åse.'

Ze bleef niet eens staan. Keek hem niet eens aan. Zocht alleen de omgeving af op zoek naar geruststellende berichten. De achterkant van de rode bestelwagen stak uit de sloot omhoog. Börjes Bouw. Gewone, normale, leesbare letters. Er zat een staalkabel van een bergingsvoertuig aan de trekhaak en langzaam werd de auto van zijn plaats getrokken.

Brandweerlieden, politiemensen, ambulancepersoneel. Maar er was iets mis. Er heerste een onrustbarende stilte midden in de visuele chaos. Zij leek de enige te zijn die haast had. Een brandweerman die rustig en methodisch zijn gereedschap inpakte. Een broeder achter het stuur van de ambulance die tijd had om een formulier in te vullen.

Toen kreeg ze Åse in het oog. Voorovergebogen en met haar gezicht in haar handen zat ze achter in een ambulance. Naast haar zat een agente, die een arm om haar schouders had geslagen, en de uitdrukking op het gezicht van de agente deed Monika de adem inhouden. Ze bleef doodstil staan te midden van alles wat er om haar heen gebeurde. Iemand kwam op haar af en zei iets, maar ze hoorde niets, zag alleen een bewegende mond. Het was maar een paar stappen. Wel een paar meer dan toen, maar net zo moeilijk te zetten. Wat ze niet wilde weten lag daar in de sloot verborgen, maar de gespannen kabel werd almaar korter en kon ieder moment de volle omvang van de catastrofe onthullen. Ze sloeg haar hand voor haar ogen. In het donker hoorde ze iemand zeggen dat ze de eland hadden gevonden, een stukje het bos in. Het motorgeluid van de takelwagen stopte, maar ze bleef haar hand voor haar ogen houden, weigerde het te weten te komen.

Het was weer zover. Weer was zij degene die leefde, terwijl het allemaal haar schuld was. Ze kon niets veranderen of ongedaan maken, ze had de val dicht laten klappen en hij zou er nooit meer uit komen.

Toen deed ze haar ogen open en er ging er iets helemaal kapot. Waar eerst de passagierskant was geweest, zat alleen nog verwrongen ijzer en een stuk kapotte voorruit.

En een verbrijzeld lichaam dat niet te herkennen was, maar dat het hare had moeten zijn.

# 12

Hallo Majsan!

Ik zal maar beginnen met je te bedanken voor je brief, ook al moet ik zeggen dat ik er niet erg blij mee was. Maar dat was je bedoeling natuurlijk ook niet. Wees gerust, ik ga niet op eigen houtje door met de correspondentie, maar deze brief moest ik nog sturen. Het zal de laatste zijn.

Mijn excuses als ik je heb beledigd met de overwegingen in mijn vorige brief, dat was echt niet de bedoeling. Daarentegen ben ik niet van plan mijn excuses aan te bieden voor het feit dat ik die gedachten ook echt HEB. Als ik ergens genoeg van heb, is het wel van mensen die zo volkomen zijn in hun geloof dat ze zich het recht aanmeten om op dat van anderen neer te kijken en het te veroordelen. Ik veroordeel het geloof van je ouders helemaal niet, zoals je schreef. Ik denk er alleen zelf anders over en dat recht heb ik. Ik wil wat dieper nadenken over bepaalde dingen om te kijken of ik goede, nieuwe antwoorden kan vinden, want we kunnen het er misschien wel over eens zijn dat we er met wat we tot nog toe hebben bedacht, geen erg prettige wereld van hebben gemaakt. In een boek dat ik van de gevangenisdominee heb gekregen las ik: 'Alle grote ontdekkingen en ontwikkelingen zijn voortgekomen uit een bereidheid om je eigen gelijk ter discussie te stellen, om al je gelijk opzij te zetten en opnieuw te gaan denken.'

Wat betreft mijn 'heidendom van eigen makelij' zullen we er wel simpelweg een verschillend geloof op na houden, maar dat vind ik niet erg. Het staat immers zo mooi in jouw bijbel dat het aan God is om te oordelen. Ik denk dat iedereen wel eens nadenkt over spirituele zaken. Ik begrijp niet waarom wij mensen zodra we iets gevonden hebben waarin we kunnen geloven meteen alle anderen van ons gelijk moeten overtuigen, alsof we niet alléén durven te geloven, maar het in een groep moeten doen, alsof het anders niet telt. Dan wordt het plotseling belangrijk dat iedereen precies hetzelfde gelooft, en hoe bereik je dat? Nou, je stelt regels en wetten op die het geloof binnen de kaders houden die je hebt vastgesteld en als je mee wilt doen moet je je *aanpassen. Je moet gewoon stoppen met het stellen van lastige vragen en de hoop op nieuwe antwoorden opgeven, aangezien ze de goede antwoorden al opgeschreven hebben in de grondvesten van het geloof. Dat is toch de doodsteek voor ieder soort ontwikkeling? Dan gaat het toch alleen om macht? Daar gaat geloof voor mij in ieder geval om, want geen enkel geloof is door een God geschapen, maar door ons mensen, en de geschiedenis heeft laten zien wat wij allemaal menen te mogen doen in naam van dat geloof.*

*Als ik doorlees wat ik heb opgeschreven, besef ik dat deze brief je ook wel weer zal kwetsen. Maar ik wil gewoon dat je weet dat ik ook geloof; mijn God is alleen niet zo veroordelend als de jouwe. Je schreef dat je gezien het feit dat ik levenslang zit, geen reden ziet om kennis te nemen van mijn zieke gedachten. Nee, dat zal wel niet, maar ik wil je tot slot toch mijn versie geven van waarom ik hier nu zit.*

*Weet je nog dat ik ervan droomde om schrijfster te worden? Je snapt wel dat dat vroeger thuis op ongeveer hetzelfde neerkwam als dromen van koning worden, maar onze leraar Zweeds (weet je nog, Sture Lundin?) moedigde me aan om te schrijven. Toen jij en ik elkaar uit het oog waren verloren ben ik naar Stockholm verhuisd en daar heb ik journalistiek gestudeerd. Niet dat ik nou geschiedenis heb geschreven met mijn artikelen, maar ik ben wel bijna tien jaar lang als journalist aan de kost gekomen. Toen ontmoette ik Örjan. Als je eens wist hoeveel tijd ik achteraf heb verdaan met proberen te begrijpen waarom ik zo waanzinnig verliefd werd, want achteraf is het zo onbegrijpelijk dat ik mijn ogen gesloten heb voor alle waarschuwingstekenen. Want daar waren er meer dan genoeg van, maar ik leek wel verblind. Het merkwaardigste was nog dat ik me veilig voelde bij hem, ook al had alles wat hij zei en deed mij precies het tegenovergestelde moeten laten voelen. Toen dronk hij al veel te veel en hij had altijd geld, zonder dat hij ooit vertelde waar hij dat vandaan had. Naderhand ben ik gaan beseffen dat het was omdat hij me aan mijn eigen vader deed denken en dat ik me 'veilig' voelde omdat het er vroeger thuis ook zo aan toeging. Ik voelde me thuis en wist precies wat er van me werd verwacht. Op de 'gewone, aardige' mannen die ik door de jaren heen ontmoette werd ik nooit verliefd, want die maakten me onzeker. Ik wist nooit hoe ik me tegenover hen moest gedragen. Örjan vond het niets als vrouwen te zelfstandig waren en mijn baan was onnodig, aangezien we konden leven van wat hij inbracht. En ik was zo'n sukkel dat ik probeerde me aan zijn wensen aan te passen en een halfjaar nadat we elkaar hadden ontmoet zei ik mijn baan op. Daarna waren mijn vrienden aan de beurt. Hij wilde liever niet dat ik die nog ontmoette en om ruzies te voorkomen zocht ik geen contact meer met hen. Natuurlijk namen zij daarna ook geen contact meer op met mij. Binnen een jaar was ik alle contact met de buitenwereld kwijt en werd een soort lijfeigene. Ik zal je de details besparen, maar Örjan was een ziek mens. Natuurlijk was hij niet zo geboren, maar hij was opgegroeid in een huis vol mishandeling en hij ging door met leven zoals het hem was geleerd. Het begon bijna ongemerkt. Snerende opmerkingen, die langzamerhand zo gewoon werden dat ik eraan gewend raakte. Ten slotte geloofde ik die opmerkingen en ik raakte ervan overtuigd dat hij het recht had ze te maken. Toen ging hij slaan. Er waren dagen dat ik me nauwelijks meer kon bewegen, maar dat was maar goed ook, zei hij, want dan wist hij waar ik was. Maar dat wist hij toch wel, want ik durfde het huis nooit uit te gaan zonder toestemming en die kreeg ik nooit.*

*Nu komt het moeilijke, nu ik ga vertellen over mijn schatten van kinderen. Ze zijn voortdurend in mijn gedachten en ik heb alle* ALSEN *zo vaak herkauwd. Maar 17 jaar en 94 dagen geleden zag ik geen andere oplossing dan hen mee te nemen in de dood, om hen te redden uit de hel waarin we leefden, waarin* IK *hen geboren had laten worden. Ik zag geen andere oplossing. Ik was zo totaal uitgeput door de voortdurende angst. Misschien kan alleen iemand die lange tijd continu bang is geweest begrijpen hoe dat voelt en hoe futloos je ten slotte wordt. Wat er met mij gebeurde was niet belangrijk, maar ik kon het lijden van mijn kinderen niet meer aanzien. Ik schaamde me zo vreselijk over mezelf en over alles wat ik had laten gebeuren, dat ik geen hulp durfde te zoeken. Ik was immers medeschuldig! Ik had hem niet op tijd tegengehouden! Ik had gezien hoe hij de kinderen afranselde en toen had ik hem ook niet durven tegenhouden. Ik wilde het liefst dood, maar ik kon mijn kinderen niet bij hem achterlaten. Mijn hersenen waren intussen al zo verwrongen dat er geen andere uitweg was. Ik zag het als onze enige redding. Ik gaf hun kalmerende middelen en verstikte ze in hun bedjes. Ik was nooit van plan geweest om Örjan te doden, maar hij kwam vroeg thuis, terwijl hij had gezegd dat hij laat zou zijn en hij vond mij in de slaapkamer van de kinderen. Ik ben van mijn leven nog nooit zo bang geweest. Het lukte me de trap af te komen, naar de keuken en toen hij mij inhaalde had ik al een keukenmes gepakt. Naderhand goot ik een jerrycan benzine leeg die Örjan in de schuur had staan en ik ging bij de kinderen liggen wachten. Wat ik me het best herinner van die uren, is het gevoel dat ik had toen ik het geknetter van de vlammen op de benedenverdieping hoorde, die langzaam maar zeker onze gevangenis vernielden. Voor het eerst van mijn leven voelde ik volkomen vrede.*

*Het ergste moment dat ik heb meegemaakt was toen ik een paar weken later in het ziekenhuis wakker werd. Ik had het overleefd, maar mijn kinderen waren bij hem in het hiernamaals. Ik had het overleefd, maar daar had ik mijn leven nog niet mee terug.*

*Ik probeer het niet goed te praten, maar het lucht me een beetje op als ik de oorzaken probeer te zien waardoor alles ging zoals het ging. Mijn straf is niet dat ik hier opgesloten zit. Mijn straf is duizendmaal erger en zal de rest van mijn leven voortduren. Dat is dat ik iedere seconde die ik nog heb de ogen van mijn kinderen voor me zie, me herinner hoe ze me aankeken toen ze begrepen wat ik ging doen.*

*Er bestaat geen hel na de dood, waartoe jouw God ons veroordeelt. De hel scheppen we hier zelf op aarde door de verkeerde keuzes te maken. Het leven is niet iets wat 'ons overkomt', het is iets wat we zelf mede vormgeven.*

*Ik zal gehoor geven aan je wens en niets meer van me laten horen. Eén ding moet ik echter nog schrijven voordat onze wegen zich weer scheiden. Als je ergens pijn hebt, dan denk ik dat je je moet laten onderzoeken, en voor alle zekerheid moet je dat zo snel mogelijk doen.*

*Als je me nodig hebt, weet je me te vinden.*

*Je vriendin,*
*Vanja*

# 13

'Bedankt dat je bent gekomen.'

Åse zat op de bank in haar gezellige woonkamer en Börje had een deken om haar schouders geslagen. Bedroefd maar oneindig dankbaar zat hij naast haar met haar hand in zijn grove knuist, en met zijn andere hand veegde hij met regelmatige tussenpozen langs zijn ogen.

Dokter Lundvall was midden in de kamer blijven staan. Ze deed wanhopig haar best om niet in te storten en ondanks haar innerlijke inferno was het haar gelukt de afgelopen twee uur goed door te komen door strikt de rol van arts te blijven spelen. Ze had met de politie en met ambulancepersoneel gesproken, de brandweer gevraagd naar het verdere lot van de bestelauto om uiteindelijk, volledig geïnformeerd, Åse naar huis te brengen en alle belangrijke feiten aan Börje door te geven. Maar in de knusse woonkamer was dokter Lundvall voor alle zekerheid blijven staan. Ze was bang dat als ze in een van de uitnodigende fauteuils ging zitten en zichzelf toestond te ontspannen, Monika zou kunnen uitbreken. Opgesloten achter de rationele buitenkant zwierf ze rond tussen de puinhopen, doodsbang en wanhopig. Ze kon elk moment ontsnappen en tegen die tijd moest dokter Lundvall zorgen dat ze hier weg was. Ze wilde net aan haar afscheidsfrase beginnen toen ze de voordeur hoorde opengaan.

'Hallo?'

Börje was degene die antwoordde.

'Hallo, we zitten hier.'

Hij keek dokter Lundvall aan en legde uit: 'Dat is onze dochter, Ellinor. Ik heb haar gebeld en gevraagd of ze wilde komen.'

Een ogenblik later verscheen ze in de deuropening, een blonde, jonge vrouw die met haastige passen verder liep. Slecht één doel voor ogen: haar ouders op de bank. Ze zag dokter Lundvall niet eens toen ze haar op maar een meter afstand passeerde.

'Hoe gaat het?'

De dochter ging naast Åse zitten en legde haar voorhoofd op haar schouder. Op haar schoot kwamen hun handen allemaal bij elkaar: van vader, moeder en kind. Het hele gezin bijeen. Door dik en dun zouden ze elkaar steunen in het leven.

'Het gaat, maar ze kan er nog niet echt over praten. Ze heeft iets kalmerends gekregen.'

Börje sprak rustig en zacht, maar de tederheid sprak uit zijn hand, die de deken rechttrok die van Åses schouders was gegleden. Toen streek hij Ellinor over het haar.

Monika krabde en klauwde daarbinnen. Ze wierp zich keer op keer tegen de broze schaal die haar gevangen hield. Voor dokter Lundvall werd het ademhalen steeds moeilijker en haast was nu geboden, grote haast.

'Als jullie het goedvinden ga ik maar eens.'

Het was aan haar stem te horen. In ieder geval hoorde ze het zelf. Maar misschien werden de mensen op de bank te zeer in beslag genomen door hun dankbaarheid om het ook te horen. Börje stond op en liep naar haar toe.

'Ik weet niet wat ik nog meer moet zeggen behalve bedankt. Het is moeilijk om nu de goede woorden te vinden.'

'Je hoeft niets te zeggen.'

Ze pakte zijn uitgestoken hand en gaf er een kneepje in, wendde zich toen tot Åse, die haar met grenzeloos verdriet in haar ogen aankeek.

'Dag Monika, bedankt dat je bent gekomen.'

En toen ze haar naam hoorde, stortte de façade in, maar ze kon net op tijd bij de auto komen, voordat de schreeuw kwam.

De auto kende de weg beter dan zij. Niet in staat enig besluit te nemen bevond ze zich plotseling op de parkeerplaats van het kerkhof. Haar benen liepen de welbekende stappen en de vlam, die in een andere tijd was aangestoken, flakkerde in zijn kunststof houder. Ze ging op haar knieën zitten. Ze legde haar voorhoofd tegen de koude steen en huilde. Hoe lang wist ze niet. Het was donker geworden en het kerkhof was leeg, zij was alleen met een steen en een kaarsvlam. Alle tranen die zich door de jaren heen gehoorzaam en beheerst hadden laten wegstoppen kwamen woedend opwellen. Maar ze brachten geen verlichting, ze konden haar alleen nog maar wanhopiger maken. Ze kon niets doen. Een vrouw had haar geliefde verloren en een kind haar vader en zelf zat ze daar levend en wel, terwijl ze voor geen enkel menselijk wezen enig nut had. Wederom was zij de overlevende en was het haar gelukt iemand anders, die had moeten blijven leven, om te laten komen. Als God bestond waren zijn wegen werkelijk ondoorgrondelijk. Waarom Mattias halen en haar laten gaan? Er waren twee mensen van hem afhankelijk. Zijn nieuwe baan zou hun redding geweest zijn. En zelf werd zij geacht verder te gaan alsof er niets was gebeurd. Gewoon weer naar Thomas toe gaan en met alle mogelijkheden intact een toekomst opbouwen. Terugkeren naar haar dure spulletjes en haar goede salaris en net doen of ze mensenlevens beschermde, terwijl het tegenovergestelde waar was.

Ze kwam overeind en las de woorden voor misschien wel de duizendste keer.

*Mijn geliefde zoon.*

Zo vanzelfsprekend, zo altijd aanwezig. En zo eeuwig onbereikbaar.

Ze legde haar handpalmen over zijn naam op de koude steen en in het diepst van haar hart had ze maar één enkele wens.

Dat ze eindelijk eens van plaats mochten ruilen.

# 14

Maj-Britt zat in haar leunstoel en de tv stond aan. Het ene programma na het andere rolde voorbij en zodra er een gedachte tussen de flikkerende beelden wist te dringen zapte ze naar een andere zender. Het enige waar ze niet aan kon ontkomen was de pijn in haar onderrug. Sinds ze Vanja's woorden had gelezen, was die duidelijker dan ooit.

Voordat ze in het programma-aanbod op tv was gevlucht, had ze vastgesteld dat er sprake was van een samenzwering. Ze had met geen woord gerept over de pijn in haar rug, maar Ellinor had haar ontmaskerd met haar ogen op steeltjes. Wie anders dan zij had het aan Vanja kunnen vertellen?

Alles had weer als vanouds kunnen worden als Ellinor er niet was geweest. Als Vanja weer een brief stuurde, zou Maj-Britt eronderuit kunnen door hem niet te lezen, en wat ze al had moeten lezen zou ze, als ze goed haar best deed, kunnen smoren met tv-kijken en eten. Maar nu was Ellinor er dus nog. De sympathieke Ellinor, die in werkelijkheid een bondgenote was van Vanja, en het was geen toeval geweest dat ze beiden tegelijkertijd waren binnengedrongen in haar wereld en die bijna op zijn kop hadden weten te zetten. Achter haar rug smeedden ze boosaardige plannen; het was onbegrijpelijk waar ze op uit waren. Maar was het leven niet altijd al zo geweest? Tégen haar? Terwijl ze nooit had begrepen waarom.

En dan de schande. Dat Vanja wist dat ze had gelogen over haar leven en ervan op de hoogte was dat ze daar in haar flat zat en voor haar overleven afhankelijk was van de thuiszorg. Dat Maj-Britt door haar leugens had toegegeven hoe mislukt ze eigenlijk was.

Ze hoorde geen begroetingszin toen de deur openging en kort daarna weer werd dichtgetrokken. Saba tilde haar kop op en kwispelde wat met haar staart, maar bleef bij de balkondeur liggen. Ze wilde naar buiten, maar Maj-Britt was niet in staat geweest om op te staan.

Ze hoorde stappen naderen en toen ze stopten wist ze dat Ellinor in de kamer stond, slechts een paar meter achter haar rug.

'Hallo.'

Maj-Britt antwoordde niet, zette alleen het geluid harder met de afstandsbediening. Toen dook Ellinor op aan de rand van haar gezichtsveld, op weg naar Saba en de balkondeur.

'Wil je naar buiten?'

Saba stond op, kwispelde met haar staart en verplaatste haar zware lichaam door de open deur naar buiten. Buiten waaide het en toen een windvlaag de deur te pakken kreeg, deed Ellinor die weer dicht. Maj-Britt zag dat ze met haar rug naar de kamer bleef staan en uit het raam keek.

Er was iets veranderd. Van Ellinors normale spraakzaamheid was geen spoor te bekennen en er hing een soort somberheid om haar heen. Maj-Britt vond het onaangenaam. Een verandering die haar verwarde en waar ze op de een of andere manier mee moest omgaan. Ellinor bleef een hele poos bij de deur staan en toen ze plotseling begon te praten kwam het zo onverwacht dat Maj-Britt ervan opschrok.

'Ken jij andere mensen hier in de flat?'

'Nee.'

Ze had antwoord gegeven, terwijl ze dat niet van plan was geweest. Ellinors veranderde gedrag maakte haar bang, vooral nu ze wist dat ze haar eigenlijke bedoelingen verborgen hield achter die aardige buitenkant.

'Er woont een gezin hierachter waarvan de vader gisteren is omgekomen. Bij een verkeersongeval.'

Maj-Britt wilde het niet weten, maar ze zag die vader voor zich die vaak buiten aan het schommelen was met zijn kind en de moeder die ergens pijn leek te hebben. Zoals gewoonlijk kreeg ze informatie waar ze niet om had gevraagd, over dingen waar ze niets mee te maken wilde hebben. Ze zapte.

Ellinor deed de deur open om Saba binnen te laten en daarna hoorde Maj-Britt haar naar de keuken verdwijnen. Op tv werd het uiterlijk van drie personen veranderd met behulp van operaties en make-up en Maj-Britt slaagde erin zich een hele poos af te schermen. Maar toen was Ellinor weer terug. Maj-Britt deed net of ze niets merkte, maar uit een ooghoek zag ze dat Ellinor de kamer in kwam met iets in haar handen en dat ze op de bank ging zitten. Ze ging op de bank zitten met een vanzelfsprekendheid die mensen hebben die weten dat ze er ieder moment weer van kunnen opstaan.

'Ik wilde deze maar eens maken.'

Maj-Britt keek om. Ellinor zat met haar jurk op schoot, een van de twee waar ze nog steeds in paste, maar die op de naden kapot begon te gaan. Maj-Britt wilde zeggen dat het niet hoefde, maar ze wist dat een reparatie nodig was. Het alternatief was om de moeite te nemen een nieuwe te laten maken en ze huiverde nog steeds als ze aan de vorige keer terugdacht. En zelf naaien. Nee! Om de een of andere reden was de gedachte nooit bij haar opgekomen, zelfs niet in de tijd dat het fysiek nog mogelijk was geweest. Ze had niet eens een naald en draad. Maar ze vond het afschuwelijk om Ellinors vingers te zien bewegen over iets wat normaal gesproken zo dicht op haar huid zat.

Maj-Britt beet haar tanden op elkaar en keerde terug naar de tv. Maar toen reageerde ze op een beweging vanaf de bank. Ellinor strekte haar arm uit tot boven haar hoofd. Maj-Britt had geen tijd om na te denken. Ze kon er met haar verstand niet bij waarom ze haar aandacht uitsluitend op Ellinor richtte en tegelijkertijd zo van angst werd vervuld dat ze zich plotseling niet meer kon bewegen. Ze staarde naar Ellinor. Tussen haar handen liep een armlengte naaidraad en Maj-Britt kon zich niet verweren, als behekst volgde ze de draad naar het klosje in Ellinors linkerhand. En toen was het te laat. De herinnering drong uit al het wit naar binnen. Als een neergelaten rolgordijn waarvan de veer tot het uiterste gespannen is en die plotseling met een knal wordt opgerold. Maj-Britt zat als lamgeslagen te kijken naar wat voor haar vorm aannam. Wat zo lang was weggeduwd, maar nu over alle jaren heen ineens terugkwam. Ze kon zich er op geen enkele manier tegen verdedigen.

Totaal niet.

Ze zat in de keuken maar het was niet de keuken bij hen thuis, maar die van het gezin van de dominee. Ze was daar nu bijna twee weken, ze sliep in een kale kamer, waar twee bedden in stonden. In het tweede bed sliep de vrouw van de dominee. Geen minuut had ze haar alleen gelaten, en geen seconde had ze de kamer mogen verlaten behalve om naar de badkamer te gaan, daar mocht ze 's ochtends en 's avonds een keer heen. Maar niet alleen, de deur werd altijd op een tien centimeter grote kier gelaten en de domineesvrouw bleef ervoor staan.

Het was een groot houten huis en ze herkende de geluiden niet die er woonden. Vooral 's nachts kropen ze onverwacht door de donkere vloerplanken de kamer binnen en dan was ze blij dat ze haar niet alleen lieten, maar overdag had ze graag een poosje met rust gelaten willen worden. Maar dat ging niet. Ze stond onder toezicht en dat was nodig, dat wist ze, ze deden het voor haar bestwil, om haar te helpen na het spelletje dat ze in de houtschuur hadden gedaan. Ze zouden haar helpen de gedachten te verdrijven die haar belaagden en haar dingen lieten doen die ze niet wilde.

Nu zat ze op een keukenstoel en ze zag dat de domineesvrouw kopjes en schoteltjes op een blad zette. Ze voelde dat ze zou moeten helpen, maar durfde het niet te vragen. Ook al hadden ze de afgelopen weken ieder uur samen doorgebracht, behalve zo nu en dan een uurtje dat de dominee zelf het had overgenomen, ze hadden elkaar niet beter leren kennen. Een groot gedeelte van de tijd was in stilte voorbijgegaan en de rest hadden ze besteed aan bidden en bijbellezen. Maj-Britt voelde dankbaarheid jegens de vrouw die bereid was zoveel tijd op te offeren om haar te helpen, maar ze was ook bang voor haar; ze voelde zo duidelijk dat de domineesvrouw haar eigenlijk niet aardig vond, maar het deed uit plichtsbesef. Omdat het moest.

Maj-Britt snoof de heerlijke geur van versgebakken broodjes

op en wierp een blik naar het raam. Het was al donker buiten. Ze had zo vaak aan de andere kant gestaan en vanaf het hek voor bij de weg naar dit mooie huis gekeken, naar de verlichte ramen. Ze had gefantaseerd hoe het zou zijn als je daar naar binnen mocht. In dat huis dat zo vol van liefde was dat God zelf de bewoner ervan had uitgekozen om Zijn woord te verkondigen. En nu zat ze daar in de keuken. Ze hadden haar opgenomen, hun huis en hun tijd ter beschikking gesteld om haar en haar ouders te helpen alles weer recht te zetten. Ze was vervuld van diepe dankbaarheid. Ze wisten wat ze had gedaan en de eerste dagen had ze niemand in de ogen durven kijken. Ze had haar uiterste best gedaan om de herinnering te verdringen aan hoe haar vader haar had betrapt toen ze met haar broek op haar enkels in haar onderbroek voor Vanja en Bosse had gestaan. Bosse was de dokter en Vanja de zuster en ze waren niet méér van plan geweest dan om de beurt hun broek naar beneden doen, en het meest beschamende was om voor jezelf toe te geven hoe het in je buik had gekriebeld van spanning en nieuwsgierigheid. Het was niet eens een naar gevoel geweest toen Satan bezit van haar nam, maar dat durfde ze niet toe te geven. Het moest een geheim blijven dat ze altijd zou blijven verstoppen, maar voor God kon je niets geheimhouden. En misschien kon je voor de dominee ook niets geheimhouden, want iedere avond had hij haar voorgelezen: 'Al moge het kwaad zoet zijn in zijn mond, al moge hij het verbergen onder zijn tong, al moge hij het terughouden tegen zijn gehemelte – toch verandert zijn spijze in zijn ingewanden, zij wordt addervenijn in zijn binnenste. Schatten slokte hij in, maar hij moet ze weer uitspuwen, God drijft ze uit zijn buik. Addergif zal hij inzuigen, een slangentong zal hem doden.'

En ze had steeds ijveriger gebeden of God haar wilde helpen. Twee weken lang had ze gebeden of ze uitverkoren mocht worden zoals de andere leden van de Gemeente, of zij ook omsloten mocht worden door Zijn liefde en genade. Ze bad niet of ze het mocht begrijpen, ze wist dat Zijn wegen ondoorgrondelijk waren, maar ze wilde zo graag in staat zijn te gehoorzamen! Dat Hij haar tot onderwerping zou dwingen, zodat ze rein kon worden.

Nu zat ze daar in de keuken zonder dat ze wist waarom en aangezien ze niets anders te doen had ging ze maar bidden, zoals ze dat de afgelopen twee weken had geleerd. Je mocht de genade van de Heer niet misbruiken.

Ze hoorde het geluid van porseleinen kopjes die met regelmatige tussenpozen op hun schoteltjes terechtkwamen en het tinkelen van de lepeltjes als ze op hun plekje naast de kopjes gleden. De domineesvrouw was de eetkamer in gegaan en de geluiden daarvandaan keerden nu terug naar de kast waaruit de kopjes waren gehaald. Het was een gezellig, veilig gevoel. De geur van de broodjes en het geluid van het tafeldekken. Ze was uit haar kamer gelaten en dat moest toch betekenen dat ze aan hun verwachtingen had voldaan, dat ze haar hadden weten te genezen en nu van mening waren dat ze weer fatsoenlijk bij de rest van de mensheid kon verkeren.

'Maj-Britt, kom je even hier?'

Ze stond meteen op en liep naar de eetkamer, van waaruit de domineesvrouw had geroepen. Ze stond achter een stoel aan de korte kant van de tafel en liet haar handen op de rugleuning rusten. Het was een mooie kamer. Een grote bruine tafel in het midden met twaalf stoelen eromheen en nog eens vier langs twee van de wanden. De derde wand werd in beslag genomen door een reusachtige kast, die bij de rest van het meubilair hoorde, en bij de vierde wand stond ze zelf, in de deuropening naar de keuken.

'Ga daar maar zitten.'

Ze wees naar een van de stoelen langs de ene wand. Maj-Britt deed wat haar was gezegd. Ze vroeg zich af waarom de tafel met zulk mooi porselein was gedekt, wie er 's avonds op de koffie waren genodigd. Ze voelde bijna een soort verwachting, ze had al zo veel dagen niemand anders gezien dan de dominee en zijn vrouw. Stel dat haar vader en moeder kwamen. Dan zou ze kunnen laten zien dat hun gebeden niet vergeefs waren geweest en dat ze haar leven had gebeterd. Ze voelde zich bijna een piepklein beetje trots, niet op een opschepperige manier, eerder als een soort opluchting. Het was haar gelukt van al die dingen in haar binnenste af te komen die haar op dwaalwegen hadden gelokt. Natuurlijk hadden ze haar geholpen, maar ze had het zelf gedaan. Door haar volharding in het gebed was het haar eindelijk gelukt om de gedachten de baas te worden die voortdurend aan haar verboden ontsnapten. God had eindelijk geluisterd en was haar te hulp gekomen. In Zijn genade had Hij haar vergeven en Hij zou haar niet meer laten lijden. En haar ouders ook niet, die zouden daar ook voor gespaard blijven.

De domineesvrouw liep naar de kast en trok de la onder het middelste vak open. Ze zat ergens in te rommelen met haar rug naar Maj-Britt toe, er klonk een geluid van kleine spulletjes die heen en weer werden geschoven. Toen draaide ze zich om met een klosje garen in haar hand. Een houten klosje met spierwit naaigaren.

'Trek nu je rok en ondergoed maar uit.'

Maj-Britt begreep eerst niet wat ze zei. Heel even hing er nog steeds alleen de geur van versgebakken broodjes en hoopvolle vertroosting. Maar toen kwam de angst aansluipen, haar kleren waren niet kapot, wat moest de domineesvrouw met die draad? Maj-Britt inspecteerde haar rok, zocht een naad die was losgeraakt, maar vond er geen.

'Doe nu gewoon wat ik heb gezegd en ga weer op de stoel zitten.'

Haar stem was mild en vriendelijk. Die paste niet bij de woorden en Maj-Britt begreep niet wat ze bedoelde, ook al verstond ze wel wat ze zei. Toen strekte de domineesvrouw haar arm uit tot boven haar hoofd terwijl ze een armlengte garen van het klosje rolde. Toen haar arm weer naar beneden kwam, wierp ze een blik op haar horloge.

'Nu moet je voortmaken, dan kan ik de rest op tafel zetten.'

Maj-Britt kon zich niet bewegen. Haar kleren uittrekken, hier in de eetkamer van de dominee? Ze begreep het niet, maar zag dat de domineesvrouw ongeduldig begon te worden en ze wilde haar niet boos maken. Met trillende handen deed ze wat haar was gezegd en ze ging weer op de stoel zitten. De schaamte brandde als vuur. Met haar handen op haar schoot probeerde ze haar intieme delen te bedekken. Haar kleren lagen op een stapeltje naast haar stoel en het was zo moeilijk om de impuls te weerstaan ze te pakken en weg te rennen.

De domineesvrouw kwam aanlopen en hurkte naast haar neer. Toen pakte ze de dunne naaidraad en knoopte die om haar rechterbeen, legde er vlak onder haar knie een enkele knoop in, voordat ze het andere uiteinde aan de stoelpoot bond.

'Dit doen we voor je eigen bestwil, Maj-Britt, zodat je de ernst inziet van wat je hebt gedaan.'

Ze pakte het stapeltje kleren en stond op.

'Het is uit liefde voor jou dat jouw ouders en alle leden van de Gemeente jou willen helpen de rechte weg weer te vinden.'

Maj-Britt trilde. Haar lichaam bibberde van vernedering en angst. Want Hij had haar bedrogen, Hij had haar niet vergeven, haar alleen maar valse hoop gegeven en het juiste moment afgewacht.

'Uit liefde, Maj-Britt, ook al voelt dat nu misschien niet zo, maar als je ouder wordt zul je het begrijpen. We willen je alleen leren hoe je je had moeten voelen toen je je uitkleedde voor die jongen. En hoe je je altijd zult blijven voelen, als je je gedrag niet verandert.'

Ze vouwde de kleren op, maakte er een keurig stapeltje van en verdween naar de keuken. Maj-Britt bleef stokstijf zitten. Ze was bang dat de draad los zou gaan als ze bewoog.

De tijd verstreek. Blanco tijd, zonder seconden of minuten. Alleen ogenblikken die zich voortbewogen en steeds betekenislozer werden. Boven de tafel hing een grote kristallen kroonluchter. De prisma's blonken en glommen. En dan de tafel die zo mooi was gedekt. Ranke, witte kopjes met bloemetjes erop, en nu kwam de domineesvrouw terug met twee broodschalen gevuld met de heerlijkste kaneelbroodjes. Het was maar goed dat ze vastzat, want anders had ze ze allemaal op kunnen eten nog voordat de gasten er waren. Maar die kwamen er dan nu aan, zeker. Ze hoorde de deurbel en mompelende stemmen; ze verstond niet wat ze zeiden, maar dat waren vast ook haar zaken niet. De tocht van de buitendeur deed de prisma's in de kroonluchter glinsteren als edelstenen. Ze bofte maar dat ze naar zoiets prachtigs mocht zitten kijken. Nu kwamen alle gasten het vertrek binnen, met zijn tweeën of een voor een, en ze gingen aan tafel zitten. De Gustavssons en de Wedins, en daar had je Ingvar, de dirigent van het koor waar ze met zoveel plezier in zong. Meneer en mevrouw Gustavsson hadden hun zoon Gunnar meegenomen, dat was ook al een grote jongen. Allemaal droegen ze nette kleren, kostuums en jurken, alsof ze naar de kerk gingen. Zelfs Gunnar was in pak, ook al was hij nog maar veertien. Het was een donkerblauw pak, hij droeg er een stropdas bij en zag er heel volwassen uit. En toen haar ouders. Het was zo fijn hen weer te zien, want het was een hele poos geleden, maar ze hadden nu geen tijd voor haar en dat begreep ze best. De dominee was aan het woord over dingen van de Gemeente en nu werden er broodjes gepresenteerd en werd de koffie in de kopjes geschonken. Maar haar moeder keek zo verdrietig. Verscheidene keren veegde ze haar ogen af met een zakdoek en Maj-Britt had zo graag naar haar toe willen gaan om haar te troosten en te zeggen dat alles in orde was, maar ze zat immers vast aan de stoel en ze wist dat dat zo moest. Ze deden het voor haar bestwil, ook al deden ze net of zij niet bestond. Alleen Gunnar gluurde soms even naar haar.

En toen moest plotseling iedereen weer weg. Ze stonden op en liepen achter elkaar aan naar de hal en daarna verstomden alle stemmen. Alleen een zwak gemompel, waarvan ze inmiddels wist dat het van de dominee en zijn vrouw afkomstig was, en toen drongen opeens de seconden weer binnen in de tijd.

Ze zat op een stoel in de eetkamer van de dominee zonder kleren aan haar onderlichaam en nu begreep ze hoe ze zich had behoren te voelen.

En ze had geleerd dat ze nooit weer moest doen wat ze had gedaan.

De volgende dag mocht ze naar huis. Ze kreeg het klosje garen mee ter herinnering. Dat werd in de keuken op de plank gezet, opdat ze het nooit zou vergeten.

# 15

Van sommige dingen was het niet de bedoeling dat je ze zou houden. Sommige dingen flitsten alleen voorbij en hadden de taak bepaalde mensen te herinneren aan wat ze nooit zouden kunnen krijgen. Ze moesten ervoor zorgen dat ze hun hopeloze verlangen niet zouden verwaarlozen of zelfs vergeten. Of er misschien zelfs mee zouden leren leven en een zekere tevredenheid voelen. Nee, als mensen niet wilden beseffen wat ze te kort kwamen, was het tijd hen eraan te herinneren, hen ervan te laten proeven, iets van hun dorst te lessen.

Zo was het ook met Thomas.

Hij was even langsgekomen om haar eraan te herinneren hoe het leven had kunnen zijn. Als zij niet iemand was geweest die leefde ten koste van anderen.

Iemand die haar rechten had verspeeld.

Alles lag aan gruzelementen. Het hoopvolle gevoel waar ze helemaal ondersteboven van was geweest, was weggestroomd en opgelost in de grenzeloze hopeloosheid die ervoor in de plaats was gekomen.

Ze zat op een stoel voor het raam van haar fraaie woonkamer. Bij de inrichting ervan had geen prijskaartje haar doen weifelen over haar keuze van de objecten. Alles was met zorg uitgezocht, geraffineerd en doordacht. De trots van degene die er woonde en een uitdaging voor wie op bezoek kwam.

Om te vergelijken.

Zodat zij ze ook wilden hebben.

Al haar mooie, dure spullen.

Alle lampen in de flat waren uit. Een koud schijnsel van buiten schilderde een brede baan over de parketvloer tot aan de overkant van het vertrek, een stukje de boekenkast in. Hij kwam tot vlak boven de plank met de glazen sculptuur. Die zoveel van haar collega-artsen ook hadden, niet helemaal dezelfde, maar bijna. Waarmee je aangaf dat je zowel geld als smaak had.

Ze had haar mobieltje uitgezet. Hij had verscheidene keren gebeld, maar ze had niet opgenomen. Ze zat daar maar voor het raam in haar woonkamer die steeds minder belangrijk werd en liet de uren voorbijgaan.

Het was altijd zo gemakkelijk geweest om de tijd die overbleef te vullen. Met tv-kijken, sporten, tot laat doorwerken. Als alleen-staande was ze eraan gewend om haar tijd goed in te delen, niet zozeer om overal aan toe te komen, maar meer om ervoor te zorgen dat het allemaal precies paste. Er mochten niet te veel gaten ontstaan waar alles ophield en het piekeren kon beginnen. Het leven was al ingewikkeld genoeg. En als het toch te zwaar werd, viel er altijd troost te halen uit een nieuw truitje, een dure fles wijn, een paar nieuwe schoenen of een nieuw voorwerp om haar huis nog perfecter te maken. Geld had ze wel.

Alleen geen leven.

En geen vermogen ter wereld kon datgene herstellen wat nu kapot was gegaan.

De contouren langs de straat onder haar voeten werden steeds vager en gleden ten slotte het ochtendlicht in. Een nieuwe dag brak aan voor haar en voor alle anderen die er nog waren. Maar niet voor Mattias. En voor Pernilla en hun dochtertje begon de hopeloze reis naar aanvaarding van de onrechtvaardigheden van het leven en de onbegrijpelijke zin ervan.

De eerste dag.

Ze sloot haar ogen.

Voor het eerst van haar leven zou ze willen dat ze een geloof had. Ook al was het nog zo'n klein handvat om zich aan vast te houden, ze zou er maar wat graag ieder voorwerp uit de kamer voor geven als ze één seconde vervuld mocht worden van een greintje vertroosting. Het gevoel dat er een zin was, een diepere reden die ze niet begreep, een goddelijk plan om op te vertrouwen. Maar die zin was er niet. Het leven had voor eens en voor altijd zijn totale ongerijmdheid bewezen en aangetoond dat geen enkele inspanning ertoe deed. Er was niets waarin ze kon geloven. Of waar ze troost uit kon putten.

Haar wereld was opgebouwd uit wetenschap. Alles wat ze had geleerd, waar ze gebruik van maakte, op vertrouwde, alles was nauwkeurig gewogen, gemeten en bewezen. Ze accepteerde alleen exacte en grondig onderbouwde onderzoeksresultaten die hun geldigheid konden bewijzen. Dan zat ze goed. Hier, in haar perfecte huis, zat ze goed. Bij wat je kon zien en beoordelen. Zo kreeg alles zijn waarde. Maar nu was dat niet meer genoeg, niet nu alles wankelde en schreeuwde om een bedoeling. Als ze in de verte maar het gevoel had dat het misschien, heel misschien nog kon, dan zou dat al genoeg zijn om haar alle logica opzij te laten zetten en vertrouwen te voelen.

De telefoon ging. Zoals gewoonlijk ging na vier signalen het antwoordapparaat aan.

'Ik ben het weer. Ik wil even zeggen dat ik... ik weet eigenlijk niet of ik het zo nog langer trek... Zou je alsjeblieft wat van je kunnen laten horen en uitleggen wat er aan de hand is. Dan weet ik dat. Dat is toch niet te veel gevraagd, wel?'

Ze voelde niets toen ze zijn stem hoorde. Hij belde uit een ander leven dat haar niet meer aanging. Waar ze nu geen recht op had. Ze was hem niets verschuldigd, ze stond bij anderen in het krijt.

De telefoon stond op de vensterbank. Ze tilde de hoorn op en toetste zijn nummer in, toetste de welbekende cijfers voor de laatste maal in. Hij nam meteen op.

'Met Thomas.'

'Met Monika Lundvall. Je had ingesproken op het antwoordapparaat en om uitleg gevraagd, dus nu wil ik alleen even zeggen dat ik vind dat we elkaar niet meer moeten zien. Goed? Dag.'

Ze liep naar de keuken en liet water in de waterkoker lopen, drukte het knopje in en bleef staan. Het was twintig voor zeven.

Ergens niet ver hiervandaan zou straks een klein meisje wakker worden, een kind van één, dat geen vader meer had. Ze liep naar haar werkkamer om het telefoonboek te halen en zocht zijn naam op. In de volgende druk zouden ze die schrappen. Ze noteerde het adres en programmeerde het nummer in haar mobieltje. Toen bleef ze weer stilstaan. Er kwam sissende stoom uit de waterkoker en ze keek naar het groene knopje dat aangaf dat het water klaar was. Ze liet het staan. Ze ging naar de hal en trok haar jas aan.

Het was een U-vormig flatgebouw van vier verdiepingen. Op het grasveld in het midden was een omheind speelplaatsje met een bankje, een paar schommels en een zandbak. De voordeur met hun huisnummer zat in de linkervleugel. Ze bleef even staan en nam de omgeving in zich op, zocht naar tekenen die erop wezen dat er mensen in deze flat woonden die zojuist door een tragedie waren getroffen. Ze hoorde een geluid en keek die kant op. Op de benedenverdieping van de rechtervleugel ging een balkondeur open en het dikste hondje dat ze ooit had gezien stak zijn kop door een spleet tussen de spijlen. Het hondje keek haar even aan voordat het zijn belangstelling verloor en leek erover na te denken of het echt de moeite waard was om zijn logge lichaam via het trapje naar het grasveld te verplaatsen. Monika liet de hond aan zijn lot over en begon naar de deur te lopen waarvan ze wist dat het de hunne was. Bij iedere stap was ze zich ervan bewust dat ze in zijn voetsporen liep, dat het zijn route was die ze liep. Ze legde haar hand op de zwarte kruk van de voordeur, rond en van kunststof. Ze sloot haar ogen en liet haar hand erop rusten. Dat was het gekke van deurkrukken. Ze dacht er nooit bij na, maar als ze na jaren terugkwam in gebouwen waar ze eerder vaak was geweest, herkenden haar handen de deurkruk altijd. Ze vergaten nooit. Handen hadden een geheel eigen vermogen om herinneringen en kennis vast te houden. Deze kruk was van hem geweest. Zijn handen hadden de herinnering aan zijn vorm gedragen; elke keer dat hij thuiskwam had hij de deur met een vanzelfsprekend gebaar naar zich toe getrokken en toen hij afgelopen donderdag wegging, had hij er geen idee van gehad dat hij dat nooit meer zou doen.

Ze deed de deur open en stapte het trappenhuis in. Aan de linkermuur zat een tableau achter glas met daarop de namen van de bewoners in witte, plastic blokletters op blauw vilt. De familie Andersson woonde op de tweede verdieping. Langzaam begon ze de trap op te lopen. Ze liet haar hand langs de leuning glijden en vroeg zich af of hij dat ook altijd had gedaan. Ze luisterde naar de ochtendgeluiden die door de voordeuren waar ze langs kwam naar buiten drongen. Gedempte stemmen, een kraan die werd opengedraaid, verderop in het gebouw een deur die openging en met een rinkelende sleutelbos op slot werd gedaan. Ze kwamen elkaar op de trap tussen de eerste en tweede verdieping tegen. Een beleefd groetende oudere man met een overjas aan en een aktetas. Monika glimlachte en groette terug. Toen was hij weg en ze zette de stap naar de tweede woonlaag. Daar waren drie deuren, waarvan de middelste die van de familie Andersson was. Achter die deur zaten ze.

Boven de brievenbus was met plakband een kindertekening bevestigd. Monika ging er dichter bij staan. Zomaar wat onbegrijpelijke streepjes en krabbels door elkaar, getekend met een groene stift. Uit de krabbels staken rode pijlen en aan het andere eind van die pijlen had iemand die de schrijfkunst machtig was het werk van de kunstenaar geïnterpreteerd. 'Daniella, mama Pernilla, papa Mattias.'

Ze liet haar hand dichter naar de deurkruk gaan, liet die er vlak boven hangen zonder hem aan te raken, ze wilde alleen het gevoel ervaren dat ze er echt dichtbij was. Op hetzelfde moment begon Daniella binnen te huilen en ze trok snel haar hand terug. Het geluid van weer een deur die openging ergens in het trappenhuis zette haar ertoe aan snel de trap af te gaan, naar buiten, terug naar haar auto.

Maar nu wist ze waar ze zaten.

Hij zat bij haar voor de deur te wachten toen ze thuiskwam. In de diepe vensternis in het trappenhuis. Ze zag hem al voordat ze de laatste treden op was en haar benen gingen langzamer, maar hielden niet helemaal stil. Ze liep gewoon voor hem langs naar de deur.

'Ik dacht dat ik door de telefoon duidelijk genoeg was geweest. Ik heb er niet veel aan toe te voegen.'

Ze stond met haar rug naar hem toe en haar vingers zochten de goede sleutel. Hij gaf geen antwoord, maar ze voelde zijn blik in haar nek. Ze deed de deur van het slot en draaide zich om.

'Wat wil je?'

Hij zag er moe uit, donkere wallen onder zijn ogen en een stoppelbaard. Ze zou zich het liefst in zijn armen werpen.

'Ik wilde je het alleen zien zeggen.'

Dokter Lundvall wipte ongeduldig van de ene voet op de andere.

'Oké. Ik vind dat we elkaar niet meer moeten zien.'

'En je wilt niet vertellen wat er is gebeurd?'

'Niets. Ik heb me gewoon gerealiseerd dat wij tweeën niet bij elkaar passen. Het was van meet af aan een vergissing.'

Ze deed een stap naar de deur en wilde die naar zich toe trekken.

'Heb je een andere man ontmoet?'

Ze hield midden in de beweging in, dacht één tel na en besefte dat dat inderdaad het geval was.

'Ja.'

Het geluid dat ze hoorde klonk als snuiven. Instinctief kreeg ze de behoefte om zich te verdedigen; als iemand snoof had je diens verachting verdiend.

'Ik heb iemand ontmoet die mij echt nodig heeft.'

'En dat heb ik niet, wou je zeggen?'

'Misschien wel, maar minder dan hij.'

Ze deed de deur dicht en sneed hem weg uit haar leven. En ze besefte dat ieder woord dat ze had gezegd, waar was. Ze had een andere man ontmoet; dat hij nu dood was hoefde Thomas niet te weten. De zware verantwoordelijkheid van Mattias leefde voort en vanaf nu was het haar plicht om die over te nemen. Dat was het minste wat je van haar kon vragen. Dingen ongedaan maken kon niet, het enige wat overbleef was om dan in ieder geval te proberen zo veel mogelijk recht te zetten. Ze had zichzelf Thomas toegedacht, maar ze had geen recht op het geluk dat ze probeerde mee te snaaien. Wat Mattias was overkomen was een definitieve terechtwijzing geweest. Nu kon ze zich alleen nog maar onderwerpen. Haar offer viel in het niet bij de verwoesting die ze had aangericht.

Ze liep naar de badkamer om haar handen te wassen. Ze hoorde de voordeur achter hem dichtslaan in het trappenhuis en pas toen ze haar gezicht in de spiegel zag, ontdekte ze dat ze huilde.

Haar vingers toetsten het verkorte nummer van de geneesheer-directeur in op haar mobieltje. Voor het eerst in de elf jaar dat ze in dienst was, meldde ze zich ziek. Aangezien ze niemand aan wilde steken moesten ze er rekening mee houden dat ze waarschijnlijk de hele week weg zou blijven. Toen liep ze naar de woonkamer en liet haar wijsvinger langs de ruggen van de boeken glijden. Op de derde plank vond ze wat ze zocht, ze trok het boek eruit en ging op de bank liggen, pakte een appel van de fruitschaal op tafel en sloeg de eerste bladzijde op van *De geschiedenis van Zweden.*

# 16

Ze stond voor de spiegel in haar kamer. Ze wrong zich in allerlei bochten en probeerde te zien hoe ze er van achteren uitzag, maar om dat voor elkaar te krijgen moest ze haar lichaam op de meest onnatuurlijke manier draaien. Zoals ze er in de spiegel uitzag zou ze er immers helemaal niet uitzien als ze gewoon recht voor zich keek. En het was belangrijk hoe ze er van achteren uitzag, want van die kant zag hij haar meestal. Maar vandaag niet. Vandaag was bijzonder.

Ze had Vanja's nieuwe blouse mogen lenen. Vanja was de enige die het wist, de enige aan wie ze het had durven vertellen. Het was zo eigenaardig met Vanja. Ze waren al zoveel jaar vriendinnen, maar eigenlijk begreep ze niet waarom, ze waren zo'n onwaarschijnlijke combinatie. Vanja was zo moedig, ze aarzelde geen seconde om voor haar mening uit te komen en er in iedere situatie voor te staan. Maj-Britt wist dat ze het thuis moeilijk had, haar vader was een bekende figuur in het dorp, iedereen kende hem en vooral zijn drankprobleem. Maar Vanja liet zich niet naar beneden halen door de minachting. Als ze maar een denigrerende toon vermoedde, gaf ze lik op stuk. Niet fysiek, maar verbaal was ze net een bokser. En Maj-Britt stond erbij en bewonderde haar, wilde dat ze ook net zo vanzelfsprekend alles durfde te zeggen wat ze vond en vooral ook ervoor durfde te staan.

'God' zat niet in het vocabulaire dat bij Vanja thuis werd gebruikt, behalve in de vloeken die nogal vaak werden gebezigd. Maj-Britt wist niet goed wat ze daarvan moest denken. Ze had een hekel aan vloeken, maar op de een of andere vreemde manier kon ze toch gemakkelijker ademhalen bij Vanja thuis. Het was net of God hier op aarde een klein gebiedje had gereserveerd waar zij haar toevlucht kon zoeken en dat lag precies in Vanja's huis. Ook als haar vader dronken was en voor zich heen zat te mompelen aan de keukentafel en Vanja de meest vreselijke dingen tegen hem mocht zeggen zonder dat iemand haar in de rede viel, zelfs dan was het daar gemakkelijker ademhalen dan bij haarzelf thuis. Want in haar huis was God voortdurend aanwezig. Hij zag de kleinste verandering in haar gedrag, zag iedere gedachte, iedere handeling, alles, om het vervolgens te wegen en weg te strepen tegen eventuele verdiensten. Er waren geen gesloten deuren, geen gedoofde lichten, geen eenzaamheid die gevrijwaard was van zijn blik.

Zo lang Maj-Britt zich kon herinneren, was Vanja haar verbinding geweest met de buitenwereld. Een kleine opening waardoor frisse lucht naar binnen stroomde. Maar ze paste goed op dat ze thuis niet liet merken hoeveel dat eigenlijk betekende. Natuurlijk hadden haar ouders liever gezien dat ze met kinderen uit de Gemeente omging, en ze hadden weinig of niets gedaan om te verbergen hoe ze over Vanja dachten, maar ze hadden Maj-Britt niet uitdrukkelijk verboden met haar om te gaan. En daarvoor was Maj-Britt hun innig dankbaar. Ze wist niet hoe ze het zonder Vanja had moeten rooien. Naar wie ze anders toe had moeten gaan met haar groeiende problemen. Ze had geprobeerd Hem om raad te vragen, maar Hij had nooit antwoord gegeven.

Nu vond Vanja misschien niet dat de problemen van Maj-Britt veel voorstelden, eerder dat het allemaal volstrekt normaal was en misschien zag ze ze zelfs als een teken van gezondheid. Maar Maj-Britt wist wel beter. Het was vanwege al die gedachten die haar ertoe verleidden dat lelijke, akelige te doen dat God haar niet wilde. Ze was zo bang om blind te worden of behaarde handen te krijgen; ze wist dat dat kon als je je met van die dingen bezighield die zij wel eens had gedaan. Maar dat zij iemand was die zulke dingen deed, had ze Vanja niet eens durven vertellen.

Ze hoorde haar moeder in de keuken bezig, het eten was bijna klaar en na het eten ging Maj-Britt naar koor. Niet meer naar het kinderkoor, daar was ze af gegaan toen ze veertien was. De afgelopen vier jaar had ze in het kerkkoor gezongen. Alten, sopranen, bassen en tenoren. Ze kon goed zingen en ze had haar ouders zover weten te krijgen dat ze in het gewone kerkkoor mocht zingen, niet alleen in het eigen koor van de Gemeente. Ten slotte hadden ze toegegeven in ruil voor de belofte dat als beide koren op hetzelfde moment een uitvoering hadden, ze altijd voorrang zou geven aan het koor van de Gemeente.

Hij was eerste tenor en die rol vervulde hij met ere. De dirigent wees hem altijd aan als een stuk veeleisende passages bevatte.

'Göran, jij neemt de hoge g. Wie niet zo hoog kan, mag op de terts blijven.'

Hij had haar gezien, dat wist ze, ook al hadden ze nog maar een enkel woord gewisseld. Ze zat in de pauze altijd bij de andere sopranen, maar soms slingerden hun blikken zich tussen de alten en bassen door naar elkaar toe. Om elkaar even snel aan te raken en vervolgens weer verlegen verder te dwalen. Maar vanavond was het anders. Vanavond was er geen koor waarin hun blikken zich konden verstoppen, vanavond waren zij tweeën alleen met de dirigent. Hij had Göran en haar gevraagd te komen omdat zij allebei waren geselecteerd als solist bij het kerstconcert. Het was een geweldig gevoel om te zijn uitgekozen. En helemaal samen met Göran.

Ze zag hem al uit de verte toen ze de kerk naderde. Hij stond op de kerktrap in zijn muziek te lezen. Onbewust vertraagde ze haar pas, want ze wist niet of ze wel met hem alleen durfde te zijn. Als de dirigent te laat kwam stonden ze daar op de kerktrap, en wat moest ze dan zeggen? Het volgende moment keek hij op en kreeg haar in het oog en met bonzend hart liep ze door. Toen ze dichterbij kwam glimlachte hij.

'Hoi.'

Ze groette snel en sloeg toen haar ogen neer. Het was net of het pijn deed aan haar ogen als ze hem aankeek, en of haar ogen zelf besloten dat ze een andere kant op wilden kijken.

De stilte duurde wat te lang en werd ongemakkelijk. Ze stonden allebei in hun muziek te bladeren alsof ze die voor het eerst zagen. Maj-Britt besefte tot haar verbazing dat Göran, die anders altijd het hoogste woord had, plotseling ook niet scheen te weten wat hij moest zeggen.

'Heb je nog wat kunnen oefenen?'

Ze antwoordde dankbaar.

'Ja, een beetje. Maar ik vind het wel moeilijk zonder begelei-. ding.'

Göran knikte en het volgende moment deed hij die vreemde uitspraak, die ze in de dagen die volgden voortdurend bij zichzelf zou herhalen.

'Ik ben haast nog zenuwachtiger voor het zingen met alleen jou erbij dan voor het kerstconcert.'

Hij glimlachte gegeneerd toen hij dat zei. En bij het geluid van de voetstappen van de dirigent op het grindpad durfden haar ogen hem voor het eerst aan te blijven kijken.

'Vanaf het begin, zonder voorspel, en na het refrein meteen door naar vers twee.'

Maj-Britt was vooraan in een van de kerkbanken gaan zitten. Hoewel hij had toegegeven hoe zenuwachtig hij was, voelde ze zich dankbaar dat zij niet hoefde te beginnen. Want hij was niet de enige die zenuwachtig was. Helemaal van slag zat ze zich daar in de bank te verbazen over de woorden die hij had gezegd. Dat hij dat ook zo voelde. Ze zag hem voor zich staan, volgde de geringste beweging die hij maakte, zo'n knappe jongen met zoveel talent. Met zijn ogen dicht begon hij te zingen. Zijn klankrijke stem jubelde tussen de stenen muren en ze voelde een rilling over haar rug gaan. Göran had zijn jas naast haar op de bank gelegd en stiekem stopte ze haar hand erin en raakte de voering aan op de plaats waar zijn hart altijd zat. Er had nog nooit een man in haar buurt mogen komen, maar nu fladderde er een verdwaald willetje in haar borst. Ze wilde bij hem zijn, zich ervan vergewissen dat hij belangstelling voor haar had, want als hij er niet was, was hij toch steeds aanwezig. Het was zo onbegrijpelijk dat iemand die er nooit toe had gedaan plotseling haar hele wezen kon vervullen.

Toen hij klaar was met zingen sloeg hij zijn ogen op en keek haar aan. In een moment van zwijgende verstandhouding wisten ze het beiden.

Naderhand vertelde ze het aan Vanja. Keer op keer vertelde ze wat er was gebeurd en wat hij had gezegd en op welke toon en hoe hij had gekeken toen hij dat zei. Vanja luisterde geïnteresseerd en geduldig en kwam met precies die interpretaties die Maj-Britt wilde horen. 's Avonds lag ze in bed en telde de uren tot aan de volgende koorrepetitie, wanneer ze hem weer zou ontmoeten. Maar het ging allemaal niet zoals ze had gehoopt. Ondergedompeld in de rest van het koor waren ze weer vreemden voor elkaar. Göran was opvallend en hoorbaar aanwezig net als altijd, er was geen spoor van de onzekerheid waarvan hij tegenover haar blijk had gegeven. En de enkele keer dat hun blikken elkaar ontmoetten, raakten ze meteen hun grip kwijt en verdwaalden in het koor.

Vanja gaf goede raad.

'Maar Majsan, je moet met hem praten, snap dat dan!'

Maar wat moest ze dan zeggen?

'Verzin iets waarvan je weet dat het hem interesseert. Wat doet hij verder nog behalve in het koor zingen? Hij heeft toch wel meer interesses? Of laat iets vallen vlak voor zijn neus, zodat er een aanleiding is om een gesprekje te beginnen. Jullie hebben toch wel bladmuziek of iets anders wat weg kan wapperen?'

Het was zo gemakkelijk voor Vanja, die zo moedig was. Maar de bladmuziek van Maj-Britt zat als het ware aan haar handen vastgekleefd en er zou een wonder voor nodig zijn om die weg te laten wapperen naar de tenoren. En Hij die wonderen deed had al duidelijk laten blijken hoe weinig ze Hem kon schelen. Vanja was niet tevreden. Na iedere repetitie belde ze en moest ze alle details horen.

Ten slotte was het toch Vanja die het probleem oploste. Door listig speurwerk in de kennissenkring kwam ze erachter dat Göran heus ook geïnteresseerd was, en toen aandringen niet hielp en Maj-Britt geen initiatief nam, greep ze eigenhandig in. Op een avond belde ze Maj-Britt en vroeg haar naar de kiosk te komen. Maj-Britt wilde niet en voor het eerst werd Vanja boos en noemde ze haar een tuthola. Maj-Britt wilde geen tuthola zijn, zeker niet in de ogen van Vanja. Dus ondanks de verbijsterde blikken van haar ouders trok ze haar jas aan en ging op pad. Ze mocht geen make-up gebruiken, maar ze leende altijd wat van Vanja en veegde het dan weer goed af voordat ze naar huis ging. Ze had haar haar nog niet eens geborsteld voordat ze wegging, en daar had ze danig spijt van toen ze bij de kiosk kwam. Want daar stond hij. Bij het fietsenrek, naast het bord met de ijsreclame. Hij glimlachte vaag en zei 'hoi' en dat deed zij ook en toen stonden ze daar maar wat, verlegen en gegeneerd en het was precies hetzelfde gevoel als toen ze op de kerktrap hadden gestaan. Vanja kwam niet. En Bosse, op wie Göran wachtte, ook niet. Maj-Britt keek de hele tijd op haar horloge om hem duidelijk te maken dat ze echt wachtte en Göran deed zijn best om zijn steentje bij te dragen aan de conversatie, die uitsluitend ging over de twee die er nog niet waren. En over waarom ze er niet waren. Het duurde twintig minuten voor ze het doorhadden. Bosse was een neef van Vanja en terwijl de seconden wegtikten besefte Maj-Britt dat Vanja vermoedelijk niet van plan was zich die avond bij de kiosk te laten zien. Dat ze uiteindelijk genoeg had gekregen van muziekpapier dat nooit weg wapperde en besloten had het lot een handje te helpen. Göran begon het ook te begrijpen, en hij herstelde zich het eerst van hen beiden.

'Als Bosse nou niet komt, en Vanja ook niet, wat zullen we dan doen?'

Ja, wat zouden ze dan doen? Maj-Britt wist het niet. Wat doe je op een dinsdagavond als je achttien bent en net hebt ingezien dat je geheime liefde niet zo geheim meer is, en dat het voorwerp ervan aan de andere kant van het fietsenrek staat en ook net is ontmaskerd? Nee, Maj-Britt wist het echt niet. En het werd er niet gemakkelijker op doordat het net op dat moment ging regenen en ze eigenlijk allebei niet weg wilden. Het was niet zomaar een buitje dat langzamerhand erger werd, het was een regelrechte hoosbui die plotseling en onverwacht uit het niets kwam. De eigenaar van de kiosk was aan het afsluiten en was druk bezig de zonwering omhoog te draaien die hen had kunnen beschutten, en een ander afdakje was er in de buurt niet.

Göran begon het eerst te lachen. Eerst probeerde hij het nog te onderdrukken en daarom klonk het nog het meest als onvrijwillig gekreun, maar toen ging het zo hard regenen dat hij het niet meer in kon houden. En zij lachte ook. Opgelucht liet ze hem haar hand pakken en met zijn jas als bescherming om hen heen renden ze samen weg.

'We kunnen even naar mijn huis als je wilt?'

'Mag dat wel?'

Ze waren aan de andere kant van de grote weg blijven staan, waar ze anders altijd ieder een kant op gingen. Hij keek verbaasd bij die vraag.

'Waarom zou het niet mogen?

Ze gaf geen antwoord, glimlachte alleen wat onzeker. Sommige dingen waren voor anderen zo gemakkelijk.

'Ik heb een eigen opgang, dus je hoeft mijn ouders niet eens te ontmoeten als je dat niet wilt.'

Ze aarzelde maar heel, heel even en toen knikte ze en liet ze zich meevoeren door de wonderbaarlijke gebeurtenis.

Hij had inderdaad een eigen opgang. Een deur in de gevel met daarachter een trap naar boven. Hij had zelfs een tweepits kooktoestel en een oven, dus het was bijna net een eigen etage. En waarom zou hij die ook eigenlijk niet hebben, hij was twintig en had het huis uit kunnen zijn, als hij dat wilde. Dat gold trouwens ook voor haar.

Het was alleen zo ondenkbaar.

Hij deed een vaste kast in de hal open en gaf haar een frotté handdoek voor de ergste nattigheid. Zijn natte jas hing hij over een stoel, die hij vervolgens voor de verwarming zette. Het was maar een klein halletje met één kamer. Een donkerbruine boekenkast met een paar boeken, een onopgemaakt bed en een bureau met een stoel. Het geluid van een tv-toestel bij zijn ouders verried dat ze in een gehorig huis woonden.

'Ik wist natuurlijk niet dat je zou komen.'

Hij liep naar het onopgemaakte bed en gooide de sprei erover-heen.

'Wil je thee?'

'Ja, graag.'

Het kooktoestel stond op de lage boekenkast en hij pakte een pannetje dat op een van de pitten stond.

'Je mag wel gaan zitten, hoor.'

Hij verdween naar het halletje en liep door naar wat vermoe-delijk het toilet was, want ze hoorde water stromen en getinkel van porselein. Ze keek om zich heen waar ze kon gaan zitten. Op de stoel voor de verwarming, met de natte jas eroverheen, of op het bijna onopgemaakte bed. Ze bleef staan waar ze stond. Maar toen hij thee had gezet en ze een van zijn kopjes zonder schoteltje in haar handen hield, en hij vroeg of ze niet naast hem wilde komen zitten, deed ze dat. Ze dronken thee en hij was vooral degene die praatte. Hij vertelde van zijn toekomstplannen, dat hij wilde verhuizen en misschien toelatingsexamen wilde doen voor het conservatorium in Stockholm of Göteborg en dat hij schoon genoeg had van dit gat waarin ze woonden. Zij zong zo mooi, had zij nooit overwogen om iets met haar stem te gaan doen? Ze liet zich meeslepen met zijn dromen, verbaasde zich over alle moge-lijkheden die hij plotseling te voorschijn toverde. Hoewel ze achttien was en meerderjarig, was de gedachte nooit bij haar opgekomen dat er andere mogelijkheden waren dan die door de Gemeente geschikt geacht werden. Ze had zich nooit gereali-seerd dat meerderjarig inhield dat ze een volwassen burger was met het recht om zelf over haar leven te beslissen. Het enige wat ze op dat moment zeker wist was dat ze nergens anders wilde zijn dan waar ze nu was. In de kamer van Göran met een leeg thee-kopje in haar hand. Al het andere was bijzaak.

Na die avond ging alles goed. Maanden verstreken en aan de buitenkant leek alles hetzelfde als altijd. Maar vanbinnen veran-derde er iets. Een ongehoorzame nieuwsgierigheid waagde zich naar buiten en begon alle beperkingen in twijfel te trekken. Toen ze de juistheid daarvan inzag, reikte ze naar de hemel via een heel andere weg dan waar ze tot dan toe langs was geploeterd.

Geen God ter wereld kon bezwaar maken tegen wat ze eindelijk mocht ervaren. Zelfs hun God niet.

Maar voor alle zekerheid konden ze het maar beter niet weten.

## 17

Een week na het ongeluk belde Åse. Monika was haar flat alleen uit geweest om haar moeder naar het graf te rijden en daarna langs de boekhandel te gaan om meer boeken te kopen. Ze was al bijna bij 1800 en geen enkel detail uit de Zweedse geschiedenis was te onbenullig geweest om het te onthouden. Met het leren van feiten had ze nooit moeite gehad.

'Monika, het spijt me dat ik niet eerder heb gebeld, maar ik heb me een tijdje nergens toe kunnen zetten. Ik wilde je nog bedanken dat je toen bent gekomen. Ik durfde niet naar huis te bellen, want Börje heeft al een klein infarct gehad en ik wist niet of hij zo'n telefoontje wel aankon.'

Åses stem was moe en dof. Het was niet te geloven dat het dezelfde persoon was.

'Dat spreekt toch vanzelf.'

Het werd even stil. Monika las verder over de misoogst van 1771.

'Ik ben er gisteren geweest.'

'Op de plaats van het ongeluk?'

Ze sloeg een bladzijde om.

'Nee, bij haar. Bij Pernilla.'

Monika stopte met lezen en ging rechtop op de bank zitten.

'Ben je er geweest?'

'Ik moest het gewoon doen, ik had anders niet met mezelf kunnen leven. Ik moest haar in de ogen kijken en haar zeggen hoe erg ik het vind.'

Monika legde het boek neer.

'Hoe was het met haar?'

Er volgde een lange uitademing.

'Het is zo verschrikkelijk allemaal.'

Monika wilde meer weten. Ze wilde ieder bruikbaar detail uit Åse trekken.

'Maar hoe was ze?'

'Ja, wat zal ik zeggen? Verdrietig. Maar in zekere zin beheerst. Ik denk dat ze een kalmerend middel had gekregen om de eerste dagen door te komen. Maar het dochtertje...'

Haar stem brak.

'Ze kroop over de vloer en lachte en het was zo... het is zo onvoorstelbaar wat ik heb aangericht.'

'Het was jouw schuld niet, Åse. Als er een eland op je af komt heb je geen kans.'

'Maar ik had langzamer moeten rijden. Ik wist dat er geen wildhekken stonden.'

Monika aarzelde. Åse had nergens schuld aan. Het had allemaal zo moeten zijn. Het was gewoon zo dat de verkeerde persoon opeens op de passagiersstoel had gezeten.

Er viel een stilte en Åse vermande zich. Ze snufte een paar keer, maar stopte met huilen.

'De ouders van Mattias zijn een paar dagen bij haar geweest, maar ze wonen in Spanje dus ze zijn nu weer weg. Pernilla's vader leeft nog, maar is kennelijk dement en zit ergens in een tehuis en haar moeder is tien jaar geleden overleden, maar ze krijgt hulp van de gemeente. Er is een hulpgroep van vrijwilligers die bij haar komen en op haar dochtertje passen, zodat zij kan slapen.'

Monika luisterde gespannen. Een hulpgroep van vrijwilligers?

'Wat is dat voor hulpgroep, weet je dat?'

'Nee.'

Ze schreef HULPGROEP??? onder de aantekeningen over Jacob Magnus Sprengtporten en onderstreepte het woord een aantal malen.

'Ik was zo bang dat ze boos zou worden of zo, maar dat was niet zo. Ze bedankte me zelfs dat ik zo moedig was geweest om naar haar toe te komen. Börje en Ellinor waren er ook bij, alleen had ik er niet heen gedurfd. Ze was zo dankbaar dat ze alle details te horen kreeg over hoe het was gegaan, het hielp haar om dat te weten, zei ze.'

Monika voelde haar lichaam verstijven.

'Wat voor details bedoel je?'

'Over het ongeluk zelf en zo. Hoe het was op de plaats van het ongeval. En hoe hij was geweest op de cursus. Ik heb tegen haar gezegd dat hij zoveel over haar en Daniella had verteld.'

Monika moest meer weten over de details die Pernilla te horen had gekregen, maar het was een moeilijke vraag om te stellen. Åse liet haar geen keus. Ze deed haar best om de vraag natuurlijk te laten klinken.

'Niet dat het wat uitmaakt, maar... heb je nog wat over mij gezegd?'

Er ontstond een korte pauze. Monika zat gespannen als een veer te wachten. Stel je voor dat Åse alles al had verpest!

'Nee...'

Ze staarde voor zich uit. Toen stond ze op en ze liep naar de computer in de werkkamer, ze was halverwege toen Åse haar de vraag stelde.

'Maar hoe voel jij je nu?'

Ze bleef staan. Haar blik bleef aan de muur boven het beeldscherm plakken. Åse had haar vraag zo voorzichtig gesteld, bijna verlegen, alsof ze die nauwelijks durfde uit te spreken.

'Hoe bedoel je?'

Het klonk scherper dan ze had bedoeld.

'Nou, ik bedoel alleen maar, ik dacht dat je misschien het gevoel had, ja, of dat je het idee had, maar er is ook werkelijk geen reden om...'

Een halve minuut lang deed Åse haar best om haar vraag weg te moffelen in een lange reeks onsamenhangende bijkomstigheden. Monika bleef doodstil staan. Haar schuld was van haar alleen en ging niemand anders aan. Maar Åses vraag gaf aan dat zij het ook zag. Ze moest haar echt bij Pernilla weghouden; ze kon het risico niet lopen dat Åse daar de deur plat liep en vroeg of laat zou onthullen dat het eigenlijk allemaal Monika's schuld was.

'Ben je er nog?'

Monika antwoordde meteen.

'Ja, ik ben er nog. Ik was even in gedachten.'

'Ik weet niet goed wat ik moet doen. Je wilt haar op de een of andere manier graag helpen, hè?'

Monika liep verder naar de computer en klikte naar de website van de gemeente. Ze tikte 'hulpgroep' in in het zoekvenstertje en had meteen beet. Toen keek ze op van het scherm. Voor het raam stond een hibiscus die nodig water moest hebben. Ze liep erheen en duwde met haar wijsvinger in de droge aarde.

'Ik denk, Åse, dat je haar het best met rust kunt laten. Je kunt niets voor haar doen. Dat is de ervaring die ik als arts heb opgedaan met dit soort dingen. Je moet proberen een onderscheid te maken tussen wat goed is voor haar en wat je eigenlijk alleen voor jezelf doet.'

Åse zweeg en Monika wachtte. Ze wilde Pernilla voor zichzelf alleen. Ze was háár verantwoordelijkheid, niet die van iemand anders.

Åse klonk bijna verward toen ze verderging.

'Denk je dat echt?'

'Ja. Ik heb dit eerder meegemaakt bij ongelukken.'

Het werd weer stil. Ze kneep een dor blaadje van de plant en liep naar de keuken.

'Probeer goed op jezelf te passen, Åse, je gezin heeft je nodig. Wat gebeurd is kan niet ongedaan gemaakt worden en het beste wat je kunt doen is proberen verder te gaan en in te zien dat het niet jouw schuld was.'

Ze liep door naar het aanrecht en trok het kastje open waarachter de vuilniszak zat, kneep het verdorde blad fijn in haar hand en liet de resten tussen het overige vuilnis vallen.

'Ik bel je over een paar dagen om te horen hoe het met je gaat.'

En ze beëindigden het gesprek.

Maar Monika zou niet bellen. De volgende keer zou het weer Åse zijn die belde.

Monika hield een onprettig gevoel over aan het gesprek. Er gebeurden dingen daar in de flat van Pernilla waar ze geen greep op had. Het was tijd om de volgende stap te zetten. Tijd om ernst te maken met haar nieuwe rol. Ze liep naar de hal en trok haar jas aan.

Toen ze in de auto onderweg was, begon ze zich al wat beter te voelen. De richting uitstippelen was altijd het moeilijkst, als ze het doel eenmaal had bepaald kwam het verder alleen op daadkracht aan. En die had ze wel. Haar taak had haar innerlijke wanhoop verdrongen en nu was ze een en al vastberadenheid. Alles had weer zin gekregen.

Ze aarzelde ditmaal niet toen ze de voordeur binnenging, constateerde alleen de vorm van de deurkruk met haar hand en wist dat die gauw als een oude bekende voor haar zou zijn. Ze liep voor hun deur langs en ging tot halverwege de derde verdieping, ze luisterde alleen even aan de deur toen ze erlangs liep, maar er was niets te horen. Het was helemaal stil binnen. Ze ging op de trap zitten, vouwde haar jas dubbel om zich te beschermen tegen de koude stenen ondergrond. Er ging een uur voorbij. Telkens als ze iemand hoorde aankomen stond ze op en deed net of ze onderweg was naar boven of naar beneden, net wat het meest logische leek, afhankelijk van waar de mensen vandaan kwamen. Eén keer kwam dezelfde man terug die even eerder was weggegaan en ze constateerden met een glimlach dat ze elkaar maar niet meer op deze manier moesten ontmoeten. Monika had net haar jas opgevouwen om weer te gaan zitten toen de deur eindelijk openging.

Ze stond op. Ze was zelf helemaal uit het zicht en zag alleen de voeten van degene die naar buiten kwam, maar aan de schoenen kon ze zien dat het een vrouw was. De deur ging dicht zonder dat er icts was gezegd en de onbekende voeten liepen naar de trap. Monika ging erachteraan. De vrouw was achter in de vijftig, had opgestoken haar en droeg een beige jas. Bij de buitendeur had Monika haar ingehaald en ze glimlachte toen de vrouw die voor haar openhield, bedankte en liep door naar haar auto.

Ze had het nummer al in haar mobieltje geprogrammeerd, ze had het overgenomen van de website van de gemeente.

'Ik bel over Pernilla Andersson, die u sinds een paar dagen hulp geeft.'

'Ja, o ja, dat klopt.'

'Ze heeft me gevraagd u te bellen en hartelijk te bedanken voor de hulp en te zeggen dat u niet meer hoeft te komen. Ze heeft vrienden die het vanaf nu overnemen.'

De man van de gemeentelijke hulpgroep was blij dat ze haar van dienst hadden kunnen zijn en zei dat Pernilla best weer mocht bellen als ze hulp of steun nodig had. Monika dacht niet dat dat nodig zou zijn, maar ze bedankte natuurlijk beleefd voor het aanbod.

Het was belangrijk dat ze dit goed deed.

Echt belangrijk.

Ze bleef een halfuur in de auto zitten alvorens naar hun deur terug te keren. Heel even bleef ze staan en haalde diep adem; ze zou als arts optreden, maar ook weer niet helemaal. Ze kwam hier als vriendin en niet als arts, dit was een opdracht voor Monika en niet voor dokter Lundvall, maar toch had ze haar professionele zelfbewustheid nodig. Bij wat ze nu ging doen had ze niet genoeg aan die van haarzelf.

Ze klopte zachtjes aan, wilde niemand wakker maken die sliep. Toen er een hele poos niets was gebeurd, klopte ze wat harder en toen hoorde ze binnen voetstappen naderen.

*Alleen luisteren. Niet proberen te troosten, maar alleen luisteren en er zijn.*

Ze had meerdere cursussen gehad in hoe je omgaat met mensen die rouwen.

De deur ging open. Monika glimlachte.

'Pernilla?'

'Ja.'

Ze zag er anders uit dan Monika zich had voorgesteld. Ze was klein en tenger, had donker, kortgeknipt haar en ging gekleed in een grijze joggingbroek en een veel te grote gebreide trui.

'Ik heet Monika en ik kom van de hulpgroep van de gemeente.'

'O, ik dacht dat er vandaag niemand meer zou komen. Ze zeiden dat ze een tekort aan mensen hadden.'

Monika glimlachte nog breder.

'Dat hebben we opgelost.'

Pernilla liet de deur openstaan en ging weer naar binnen.

Monika stapte over de drempel. Ze voelde het meteen. De opluchting. Het was alsof er opeens iets van haar af viel en heel even was ze ongerust dat dat haar weer zou verzwakken. Alleen al het feit dat ze nu een persoonlijke indruk van Pernilla kreeg, haar gezicht met eigen ogen zag en toestemming kreeg in haar buurt te zijn maakte alles gemakkelijker te dragen. Hier kon ze iets doen. Kon ze alles minder onvergeeflijk maken. Maar ze moest het behoedzaam aanpakken, niet te veel haast hebben, Pernilla moest de kans krijgen om in te zien dat ze te vertrouwen was. Dat ze er was om haar te helpen. Om alle problemen op te lossen.

Ze hing haar jas op en zette haar laarzen op de schoenenplank. Er stonden verscheidene paren herenschoenen. Sportschoenen en lage schoenen in een maat die veel te groot was voor Pernilla's ranke voeten. Achtergelaten om nooit meer nodig te zijn. Ze liep langs een wc-deur met een rood hartje van keramiek en ging verder het appartement binnen. Aan haar rechterhand de keuken, aan de andere kant van de hal een doorgang naar wat de woonkamer leek te zijn. Ze keek goed om zich heen, wilde geen enkel detail missen in haar inspanning om degene die daar woonde te leren kennen. Haar smaak, haar ideeën, welke eigenschappen ze het liefst in een vriend zag. Ze zou er zoveel tijd voor nemen als nodig was, alleen de gevaarlijkste valstrikken moest ze wel snel uit de weg ruimen. Als Pernilla haar afwees, was ze verloren.

Pernilla zat op de bank en bladerde ogenschijnlijk ongeïnteresseerd in een tijdschrift. Daniella was er niet. Op een geloogd kastje stond een brandende kaars in een koperen kandelaar en het schijnsel viel over zijn brede glimlach. Het was een uitvergroting in een gladde, gouden lijst. Monika keek naar de grond toen hij haar blik ontmoette, ze wilde weg uit zijn blikveld, maar zijn beschuldigende ogen konden de hele kamer overzien. Ze kon er op geen enkele plaats aan ontsnappen. Ze voelde hoe hij haar achterdochtig in de gaten hield en zich afvroeg wat ze daar moest. Maar ze zou het hem laten zien, mettertijd zou hij inzien dat ze zijn bondgenote was en dat hij haar kon vertrouwen. Dat ze hem er niet nog eens in zou laten lopen.

Pernilla legde het tijdschrift op tafel neer en keek haar aan.

'Eerlijk gezegd denk ik dat we ons vanavond zelf wel redden. Ik bedoel als jullie te weinig mensen hadden.'

'Nee, dat is geen probleem. Absoluut niet.'

Monika vroeg zich ongerust af wat er van haar werd verwacht, wat de anderen uit de hulpgroep hadden gedaan om nodig te zijn. Maar ze kon zo gauw niets verzinnen en Pernilla ging weer verder.

'Ik wil helemaal niet ondankbaar overkomen, maar ik begin het eerlijk gezegd een beetje vervelend te vinden om altijd vreemden over de vloer te hebben. Het is beslist niet persoonlijk bedoeld.'

Pernilla glimlachte een beetje, als om minder afwijzend te lijken, maar de glimlach bereikte haar ogen niet.

'Ik denk zelfs dat het me goed zou doen een poosje alleen te zijn.'

Monika glimlachte terug om haar wanhoop te verbergen. Niet nu, niet nu ze er zo dichtbij was.

Het volgende moment wierp Pernilla de reddingslijn uit die Monika zo keihard nodig had.

'Maar als je me nog ergens mee zou kunnen helpen in de keuken, voordat je weggaat?'

Monika voelde de angst afnemen, ze had slechts een ingang nodig, een kleine opening om het belang van haar aanwezigheid aan te mogen tonen. Dankbaar aanvaardde ze de opdracht.

'Natuurlijk, prima, waarmee?'

Pernilla stond op van de bank en Monika zag de grimas toen haar rug opspeelde. Ze zag dat ze haar rechterschouder naar voren draaide in een poging de pijn kwijt te raken die haar plaagde.

'Met de rookmelder aan het plafond. De batterij is bijna leeg en nu piept hij om de zoveel tijd.'

Monika liep achter Pernilla aan naar de keuken. Keek snel om zich heen om nog wat wijzer te worden. Vooral veel IKEA, een wirwar van foto's en briefjes op de koelkast, een paar keramieken voorwerpen die zelfgemaakt leken, drie historische portretten in eenvoudige lijsten boven de keukentafel. Ze weerstond de verleiding om naar de koelkast toe te lopen en de briefjes te lezen. Dat kwam later wel.

Pernilla pakte een stoel en zette die onder de rookmelder.

'Ik heb last van mijn rug en ik kan mijn arm absoluut niet boven mijn hoofd krijgen.'

Monika klom op de stoel.

'Wat is er dan met je rug?'

Een inleidend gesprek. Ze kenden elkaar niet. Vanaf nu zou Monika alles vergeten wat ze al wist.

'Ik heb vijf jaar geleden een ongeluk gehad. Een duikongeluk.'

Monika draaide de rookmelder uit zijn houder.

'Dat klinkt ernstig.'

'Het was ook ernstig, maar het gaat nu beter.'

Pernilla zweeg. Monika gaf haar de melder. Pernilla peuterde de batterij eruit en toen ze de keukenkast opendeed ving Monika een glimp op van schoonmaakartikelen en uittrekbare bakjes voor verschillende soorten afval.

Pernilla draaide zich om en Monika besefte dat ze verwachtte dat ze nu, na het uitvoeren van haar taak, weg zou gaan. Maar ze was nog niet klaar met haar opdracht. Nog lang niet. Monika keek naar het portret aan de keukenmuur.

'Wat een fraai portret van Sofia Magdalena. Dat is toch geschilderd door Carl Gustav Pilo, of niet?'

Ze zag Pernilla's verbaasde blik.

'Ja, kan wel. Ik weet eigenlijk niet wie het heeft geschilderd.'

Pernilla liep naar het portret om te kijken of er een signatuur op stond, maar vond er kennelijk geen. Ze richtte zich weer tot Monika.

'Interesseer je je voor kunst?'

Monika glimlachte.

'Nee, niet zozeer voor kunst, maar voor geschiedenis. Vooral de vaderlandse geschiedenis. En dan pik je in het voorbijgaan wat namen van kunstenaars op. Bij tijd en wijle ben ik bijna fanatiek bezig met het lezen van geschiedenisboeken.'

Pernilla glimlachte ingehouden, maar deze keer glinsterden haar ogen ook een beetje.

'Wat apart. Ik ben ook enorm geïnteresseerd in geschiedenis. Dat is precies wat Mattias ook vaak over mij zei, dat ik bijna fanatiek was.'

Monika zweeg en liet het initiatief aan Pernilla, die weer naar de portretten keek.

'Op de een of andere manier zit er iets troostends in geschiedenis. In het lezen over het lot van al die mensen die zijn gekomen en gegaan. Het heeft mij in ieder geval geholpen om mijn eigen problemen te relativeren, ja, mijn rugklachten na het ongeluk en zo.'

Monika knikte geïnteresseerd, alsof ze het er volledig mee eens was. Volledig. Pernilla keek naar haar handen.

'Maar nu weet ik het niet meer.'

Ze nam even een pauze.

'Hoe er troost zou kunnen zitten in geschiedenis, bedoel ik. Behalve dat hij dood is, net als al die anderen.'

*Alleen luisteren. Niet proberen te troosten, maar alleen luisteren en er zijn.*

Het was stil. Niet alleen vanwege wat ze op haar cursussen had geleerd, maar meer omdat ze niets wist te zeggen. Ze keek naar de bonte verzameling op de koelkastdeur. Die wilde ze zo graag van dichterbij bekijken. Proberen meer wegen te vinden die Pernilla's leven binnen leidden.

'Hij koos tussen deze en de trui die hij droeg toen hij stierf. Toen hij aan het inpakken was.'

Pernilla streek met haar hand over de grote trui die ze aanhad. Ze trok de kraag op en hield die tegen haar wang.

'De dag voor zijn dood had ik net een heleboel gewassen. De hele wasmand leeg. Dus nu heb ik zelfs zijn geur niet meer.'

*Alleen luisteren.* Maar op de cursussen was weinig aandacht besteed aan hoe je je kon wapenen tegen alles wat je te horen kreeg.

Daniella redde haar. Uit de kamer naast de keuken klonken ontevreden geluiden van iemand die net wakker was. Pernilla liet de trui los en ging erheen. Monika zette de drie stappen naar de koelkast en begon de collage snel door te nemen. Familiefoto's. Een knipkaart van een pizzeria. Een strookje foto's van Mattias en Pernilla uit een fotoautomaat. Verscheidene onbegrijpelijke kindertekeningen. Krantenknipsels. Ze kon net de kop van een ervan lezen voor Pernilla weer terug was.

'Dit is Daniella.'

Het meisje verstopte haar gezicht tegen haar moeders hals.

'Ze is nog niet helemaal wakker, maar straks maakt ze weer een hoop drukte.'

Monika liep naar hen toe en legde haar hand op Daniella's rug.

'Hallo, Daniella.'

Daniella drukte haar gezicht nog steviger in de verstopplek.

'Dan groet je straks maar, als je een beetje wakkerder bent.'

Pernilla trok een keukenstoel onder de tafel uit en ging zitten met Daniella op haar arm. Weer ontstond het gevoel dat ze verwachtte dat Monika weg zou gaan, zoals ze haar gevraagd had. Maar Monika wilde nog even blijven. Op deze plek waar ze kon ademen.

'Wat een mooie schaal.'

Ze wees naar een aardewerken schaal op de vensterbank.

'O, die. Die heb ik zelf gemaakt.'

'Zelf gemaakt?'

Monika liep erheen om hem beter te bekijken. Een blauwe, wat scheef gedraaide schaal.

'Echt heel mooi. Ik heb ook een tijdje een cursus pottenbakken gevolgd, maar ik ben er de laatste jaren niet meer aan toegekomen. Het werk neemt wat te veel tijd in beslag.'

Het was niet eens gelogen. Ze had pottenbakken als keuzevak gedaan in de bovenbouw.

'Hij is scheef. Ik bewaar hem alleen als herinnering, omdat ik met pottenbakken moest ophouden toen ik dat rugletsel opliep en ik niet meer zo lang stil kon zitten.'

Pernilla zat naar de schaal te kijken.

'Mattias vond hem ook mooi. Hij deed hem aan mij denken, zei hij. Ik wilde hem weggooien, maar hij wilde hem per se houden.'

Telkens als zijn naam werd genoemd voelde Monika haar hart slaan. Haar hartslag ging sneller en signaleerde gevaar. Daniella was uit haar verstopplaats gekomen en zat haar aan te kijken. Monika glimlachte.

'Ik kan wel even met haar naar buiten gaan, als je wilt. Dan heb jij even rust. Ik zag dat er hierbuiten een speelplaats is.'

Pernilla boog haar wang naar het hoofd van haar dochtertje. 'Wil je dat, Daniella? Wil je even op de schommel?'

Daniella tilde haar hoofd op en knikte. Monika voelde haar ongerustheid wijken. Haar hart werd rustiger en viel weer terug in zijn gewone ritme. Ze had de eerste test doorstaan.

Nu alleen de rest nog.

# 18

Bij het plassen kwam er bloed in het toilet. Ze had het een paar dagen geleden ontdekt, maar misschien was het al langer bezig. Ze was al heel lang niet meer ongesteld, dus ze wist dat het betekende dat er iets mis was. Maar die wetenschap kon ze niet aan. Niet dat er ook nog bij. Ze probeerde het weg te duwen, de witte ruimte in, maar de afgebakende rand was er niet meer. Alles wat daarbuiten op veilige afstand was geweest, was teruggekomen en had vorm gekregen in de felle lichtkegel, en dat zadelde Maj-Britt op met een verdriet dat te zwaar was om te dragen. Dan maakte een beetje bloed in de urine niet uit. Alles was toch al ondraaglijk.

Vanja had gelijk gehad. Haar herinneringen waren niet verzonnen of verwrongen en haar zwarte woorden op het witte papier hadden al Maj-Britts emotionele herinneringen weer terug laten keren. Ze was weer terug in de angst. Ze had al een vermoeden gehad op het moment dat het gebeurde, maar ze had het niet onder ogen durven zien.

Want zo doe je niet tegen je kind.

Niet als je van haar houdt.

Vergeten was gemakkelijker geweest.

Ze stond bij de balkondeur en keek uit over het grasveld. Een vrouw die ze nooit eerder had gezien duwde een schommel. Het kind herkende ze wel. Het was het kind dat daar soms met haar vader was en soms ook met haar moeder, die ergens pijn had. Ze vroeg zich af of dat het gezin was waar Ellinor over had verteld. Waarvan de vader een tijdje terug was omgekomen bij een auto-ongeluk. Ze keek naar het raam waar ze de moeder had zien staan, maar daar was niemand.

Er was een week voorbijgegaan sinds alles wat niet meer had bestaan plotseling weer was opgestaan. Ze wist dat het door Vanja kwam. En door Ellinor. Een week lang had Maj-Britt geprobeerd haar te negeren. Ze was gekomen en gegaan, maar Maj-Britt had geen woord gezegd. Ze had haar werk gedaan, maar Maj-Britt had net gedaan of ze er niet was. Maar ze moest het weten. De vragen werden iedere dag luider en nu kon ze het leven in onzekerheid niet langer aan. De angst was toch al groot genoeg en de dreiging die ze van die twee voelde was meer dan ze aankon. Hoe kenden ze elkaar? Waarom hadden ze plotseling besloten tot een gezamenlijke aanval? Ze moest weten wat ze van plan waren, dan kon ze zich verdedigen. Hoewel, wat moest ze eigenlijk verdedigen? Het enige wat ze bereikt hadden door Maj-Britt te dwingen zich dingen te herinneren was dat ze haar iedere reden hadden ontnomen.

Om iets te verdedigen.

Maar toch moest ze het weten.

Ze hoorde de sleutel in het slot en de groet toen Ellinor haar jas ophing. Saba dook op in de slaapkamerdeur en ging haar tegemoet. Maj-Britt hoorde hoe ze elkaar begroetten en vervolgens het geluid van Saba's poten tegen de parketvloer toen ze weer binnenkwam en ging liggen. Ze bleef bij het raam staan en deed net of ze niet merkte dat Ellinor op weg naar de keuken naar haar keek. Ze hoorde haar de boodschappentassen op de keukentafel zetten en op dat moment nam ze haar besluit. Deze keer zou ze niet ontkomen. Maj-Britt liep naar de hal, ging met haar handen over Ellinors jas om zich ervan te vergewissen dat haar mobieltje in een van de zakken zat. Dat mocht ze niet bij zich hebben. Want nu zou Maj-Britt uitzoeken hoe het allemaal zat.

Ze bleef staan wachten. Ellinor kwam met een emmer in haar hand uit de keuken en bleef staan toen ze haar in het oog kreeg.

'Hallo.'

Maj-Britt gaf geen antwoord.

'Hoe is het?'

Ellinor wachtte enkele seconden voordat ze zuchtte en zelf antwoord gaf.

'Ja, goed, het gaat wel. Hoe gaat het met jou?'

Die nare gewoonte had ze zich de laatste week eigen gemaakt. Om zelf een gesprek te voeren in plaats van zich neer te leggen bij Maj-Britts zwijgen. En er zaten ontstellend veel woorden in dat dunne meisjeslichaam. Om nog maar te zwijgen van de antwoorden die ze voor Maj-Britt invulde. Ontstellend was het woord. Zoals ze daar rondliep, vals en zonder een greintje schaamte. Maar nu moest het afgelopen zijn.

Ellinor deed eindelijk de deur van de badkamer open en verdween uit zicht. Maj-Britt hoorde de emmer vollopen met water. Het waren maar drie stappen. Drie stappen en toen gooide ze de deur met een knal dicht.

'Wat doe je?'

Maj-Britt hing met haar volle gewicht tegen de deur en zag alleen dat de deurkruk naar beneden werd geduwd. Maar beweging krijgen in de deur was onmogelijk. In ieder geval voor zo'n tenger wezentje als Ellinor, wanneer er een berg aan de andere kant stond te duwen.

'Maj-Britt, hou toch op! Wat doe je?'

'Hoe ken je Vanja?

Het was een paar seconden stil.

'Welke Vanja?'

Maj-Britt schudde misnoegd haar hoofd.

'Dat kun je wel beter.'

'Hoezo? Welke Vanja? Ik ken geen Vanja.'

Maj-Britt zweeg. Vroeg of laat zou ze het toegeven. Anders zou ze in de badkamer moeten blijven.

'Maj-Britt, doe de deur open. Waar ben je verdomme mee bezig?'

'Vloek niet.'

'Waarom niet? Je hebt me verdomme in de badkamer opgesloten!'

Tot nu toe was ze alleen nog maar boos. Maar als ze begreep dat het Maj-Britt ernst was, zou de ongerustheid binnensluipen. Dan zou ze voelen wat het was. Om midden in de verscheurende, verlammende angst te zitten.

En op jezelf teruggeworpen te zijn.

'Bedoel je soms die Vanja Tyrén?'

Zo.

'Precies. Heel slim van je.'

'Die ken ik toch niet, die ken jíj. Doe nu de deur open, Maj-Britt.'

'Je komt er niet uit zolang je niet vertelt hoe je haar kent.'

Een steek in haar onderrug zorgde ervoor dat het zwart voor haar ogen werd. Maj-Britt boog voorover in een poging de pijn te neutraliseren. Vlijmscherp boorde die zich door de ene laag na de andere en ze ademde snel door de neus, in uit, in uit, maar de pijn wilde niet minder worden.

'Maar ik ken Vanja Tyrén niet. Hoe zou ik haar kunnen kennen, ze zit toch in de gevangenis?'

Ze moest een stoel hebben. Misschien werd het beter als ze gewoon kon gaan zitten.

'Heeft zij soms gezegd dat we elkaar kennen? In dat geval liegt ze.'

De dichtstbijzijnde stoel stond in de keuken, maar dan moest ze bij de deur weg en dat was uitgesloten.

'Maj-Britt, laat me er nu uit, dan kunnen we erover praten, anders bel ik de alarmcentrale met mijn mobieltje.'

Maj-Britt slikte. Praten was moeilijk als het zoveel pijn deed.

'Ja, doe dat. Kun je zo wel bij je jas in de hal?'

Toen werd het stil aan de andere kant.

Maj-Britt voelde dat er tranen in haar ogen kwamen en ze duwde met haar hand op de plek waar de pijn het hevigst was. Ze moest haar blaas legen. Er ging ook nooit iets zoals zij het wilde! Alles werkte altijd tegen haar. Dit was geen goed idee geweest, dat zag ze nu wel in, maar het was alweer niet anders. Ellinor zat opgesloten in de badkamer en als Maj-Britt er nu niet achter kwam, zou ze het nooit weten. De waarschijnlijkheid dat Ellinor hierna terug zou komen was nul. Maj-Britt zou in onzekerheid blijven en er zou een naar, nieuw verzorgstertje komen met haar emmers en verachtelijke blikken.

Al die keuzes. Sommige ervan zo snel gemaakt dat je niet kon begrijpen dat de gevolgen ervan zo beslissend konden zijn. Maar naderhand zaten ze daar als grote, rode inktvlekken. Even duidelijk als wegwijzers gaven ze de richting aan door het verleden. *Hier ben je afgeslagen. Hier ging het al de kant op van wat het later is geworden.*

Maar ze kon nooit dezelfde weg terug nemen. Dat was het probleem. Dat het eenrichtingsverkeer was.

Hij stond met de hak en de gevlochten mand naast zich en werkte de rand van het tuinpad bij. Dat leek niet nodig, maar dat was nog nooit een overweging geweest. Het was het plezier in het werk dat nastrevenswaardig was. Dat wist Maj-Britt, want dat hadden ze haar verteld. Maar ze wist ook dat het belangrijk was dat de tuin perfect was en dat hadden ze niet eens hoeven zeggen. Het was belangrijk om precies te zijn in alles wat je kon zien. In alle uiterlijkheden. Voor de binnenkant was je zelf verantwoordelijk, daarover oordeelde alleen de Heer.

Haar vader hield op met hakken toen zij door het hek kwam, nam zijn pet af en veegde langs zijn hoge haargrens.

'Hoe was de repetitie?'

Ze was naar koor geweest. Dat dachten ze in ieder geval. Een jaar lang waren er vaak op de vreemdste tijden extra koorrepetities geweest, maar nu begon haar dubbelleven zijn tol te eisen. Doorgaan met het verzwijgen van de waarheid begon een onmogelijkheid te worden. Steeds stiekem doen over haar liefde. Ze was negentien jaar en had haar besluit genomen. Ze had er maanden over gedaan om moed te verzamelen en Göran had haar gesteund. Vandaag zouden ze alle kaarten op tafel leggen, maar vooralsnog stond hij een eindje verderop verdekt opgesteld.

Ze keek om zich heen in de tuin en toen kreeg ze haar moeder in het oog. Ze zat op handen en voeten bij het perkje voor het keukenraam.

'Vader, er is iets waar ik met u over moet praten. Met u en met moeder.'

Haar vader kreeg meteen een bezorgde rimpel tussen zijn wenkbrauwen. Dit was nooit eerder voorgekomen. Dat zij het initiatief nam tot een gesprek.

'Er is toch niets gebeurd?'

'Niets om u zorgen over te maken, maar ik moet iets vertellen. Kunnen we misschien naar binnen gaan?'

Haar vader keek naar het grindpad bij zijn voeten. Hij was nog niet helemaal klaar en hij hield er niet van om werk onafgemaakt te laten liggen. Dat wist ze en ze wist ook dat het niet de beste voorwaarde was voor het gesprek dat wachtte, maar nu stond Göran daar verderop bij de weg en ze had het beloofd. Ze had beloofd dat ze hun eindelijk de kans zou geven om samen een bestaan op te bouwen. Echt samen.

'Gaat u maar vast naar binnen. Ik moet alleen nog iemand halen die ik aan u voor wil stellen.'

Haar vader keek meteen naar het hek. Ze zag het in zijn blik. Met haar ogen dicht had ze het nog geweten.

'Heb je nu iemand bij je? Maar we zijn...'

Hij keek naar zijn werkkleren en streek er haastig over met zijn handen alsof ze daardoor schoner zouden worden. Ze had nu al spijt. Bezoek meenemen zonder dat haar ouders zich hadden kunnen voorbereiden was tegen de ongeschreven regels van het huis. Dit was helemaal fout. Ze had zich laten overreden tot iets wat alleen maar kon mislukken. Göran kon maar niet begrijpen hoe het was. Alles was zo anders bij hem thuis.

'Inga, Maj-Britt heeft een gast meegenomen.'

Haar moeder hield meteen op met onkruid wieden en kwam overeind.

'Een gast? Wat voor gast?'

Maj-Britt glimlachte en probeerde een rust uit te stralen die ze niet voelde.

'Als u naar binnen gaat, komen wij over... een kwartier, is dat goed? En u hoeft geen koffie te zetten of zo, ik wil... iemand, ik wil alleen maar iemand voorstellen.'

Ze was van plan geweest 'hem' te zeggen, maar wilde daar nog mee wachten. Het was zo al erg genoeg. Haar moeder gaf geen antwoord. Klopte alleen de meeste modder van haar broekspijpen en liep met haastige passen naar de keukendeur. Haar vader pakte de mand en de hak om ze weer in het tuinschuurtje te zetten. Het was duidelijk. Hij was al geïrriteerd omdat hij in zijn bezigheden was gestoord. Hij keek om zich heen terwijl hij over het gazon liep om zich ervan te vergewissen dat er nergens meer wat lag.

'Berg jij het gereedschap van je moeder op.'

Het was geen vraag en ze deed wat hij had gezegd.

Even later bleven ze op de veranda staan en ze pakten elkaar bij de hand. Görans hand was vochtig en dat was hij anders nooit.

'Het komt allemaal goed. Ik heb trouwens mijn moeder beloofd dat we zouden vragen of ze een keer op de koffie willen komen, zodat ze elkaar eindelijk eens kunnen ontmoeten. Help me herinneren, zodat ik het straks niet vergeet te zeggen.'

Alles was zo gemakkelijk voor Göran. En straks zou het voor haar ook zo gemakkelijk worden.

Ze legde haar hand op de klink en wist dat het er nu op aankwam. Het was buigen of barsten.

Ze had haar besluit genomen.

Niemand wachtte hen op in de hal. Ze hingen hun jas op en hoorden de waterleiding in de keuken en daarna het klepperende geluid van iemand die op huisschoenen naderbij kwam. Even later verscheen haar moeder in de deuropening. Ze had de bloemetjesjurk aan en de zwarte schoenen die ze voor netjes hield. Heel even dacht Maj-Britt dat ze misschien begrepen hoe plechtig dit was. Dat ze het voor haar deden.

Haar moeder glimlachte en stak Göran haar hand toe.

'Welkom.'

'Dit is mijn moeder, Inga, en dit is Göran.'

Ze gaven elkaar een hand en haar moeders glimlach werd nog breder.

'Gezellig dat Maj-Britt een van haar vrienden mee naar huis neemt. Ik hoop dat je het niet erg vindt dat we niets hebben kunnen voorbereiden om aan te bieden, dus ik moest het doen met wat er nog in huis was.'

'Maar u hoeft geen moeite te doen. Echt niet.'

Göran glimlachte terug.

'Ik wilde alleen even komen kennismaken.'

'Onzin, natuurlijk willen we iets aanbieden. Maj-Britts vader wacht in de kamer, ga jij daar maar vast heen, dan kom ik zo met de koffie. Maj-Britt, jij helpt me in de keuken.'

Haar moeder verdween weer en heel even keken ze elkaar aan. Knepen hard in elkaars hand en knikten. We redden dit wel. Maj-Britt wees naar de woonkamer en Göran haalde diep adem. Toen mimede hij geluidloos de vier woorden die haar met nieuwe moed vervulden. Ze glimlachte en wees eerst naar zichzelf en toen naar hem en knikte. Want dat was ook echt zo.

Haar moeder stond met de rug naar haar toe en goot het water dat net had gekookt in het filter. Ze hadden het mooie servies gepakt. De mooie porseleinen koffiepot met de blauwe bloemetjes. Ze voelde zich plotseling schuldig. Ze had hen moeten voorbereiden dat er bezoek kwam in plaats van hen zo te overvallen. Ze zag dat haar moeders hand trilde. Dat kwam doordat er opeens zoveel moest gebeuren.

'U had niet zoveel moeite hoeven doen.'

Haar moeder gaf geen antwoord. Ze schonk alleen nog wat water over de rand van het pannetje, zodat het zich kon vermengen met de zwarte prut in het filter. Maj-Britt wilde naar de kamer. Ze wilde hem daar niet alleen laten zitten met haar vader. Ze hadden besloten dat ze dit samen zouden doen. Zoals ze vanaf nu alles samen zouden doen.

Ze keek om zich heen.

'Wat kan ik doen?'

'Hij zingt toch in het koor?'

'Ja. Eerste tenor.'

Er drong geen geluid door vanuit de kamer. Niet eens een zwak gemompel.

'Zal ik dit meenemen?'

Maj-Britt wees naar het schaaltje met het suiker- en roomstelletje. Hetzelfde porselein als de koffiepot. Ze hadden zich echt moeite getroost.

'Er moet nog room in.'

Maj-Britt haalde de room uit de koelkast en toen ze het kannetje had gevuld was de koffie eindelijk doorgelopen. Haar moeder stond met de koffiepot in haar ene hand en met de andere fatsoeneerde ze haar haar.

'Zullen we gaan?'

Maj-Britt knikte.

Haar vader zat aan tafel in de kamer met zijn nette zwarte pak aan. De scherpe strijkvouwen in het witte tafelkleed staken van het tafeloppervlak omhoog, maar werden op sommige plekken naar beneden geduwd door de mooie blauw gebloemde kopjes en de schaal met acht soorten koekjes. Göran stond op toen ze de kamer in kwamen.

'Wat een verwennerij. Het was echt niet de bedoeling om u zoveel werk te bezorgen.'

Haar moeder glimlachte.

'Ach, het was helemaal geen moeite, ik heb gewoon gepakt wat er in huis was. Koffie?'

Maj-Britt zei niets. De hele situatie had iets onwerkelijks. Göran en haar vader en moeder in dezelfde kamer. Twee werelden, zo totaal verschillend van elkaar, maar plotseling in één blik te vangen. De mensen van wie ze het meest hield bij elkaar op dezelfde plaats. En Göran hier bij haar thuis, waar God voortdurend over iedere gebeurtenis waakte. Ze waren hier samen. Met z'n allen. En het kon allemaal. Ze boden hem zelfs koffie aan in een mooi kopje. Met hun zondagse kleren aan.

Ze hadden allemaal een kopje koffie en een schoteltje met gesorteerde koekjes. Vluchtige glimlachjes werden over de tafel heen uitgewisseld, maar er werd niets gezegd, niets belangrijks, niets wat verder ging dan beleefdheden over heerlijke koekjes en een lekker kopje koffie. Göran deed goed zijn best en ze voelde de seconden wegtikken. Hoe de situatie steeds onhoudbaarder werd.

Het gevoel voor een afgrond te staan. Genieten van de laatste veilige seconden voor de sprong in het onbekende.

'Dus jullie kennen elkaar van het koor?'

Dat vroeg haar vader. Hij roerde in de koffie met zijn lepeltje en liet de druppels eraf lopen voor hij het naast het kopje neerlegde.

'Ja.'

Maj-Britt wilde nog iets zeggen, maar er kwam niets.

'We hebben je vorig jaar op het kerstconcert gezien, toen jullie solo zongen. Je hebt een mooie stem, heel mooi. Heb je toen niet "Stille nacht" gezongen?'

'Ja, dat klopt, en "Advent" heb ik ook gezongen, maar "Stille nacht" is waarschijnlijk het bekendst, kan ik me zo voorstellen.'

Toen breidde de stilte zich weer uit. Haar vader begon weer in zijn kopje te roeren en dat was op de een of andere manier een gezellig geluid. Alleen het tikken van de wandklok en het ritmische geluid van het lepeltje in zijn kopje. Niets om je zorgen over te maken. Alles zoals het moest zijn. Ze zaten hier bij elkaar en misschien zouden ze wat meer moeten praten, maar niemand vroeg iets en er werd geen mogelijkheid geboden tot een gesprek. Göran zocht haar ogen. Ze keek hem even aan en keek toen naar de grond.

Ze durfde niet.

Göran zette zijn kopje neer.

'Majsan en ik willen iets vertellen.'

Het lepeltje in het kopje hield stil. Maj-Britt stopte met ademhalen. Ze stond nog steeds op de rand, maar plotseling brokkelde die af zonder dat ze vrijwillig de stap had gezet.

'O ja?'

Haar vader liet zijn blik van de een naar de ander gaan, van Göran naar Maj-Britt en weer terug. Een nieuwsgierige glimlach speelde om zijn mond, net alsof hij onverwacht een cadeautje had gekregen. En opeens begreep Maj-Britt het. Wat zij gingen zeggen was zo ondenkbaar dat haar vader nog helemaal niet op het idee was gekomen.

'Ik wil me aanmelden voor de muziekopleiding van de volkshogeschool in Björkliden en dan ga ik verhuizen; ik heb Majsan gevraagd of ze mee wil en ze heeft ja gezegd.'

Ze had het nog nooit in het echt meegemaakt, maar het wel eens op tv gezien. Hoe het beeld plotseling stilstond en alles stopte. Ze kon niet eens uitmaken of het tikken van de wandklok nog steeds te horen was. Toen begon alles weer te bewegen, maar het ging nog traag. Alsof de verlamming er gedeeltelijk nog zat en er nog wat versoepeling nodig was voordat alles weer was hersteld. De glimlach van haar vader werd niet meteen weggevaagd, maar verdween langzaam tijdens een geleidelijke verandering van zijn gelaatsuitdrukking. Zijn gelaatstrekken maakten een metamorfose door en toen die compleet was, kon Maj-Britt pure wanhoop op zijn gezicht lezen.

'Maar...'

'Ja, dan trouwen we natuurlijk, want we willen gaan samenwonen.'

Ze kon de vertwijfeling in Görans stem horen. Ze keek naar haar moeder. Die zat met haar hoofd gebogen en haar handen gevouwen op haar schoot. De rechterduim streek met snelle bewegingen heen en weer over de linkerhand.

Toen ontmoette Maj-Britt de blik van haar vader en ze zou de rest van haar leven nodig hebben om te vergeten wat ze zag. Ze zag het verdriet, maar dat andere voelde ze nog duidelijker. De verachting. Haar leugens waren ontmaskerd en ze had hen verraden. Ze hadden alles voor haar gedaan, hadden alles gedaan om haar te helpen. Nu had ze hun en de Gemeente de rug toegekeerd door een man van buiten hun kring te kiezen en ze had niet eens gevraagd of ze het ermee eens waren. Ze had hen voor het blok gezet, had hen hun mooie kleren aan laten trekken en het nieuws verteld.

Ze wist niet hoe de kleur heette die haar vaders gezicht nu had.

'Ik wil Maj-Britt alleen spreken.'

Göran bleef zitten.

'Nee. Ik blijf hier. Vanaf nu moet u ons als paar zien en wat Majsan aangaat, gaat mij ook aan.'

Jawel. De klok tikte wel. Nu hoorde ze het. Rustig, in een

regelmatig ritme. Grote klokken zeggen bim, bam, bim, bam. Kleine klokken zeggen tiktak, tiktak, tiktak, tiktak.

'Ik heb toch zeker het recht om onder vier ogen te spreken met mijn eigen dochter.'

En de kleine polshorloges tikketakketikketakketikketakketik.

'Ze is mijn aanstaande vrouw. Van nu af aan doen we alles samen.'

'Blijf dan ook maar zitten. Het is wel goed dat je het meteen ook hoort. Het is allang beslist met wie Maj-Britt gaat trouwen en dat is niet met jou, dat kan ik je wel vertellen. Gunnar Gustavsson heet hij. Een jongeman uit onze Gemeente in wie Maj-Britts moeder en ik allebei veel zien. Ik weet niet wat jij voor geloof hebt, maar aangezien ik je nog nooit op een van onze samenkomsten heb gezien, neem ik niet aan dat je hetzelfde geloof hebt als Maj-Britt, en dat maakt een huwelijk natuurlijk onmogelijk.'

Maj-Britt staarde haar vader aan. Gunnar Gustavsson? De jongen die met zijn mooie pak aan bij de dominee thuis had gezeten en had gezien hoe zij werd vernederd. Haar vader keek haar aan en zijn stem droop van walging.

'Kijk niet zo dom. Je weet heel goed dat het allang zo is afgesproken. Maar in overleg met Gunnar hebben we besloten te wachten tot God vindt dat je er klaar voor bent, omdat je zulke problemen hebt gehad met...'

Hij onderbrak zichzelf en zijn onderlip trilde toen hij zijn mond dichtkneep. Twee roze streepjes waaromheen het spierwit was. Haar moeder wiegde heen en weer en er klonk een zacht gejammer. Haar handen in haar schoot wrongen zich met snelle bewegingen.

'Wat voor problemen?'

Dat was Göran. Göran, die vroeg wat ze voor problemen had gehad. Ze was terug in de eetkamer van de dominee. Ze zat daar naakt en vastgebonden te kijk en misschien was het allemaal toch haar eigen schuld. Ze hadden alles gedaan om haar te redden, maar ze weigerde zich te laten redden en aangezien ze ongehoorzaam was, veroordeelde ze zichzelf voor eeuwig en dat was maar één ding, ze trok hen mee in haar val. Omdat ze in zonde ontvangen en geboren was en omdat hun God niets van haar moest hebben. Omdat ze het uiteindelijk had opgegeven en niet langer bereid was zich alles te ontzeggen om Hem ter wille te zijn. En nu vroeg Göran zich af wat ze voor problemen had gehad, en als er een mogelijkheid was om het gedane ongedaan te maken, dan zou ze die nu aangrijpen.

'Ik vroeg wat voor problemen Majsan heeft gehad.'

Er klonk ergernis in zijn stem en Maj-Britt verbaasde zich erover hoe het mogelijk was dat hij die toon hier en nu in dit huis durfde aan te slaan. Alles wat ze het afgelopen jaar had geleerd en ingezien stroomde uit haar weg. De zekerheid dat de liefde tussen haar en Göran puur en mooi was, dat die haar deed groeien als mens. De overtuiging dat als die liefde hen zo gelukkig kon maken, ze echt wel bestaansrecht had en geen zonde kon zijn. Niet eens in de ogen van hun God. Nu leek plotseling niets meer vanzelfsprekend.

'Waarom zeg je zelf niets, Maj-Britt? Ben je je tong verloren?'

Het was haar vader die tegen haar sprak.

'Waarom vertel je hem niet van je problemen?'

Maj-Britt slikte. De schaamte brandde in haar lichaam.

'Maj-Britt heeft problemen gehad met het onderhouden van haar band met God en het feit dat jij hier bent kun je als een resultaat daarvan zien. Als je rein van hart bent, krijgen zulke perversiteiten geen kans, want een ware christen ziet af van de vloek van de seksualiteit en doet dat met vreugde en dankbaarheid! Wij hebben alles gedaan om haar te helpen, maar nu heeft ze zich kennelijk echt laten verleiden.'

Göran staarde hem aan. Haar vader ging door. Iedere lettergreep als het knallen van een zweep.

'Je vroeg wat ze voor problemen heeft gehad. Zelfbevlekking, zo heet dat!'

Jezus Christus, laat me dit niet hoeven meemaken. Heer, vergeef me voor alles wat ik heb gedaan. Help me, alstublieft, help me!

Hoe wisten ze dat?

'Ontucht, Maj-Britt, dat is waar je je mee inlaat. Wat je doet is zondig en wordt beschouwd als afvalligheid van de rechte weg.'

Göran keek verward. Alsof de woorden die hij hoorde in een voor hem vreemde taal werden uitgesproken. Toen haar vader weer het woord nam, schrok ze ervan hoe hard zijn stem was.

'Maj-Britt, ik wil dat je me aankijkt en antwoord geeft op mijn vraag. Is het waar wat hij zegt dat je van plan bent met hem weg te gaan van hier? Kom je ons dat vertellen?'

Maj-Britts moeder barstte in huilen uit en wiegde heen en weer terwijl ze haar hoofd verborgen hield achter haar handen.

'Je weet dat Christus aan het kruis is gestorven voor onze zonden. Hij is voor jou gestorven, Maj-Britt, voor jou! En nu doe je zo tegen Hem. Je zult eeuwig verdoemd worden, voor eeuwig uitgesloten van Gods rijk.'

Göran stond op.

'Wat is dit voor flauwekul?'

Haar vader stond ook op. Als twee kemphanen stonden ze elkaar op te nemen met hun blik over het gestreken tafelkleed heen. Er vloog speeksel uit de mond van haar vader toen hij op die oneerbiedige opmerking reageerde.

'Jij afgezant des duivels! De Heer zal je straffen, omdat je haar in het ongeluk hebt gestort. Let op mijn woorden, dit zal je berouwen.'

Göran liep naar de stoel van Maj-Britt en stak zijn hand uit.

'Kom, Majsan, we hoeven hier niet naar te blijven luisteren.'

Maj-Britt kon zich niet bewegen. Haar been zat nog steeds vast.

'Als je nu weggaat, Maj-Britt, dan hoef je niet meer terug te komen.'

'Kom, Majsan!'

'Hoor je dat, Maj-Britt? Als je ervoor kiest met deze man mee te gaan, dan zijn de gevolgen voor jou. Een rotte wortel moet afgescheiden worden van de andere om de rest niet te besmetten. Als je nu weggaat, plaats je jezelf buiten de Gemeente en buiten het recht op Gods genade en ben je onze dochter niet meer.'

Göran pakte haar hand.

'Kom, Majsan, dan gaan we.'

De klok sloeg vijf slagen. Slingerde het exacte tijdstip de kamer in. En op dat moment wist ze niet dat er een grote rode vlek op de kalender kwam.

Maj-Britt stond op. Liet zich door Görans hand meevoeren naar de hal en, nadat hij haar in haar jas had geholpen, de deur uit, naar buiten. Vanuit de kamer klonk geen enkel geluid. Niet eens het gejammer van haar moeder. Alleen een vernietigende stilte waar nooit meer een eind aan zou komen.

Göran trok haar mee het tuinpad af, het hek door, maar toen bleef hij staan en nam haar in zijn armen. Die van haar hingen slap langs haar lichaam.

'Ze draaien wel bij. Je moet ze gewoon de tijd geven.'

Alles was leeg. Ze voelde geen vreugde, geen opluchting dat het afgelopen was met de leugens, geen verwachting ten aanzien van de kansen die voor hen lagen. Ze kon Görans woede niet eens delen. Alleen een groot, zwart verdriet over alle onmacht. Van haarzelf en van haar ouders. En van Göran, die niet kon begrijpen wat hij daarbinnen had aangericht. En van de Heer, die hen allemaal met een vrije wil had geschapen, maar die toch iedereen verdoemde die niet deed wat Hij wilde. Die er altijd op uit was om haar te straffen.


Ze had er zo naar uitgezien dat ze een hele nacht samen konden slapen en nu zou het eindelijk mogen, maar alles was verpest. Ze wilde dat Vanja kwam en Göran leende de auto van zijn ouders en ging haar halen. Tijdens de autorit deed hij nauwgezet verslag van het bezoek bij Maj-Britt thuis en Vanja kookte van woede toen ze de deur in kwam.

'Verdomme, Majsan. Laat ze dit nu niet ook kapotmaken! Laat ze maar eens wat zien!'

Göran zette de ene pot thee na de andere en terwijl de nacht vorderde, luisterde Maj-Britt naar Vanja's steeds fantastischer visies op het probleem. Vanja wist haar zelfs een paar keer aan het lachen te maken. Aan het eind van een lange tirade waarmee ze haar probeerde te overreden, zei ze plotseling iets wat Maj-Britt raakte.

'Je moet de moed hebben het oude los te laten, dan creëer je ruimte voor iets nieuws. Zo is het toch? Waar geen plaats is kan niets groeien.'

Vanja zweeg alsof ze haar eigen woorden nog eens overdacht.

'Jemig zeg, dat was lang niet slecht.'

Ze vroeg Göran om een pen en krabbelde haar woorden snel op een blaadje, las ze in stilte nog een keer over en grijnsde breed.

'Ha! Als ik dat boek ooit nog eens ga schrijven, dan komt dit erin!'

Maj-Britt glimlachte. Vanja en haar schrijversdromen. Maj-Britt wenste haar het succes van harte toe.

Vanja keek op haar horloge.

'Nu ik dit heb bedacht, weet ik het zeker en ik neem dus nu, op 15 juni 1969 om twintig voor vier, mijn besluit. Ik ga in Stockholm wonen. Dan kunnen we tegelijkertijd verhuizen, Majsan, al is het dan niet naar dezelfde stad, en zonder mij wil je toch niet in dit gat blijven?'

Göran en Maj-Britt moesten allebei lachen.

En toen het licht werd, was haar zekerheid teruggekeerd. Ze had de juiste keuze gemaakt en ze zou zich dit niet laten afpakken. Vanja was geweldig. Ze was een rots in de branding, ze was er altijd als Maj-Britt haar nodig had. Wat had ze zonder haar moeten beginnen?

Vanja.

En Ellinor.

Maj-Britt luisterde of ze iets hoorde in de badkamer. Het was er stil. De pijn in haar rug was minder geworden. Er was alleen nog een zeurderig gevoel dat wel uit te houden was. En een dringende behoefte om naar het toilet te gaan.

'Ik zweer bij God dat ik die Vanja niet ken.'

Maj-Britt snoof. Zweer maar een eind weg. Mij maakt het niet uit. En Hem vast ook niet.

'Ze gaan me zo bellen, want ik had meer dan een halfuur geleden bij de volgende Gebruiker moeten zijn.'

Dit had geen zin. Ze zou de waarheid nooit uit haar krijgen. En ze plaste trouwens haast in haar broek. Maj-Britt zuchtte, draaide zich om en deed de deur open. Ellinor zat op het deksel van de wc.

'Ga weg. Ik moet naar de wc.'

Ellinor keek haar aan en schudde langzaam haar hoofd.

'Je spoort niet. Waar ben je mee bezig?'

'Ik moet nodig plassen, zei ik toch. Wegwezen.'

Maar Ellinor bleef zitten.

'Ik ga hier pas weg als ik weet waarom jij denkt dat ik haar ken.'

Ellinor leunde rustig achterover en vouwde haar armen over haar borst. Ze sloeg haar ene been over het andere. Maj-Britt beet haar tanden op elkaar. Als het haar niet zo tegen de borst stuitte om haar aan te raken had ze haar graag een klap verkocht. Een harde klap in haar gezicht.

'Dan plas ik op de vloer. En jij weet wel wie het dan moet opdweilen.'

'Je doet maar.'

Ellinor klopte iets van haar broekspijp. Maj-Britt zou haar plas niet veel langer meer kunnen ophouden, maar ze zou zich nooit zo vernederen, niet tegenover dit vreselijke wezentje dat er altijd in slaagde de overhand te krijgen. En ze kon beslist niet riskeren dat Ellinor het bloed in haar urine ontdekte, dan zou die kleine klikspaan aan de bel trekken. Ze kon maar één ding doen, hoe vervelend ze dat ook vond.

'Gewoon, door iets wat ze in een brief schreef.'

'In een brief? Wat schreef ze dan?'

'Daar heb je niets mee te maken. Ga je nu aan de kant?'

Ellinor bleef zitten. Maj-Britt werd steeds wanhopiger. Ze voelde een paar druppels naar buiten komen die haar onderbroek natmaakten.

'Ik heb het vast verkeerd begrepen en ik bied je mijn excuses aan dat ik je hier heb opgesloten, wil je nu weggaan?'

Eindelijk stond ze op, pakte de emmer en met een chagrijnige blik verdween ze door de deur. Maj-Britt deed snel de deur op slot en ging zo snel mogelijk op de wc zitten. Het was een bevrijdend gevoel toen eindelijk de druk van haar blaas gehaald mocht worden.

Ze hoorde de voordeur dichtslaan. Dag, Ellinor. Tot nooit meer ziens.

Plotseling kreeg ze zomaar een dikke brok in haar keel. Hoe ze ook probeerde hem weg te slikken, het lukte niet. Er kwamen ook tranen, zomaar zonder aanleiding rolden ze uit haar ogen en tot haar schrik voelde ze dat ze niet te stuiten waren. Het was net of er iets in haar gebroken was en ze verborg haar gezicht in haar handen.

Een ondraaglijk zwaar verdriet.

En toen de nederlaag een feit was, moest ze haar dwaze verlangen wel onder ogen zien. Hoe vurig ze eigenlijk wenste dat er iemand was, één iemand maar, die geheel vrijwillig en zonder ervoor betaald te krijgen een poosje bij haar wilde zijn.

## 19

Ze had naar haar werk gebeld en vijf van de vakantiedagen opgenomen die ze nog had staan. Ze was de tel kwijt, ze wist niet hoeveel ze er had opgespaard, want tot dan toe had het haar nooit geïnteresseerd. Ze wilde helemaal geen vijf weken vakantie, en in de loop der jaren hadden de onbenutte vakantiedagen zich opgestapeld. Ze hadden niet gevraagd waarom ze vrij wilde en ze wist dat ze het vertrouwen van de directie genoot. Een plichtsgetrouwe chef de clinique zoals zij bleef niet zo lang weg van haar werk zonder zwaarwegende redenen.

De dagen daarop ging ze elke middag naar Pernilla. Ze had verteld dat zij in het vervolg de enige was die zou komen van de hulpgroep en Pernilla had die informatie aangehoord zonder te laten merken of ze er blij om was of het jammer vond. Monika vatte dat op als een goed teken. Voorlopig nam ze er genoegen mee als ze alleen maar werd gedoogd.

De meeste tijd bracht ze buitenshuis door met Daniella. De speelplaats werd algauw te saai, dus werden hun wandelingen steeds langer. Langzaam maar zeker slaagde ze erin Daniella's vertrouwen te winnen en ze wist dat dat een goede methode was. Om de moeder te bereiken via de goedkeuring van het kind. Want Pernilla deelde de lakens uit. Monika was zich daar iedere seconde van de dag van bewust. De continu aanwezige dreiging dat Pernilla haar plotseling de deur zou wijzen, dat ze vond dat ze beter af waren zonder haar hulp. De gedachte alleen al om op een dag niet meer welkom te zijn deed Monika beseffen hoe ver ze bereid was te gaan om niet te worden afgewezen. Ze moest nog zoveel rechtzetten.

Op een keer kwam er een vriendin van Pernilla langs en Monika had een dubbel gevoel toen ze weg moest en hen alleen moest laten. Ze moest natuurlijk blij zijn voor Pernilla, maar tegelijkertijd wilde ze betrokken zijn bij wat er gebeurde, weten waar ze over praatten, of Pernilla toekomstplannen had waar zij niets van wist. Maar meestal sliep Pernilla alleen maar in de uren dat Monika en Daniella hun uitstapjes maakten. Monika probeerde nog wat te blijven als ze terugkwamen om te laten zien hoe goed Daniella en zij het samen konden vinden. Pernilla trok zich meestal terug in de slaapkamer en ze praatten niet zoveel met elkaar, maar Monika genoot van iedere seconde dat ze daar mocht zijn. Alleen de ogen van Mattias bezorgden haar een naar gevoel. Ze hielden haar vanaf het geloogde kastje in de gaten wanneer ze op de grond zat te spelen met Daniella. Maar misschien begon hij te begrijpen dat ze daar met een goed oogmerk was, nu ze iedere dag plichtsgetrouw terugkwam om haar verantwoordelijkheid op zich te nemen.

Hoewel Pernilla niet zoveel zei, voelde Monika dat ze goed werk deed, alleen al door in de flat te zijn, en iedere keer dat ze er wegging, bleef ze een paar uur daarna rustig. Het gevoel dat ze geslaagd was in de eerste etappe van een eervolle opdracht. Dat ze een ogenblik van respijt had verdiend. Ze besefte ook hoe onbetekenend alles verder was geworden. Alsof alle bijkomstigheden afgepeld waren en er maar één levensvoorwaarde over was. Maar al na een paar uur kwamen de hartkloppingen terug. Ze had kennis van zaken, ze wist precies wat het voor automatische veranderingen waren die zich in haar lichaam voltrokken. Dat het er alleen maar naar streefde om haar overlevingskansen zo groot mogelijk te maken. De angst dirigeerde het bloed naar de grote spieren en de lever maakte zijn voorraad glucose vrij om hun de brandstof te geven om te kunnen functioneren, het bonzen in haar oren kwam van haar hart dat bezig was de bloeddruk te verhogen, de milt trok zich samen om meer rode bloedlichaampjes uit te scheiden en het zuurstofopnamevermogen van het bloed te vergroten; adrenaline en noradrenaline stroomden door haar lichaam, maar deze keer hielp het niet dat ze op al haar tentamens het hoogste cijfer had gekregen. Wat ze vergeten waren haar te leren was hoe ze met die lichamelijke reactie om moest gaan. Haar hele lichaam was in de weer om haar te helpen vluchten, maar wat als je niet weg kon? Overdag had ze het gevoel dat ze onder een glazen stolp zat, afgeschermd van alles wat er buiten gaande was, alsof het haar niet meer aanging. 's Avonds ging ze naar de sportschool om zich af te beulen met een zware training, maar als ze eenmaal naar bed ging, kon ze nog steeds niet slapen. Wanneer ze het licht uitdeed kwam de angst binnensluipen. En de verwarring. De gedachten die ze overdag buiten de deur kon houden door continu in beweging te blijven, eisten in het donker het recht op om gedacht te worden, maar dat was uitgesloten. Ze vermoedde dat ze misschien hun vraagtekens zouden zetten bij wat ze aan het doen was en daarom had ze alle reden om ze te weren. Aangezien niets zich ooit richtte naar ratio of rechtvaardigheid, had ze het volste recht om haar eigen strategie te bepalen om ordening aan te brengen in het systeem. De krachten die inwerkten op leven en dood ontbeerden alle logica en onderscheidingsvermogen. Acceptatie was onmogelijk. Ze moest een kans krijgen om haar schuld af te betalen.

Als ze goed en wel sliep, lagen er andere gevaren op de loer. Thomas kwam bij haar in haar droom. Hij kwam en ging zoals het hem uitkwam en hij wekte een verlangen in haar dat alles aan het wankelen bracht. Haar lichaam bewaarde nog de herinnering aan wat ze van zichzelf met alle geweld had moeten vergeten en haar handen weigerden zich te verzetten.

Om zichzelf te beschermen schreef ze een recept uit voor een slaapmiddel.

Daarna werd ze met rust gelaten.

Op de derde dag vatte ze moed en stelde ze voor dat ze zou blijven om het avondeten voor hen te bereiden. Ja, en natuurlijk eerst boodschappen te doen. Ze deed het graag, voegde ze eraan toe. Pernilla aarzelde maar heel even, en bekende toen dat ze dat echt heel fijn zou vinden. Ze had meer last van haar rug sinds ze alleen was en ze was al meer dan drie weken niet bij haar chiropractor geweest. Monika wist waarom, dat ze er geen geld voor had, maar ze moest het van Pernilla zelf horen en ze had vooral meer details nodig. Ze hoopte dat ze die tijdens de maaltijd zou krijgen.

Ze stond in de hal haar jas aan te trekken en had net bedacht dat ze lekker doorgebakken runderfilet met aardappelgratin zou kunnen maken. En ze vroeg zich af of ze ook een fles wijn zou meenemen toen Pernilla de hal in kwam.

'Trouwens, Monika, ik ben vegetariër, dat had ik zeker nog niet gezegd?'

Monika glimlachte.

'Komt goed uit. Ik had maar niet gezegd dat ik dat ook ben, want ik dacht dat je misschien graag vlees wilde. Hoe lang eet je al vegetarisch?'

'Sinds mijn achttiende.'

Monika deed de bovenste knoop van haar jas dicht.

'Is er iets waar je speciaal zin in hebt?'

Pernilla zuchtte.

'Nee. Om eerlijk te zijn heb ik niet eens zoveel trek.'

'Je moet toch proberen iets te eten, ik verzin wel iets in de winkel. Wil je er wijn bij, trouwens? Ik kan wel even langs de slijterij om een fles te kopen als je wilt.'

Pernilla dacht even na.

'Iemand anders van de hulpgroep die hier was, zei dat ik de eerste tijd voorzichtig moest zijn met alcohol. Het schijnt nogal vaak voor te komen dat mensen in een situatie als de mijne 's avonds een paar glazen wijn nemen om zichzelf te troosten.'

Monika zei er niets op, ze vroeg zich heel even af of het een terechtwijzing was. Maar toen ging Pernilla verder: 'Maar ik loop geen risico, want ik heb er toch geen geld voor. Ik zou heel graag een glaasje wijn nemen.'

Monika stond lang te dubben op de groenteafdeling. Ze kende geen vegetarische recepten en ten slotte vroeg ze iemand van het winkelpersoneel om hulp. Ja zeker, er stonden verschillende recepten op een standaard bij de zuivel en ze koos er een met cantharellen, dat er wel luxe uitzag en waarvan ze dacht dat ze het wel zou kunnen klaarmaken. Ze voelde bijna een gespannen verwachting toen ze met volle tassen terugliep naar de auto. Pernilla's vertrouwen in haar leek te zijn toegenomen en de dreiging om afgewezen te worden leek op dit moment iets minder acuut. En vanavond gingen ze samen eten. Ze zouden de gelegenheid krijgen om elkaar beter te leren kennen en ze was niet van plan Pernilla teleur te stellen. Ze had de tassen net neergezet om haar autosleutels te pakken, toen ze hem in het oog kreeg. Ze zag niet waar hij vandaan kwam, plotseling stond hij daar zomaar op het asfalt, vlak naast de ene boodschappentas. Een zilvergrijze duif met paars glimmende vleugels. Monika liet haar autosleutel vallen. Met kleine, zwarte oogjes staarde hij Monika beschuldigend aan en ze werd plotseling bang dat de duif haar iets zou aandoen. Zonder hem uit het oog te verliezen bukte ze langzaam en viste snel haar sleutelbos op, deed de auto van het slot en opende het portier. Pas toen ze de tassen optilde, fladderde hij verschrikt weg over de parkeerplaats en zo snel ze kon laadde ze het eten in de auto. Voordat ze wegreed deed ze de deuren op slot.

Toen ze voor Pernilla's huis had geparkeerd bleef ze even in de auto zitten om tot zichzelf te komen. Ze zag het dikke hondje weer. Slechts een meter van het balkon waar hij thuishoorde hurkte het hondje en deed zijn behoefte en zodra hij klaar was wilde hij weer naar binnen. Iemand deed de balkondeur open, maar het was donker in de kamer, zodat ze niet kon zien of het een vrouw was of een man.

Pernilla zat op de bank tv te kijken. Ze had Mattias' grote trui weer aan en Monika zag dat ze had gehuild. Voor haar op tafel lag een stapel opengemaakte vensterenveloppen. Monika zette de tassen neer. Wat ze had gehoopt, dat ze zich beter zou voelen als ze eindelijk weer in het appartement was, kwam uit en ze voelde al haar besluitvaardigheid weer terugkomen. Ze ging naast Pernilla op de bank zitten. Het was tijd voor de volgende stap.

'Hoe gaat het ermee?'

Pernilla gaf geen antwoord. Ze deed alleen haar ogen dicht en verborg haar gezicht achter haar hand. Monika gluurde naar de enveloppen op tafel. De meeste waren aan Mattias gericht en het leken allemaal rekeningen. Het was een gouden gelegenheid, die ze niet aan zich voorbij mocht laten gaan.

'Ik begrijp dat het moeilijk moet zijn om al zijn post open te maken.'

Pernilla haalde haar hand weg en snifte wat. Ze trok haar benen op en sloeg haar armen om haar knieën.

'Ik heb me er een tijdje niet toe kunnen zetten om de post open te maken. Dat heb ik net gedaan, toen jij boodschappen aan het doen was.'

Monika stond op en ging naar de keuken. Ze kwam terug met een stuk keukenrol, dat ze aan Pernilla gaf, die haar neus erin snoot en het tot een bal in haar hand verfrommelde.

'We hebben geen geld om hier te blijven wonen. Dat wist ik aldoor al, maar ik wilde er gewoon niet aan denken.'

Monika zweeg even. Ze had gewacht tot Pernilla haar informatie zou toevertrouwen. Dit was die informatie.

'Sorry dat ik het vraag, maar hoe zit het met verzekeringen en zo? Ik bedoel een ongevallenverzekering.'

Pernilla zuchtte. En toen kwam het hele verhaal. Dat Mattias een keer had verteld en dat ze nu eindelijk mocht kennen. Deze keer was het verslag uitvoeriger. Monika onthield elk detail, ieder bedrag, sloeg nauwkeurig ieder gegeven op in haar goed getrainde feitengeheugen en toen Pernilla uitgesproken was, was Monika van het hele probleem op de hoogte. Ze hadden geld moeten lenen om de eindjes aan elkaar te knopen na het ongeluk van Pernilla. Geen gewone lening, maar een consumptief krediet met een effectieve rente van tweeëndertig procent. En aangezien ze geen geld hadden voor afbetalingen steeg hun schuld iedere maand. Die bedroeg nu zevenhonderdachttienduizend kronen. Pernilla's enige inkomen was haar ziektegeld en ook al zou ze misschien huursubsidie kunnen krijgen, dan kwam ze nog niet rond.

'Mattias had net een nieuwe baan en daar waren we zo vreselijk blij mee. We zouden het een paar jaar moeilijk hebben, maar we zouden in ieder geval kunnen beginnen met het afbetalen van die rotlening die alles in de war heeft geschopt.'

Monika had al bedacht wat ze zou zeggen als deze gelegenheid zich voordeed, en nu was het eindelijk zover.

'Weet je, ik zit te denken. Ik kan natuurlijk niets beloven, maar ik weet dat er een fonds bestaat waar je financiële steun kunt vragen als er zoiets gebeurt.'

'Wat voor fonds?'

'Weet ik niet precies; ik ken iemand die steun heeft gekregen uit dat fonds, ik ben na een overlijdensgeval bij haar geweest, voor de hulpgroep dus. Ik ga het morgenvroeg meteen navragen, dat beloof ik.'

Pernilla ging anders zitten en keerde zich naar haar toe. Op dit moment had ze Pernilla's onverdeelde aandacht.

'Ja, dat zou heel aardig zijn, als je tijd en zin hebt.'

Haar hart klopte mooi rustig.

'Natuurlijk regel ik dat. Maar dan heb ik gegevens nodig. Leningen, verzekeringen, woonlasten en zo. Kosten voor je revalidatie. Chiropractors, massage. Kun je dat bij elkaar zoeken, denk je?'

Pernilla knikte.

En terwijl Monika in de keuken cantharellen stond te bakken, Daniella bij haar op de grond zat te spelen en Pernilla met regelmatige tussenpozen kwam vragen of Monika een bepaald document ook nodig had, ervoer ze voor het eerst in lange tijd een zeldzaam gevoel van vrede.

# 20

Van de thuiszorg had drie dagen lang niemand iets van zich laten horen. Ellinor niet en ook niemand anders. Ze had genoeg eten in huis, in dat opzicht was er niets aan de hand, maar ze begon het wat vreemd te vinden. Misschien was Ellinor zo kwaad geworden dat ze niet eens voor vervanging had gezorgd, maar van plan was het probleem bij Maj-Britt te laten liggen, die het dan maar zo goed mogelijk moest oplossen. Dat was net wat voor haar.

Maar eten was er dus nog. Na drie dagen zonder aanvulling. Ze had de pizzakoerier al weken niet gebeld. Er was iets veranderd, en ze was bang dat het met die pijn te maken had. En met het bloed in de urine. Ze kon gewoon niet meer eten zoals eerst, haar eetlust was weg, net als de rest. De jurk waarvan ze bang was geweest dat ze eruit groeide zat plotseling ruimer en soms verbeeldde ze zich zelfs dat ze wat gemakkelijker uit haar leunstoel kon komen. Maar desondanks was ze triester dan ooit en zag ze nergens het nut meer van in.

Ze stond voor het raam van de woonkamer en keek uit over het veldje. Die vreemde vrouw stond weer buiten te schommelen met dat kind. Met eindeloos geduld duwde ze de schommel, keer op keer. Maj-Britt keek naar het kind, maar moest haar ogen al snel weer afwenden. Jaren waren voorbijgegaan. Ze had zo lang niets met die herinnering gedaan, die desondanks nog altijd even scherp was. Alles was toch veel eenvoudiger geweest toen de details buiten bereik waren. Wat moest je met herinneringen die niet te harden waren?

'Is het echt waar?'

Ze vroeg zich opeens af hoe ze ooit had kunnen twijfelen. Hoe ze in haar wildste fantasie had kunnen denken dat hij niet blij zou zijn. Ze had zich zorgen gemaakt dat hij misschien zou vinden dat het zijn plannen voor de muziekopleiding in de war schopte, dat het best nog even kon wachten. Maar nu stond hij daar te stralen

167

van vreugde en hij was alleen maar blij dat hij binnenkort vader zou worden. Ze was al vier maanden heen. Iedereen die dat wilde kon snel uitrekenen dat het voor de bruiloft was gebeurd, maar dat maakte niets meer uit. Ze had partij gekozen en daar had ze geen spijt van.

Het was zo gegaan als haar vader die dag had gezegd. Ze waren niet eens op de bruiloft geweest, hoewel ze waren getrouwd in de kerk die maar een paar honderd meter van hun huis af stond. Maj-Britt vroeg zich af wat ze hadden gedacht toen ze de kerkklokken hoorden luiden. Ze vond het maar vreemd. Dat dezelfde God die bij haar thuis de liefde tussen haar en Göran veroordeelde, slechts een paar honderd meter verderop hun huwelijk wilde zegenen.

Aan de kant van de bruidegom was het vol, maar aan de kant van de bruid zat alleen Vanja. Vooraan in het midden.

Ze hield van Göran en hij hield van haar. Ze weigerde te aanvaarden dat daar zonde in kon schuilen. Maar soms werd ze door twijfel bevangen, soms als ze aan haar familie dacht, die haar niet meer wilde kennen. Dan was het moeilijk om stevig in haar schoenen te blijven staan en vast te houden aan haar overtuiging dat ze er goed aan had gedaan. Want iedereen was weg. Ze hadden haar als onkruid uit hun leven en hun gemeenschap gewied. Vanaf de dag dat ze was geboren had ze deel uitgemaakt van de Gemeente en toen ze allemaal verdwenen, hadden ze het grootste stuk van haar jeugd meegenomen. Ze had niemand meer die haar herinneringen deelde. Ze miste de saamhorigheid, het gevoel erbij te horen, deel uit te maken van de hechte gemeenschap. Alles waar ze aan gewend was, wat ze kende, waar ze in thuis was, alles was weg en ze was niet langer welkom. Er was niets om op terug te vallen als dat ooit nodig zou zijn. Ze kon nergens op bezoek als ze door heimwee werd geplaagd.

Ook al was ze nog steeds erg boos, toch kreeg ze soms een brok in haar keel als ze aan haar ouders dacht. Maar dan hield ze zich vast aan wat Vanja had gezegd.

'Laat ze dit niet ook kapotmaken. Laat ze maar eens wat zien!'
Soms werd ze 's nachts wakker en dan had ze altijd hetzelfde

gedroomd. Ze stond alleen op een rots in een stormachtige zee en alle anderen waren aan boord geklommen van een schip. Ze stonden allemaal op het dek, maar hoe ze ook schreeuwde en zwaaide, ze deden net of ze haar niet zagen. Toen het schip in de verte verdween en ze besefte dat ze van plan waren haar aan haar lot over te laten, werd ze wakker met de ontzetting als een strop om haar hals. Ze probeerde Göran duidelijk te maken hoe ze zich voelde, maar hij wilde het niet begrijpen. Hij zei dat ze niet goed wijs waren en op die manier werd hij even veroordelend als haar vader tegenover hen was geweest. Daar schoot je ook niets mee op.

Ze had alleen Vanja nog, maar ze woonden zo ver bij elkaar vandaan. Ze wisten nu al niet zo goed meer waar ze het over moesten hebben over de telefoon of in brieven, nu ze zulke gescheiden levens leidden. Vanja's leven in Stockholm leek zo spannend en avontuurlijk en bij Maj-Britt gebeurde er niet zoveel. Ze zat thuis in het huurwoninkje even buiten de stad en probeerde de dagen door te komen, terwijl Göran op school zat. Ze woonden daar maar voor tijdelijk. Ze hadden er geen bad en binnen geen toilet en bij vorst bleek het huisje moeilijk warm te stoken. Zolang ze nog maar met zijn tweeën waren, wisten ze zich wel te behelpen met de wc buiten. Als de baby er eenmaal was, werd het bezwaarlijker.

Maar dan was er nog dat andere, dat moeilijke. Datgene wat ze graag wilde, maar waarvan ze zo moeilijk kon toegeven dat ze er niets op tegen had. Ze had gehoopt dat het wat gemakkelijker zou worden als ze getrouwd waren, maar dat was niet zo. Nog steeds zei een stem in haar dat ze niet het recht hadden zich met dergelijke dingen bezig te houden. Niet puur als genot. Niet zonder dat het een doel diende.

De lamp moest van haar altijd per se uit. Ze bedekte zich nog steeds als Göran haar per ongeluk eens naakt zag. In het begin had hij haar uitgelachen, niet op een nare manier, maar liefdevol, maar de laatste tijd meende ze een zweem van ergernis in zijn stem te horen. Hij zei altijd hoe mooi ze was, hoe graag hij haar naakt zag en dat hij er opgewonden van raakte. Maj-Britt wilde er niet naar luisteren, echt niet, het was één ding om het in het donker te doen, maar een tweede om erover te praten. De slechte gewoonte die hij had om te benoemen wat ze deden, maakte dat ze zich gegeneerd voelde en ze vroeg hem altijd om op te houden. Het was alsof de woorden op zich het allemaal onfatsoenlijk maakten. Net als wanneer ze het met de lamp aan zouden doen, zodat je het kon zien. Het was niet dat ze niet wilde. Ze vond het fijn als hij haar aanraakte. Het was net of hun eenheid nog sterker werd als ze zo dicht bij elkaar kwamen, alsof ze een groot geheim deelden. Maar naderhand kwamen altijd de schuldgevoelens. Het gebeurde steeds vaker dat ze eraan twijfelde of het echt goed en juist was wat ze deden. Of ze zichzelf al dat genot wel mocht toestaan. En soms verbeeldde ze zich dat er iemand naar haar stond te gluren, haar losbandigheid met ontzetting aanschouwde, en er nauwkeurige aantekeningen van bijhield.

Ze hadden afgesproken dat Göran zijn jaar aan de Volkshoge-school zou afmaken. Ze hoefden zo weinig huur te betalen dat ze prima rond konden komen van zijn studiebeurs. Maar als het kind kwam zou hij een baan nemen, het gaf niet wat voor baan, zei hij, als het maar genoeg opleverde. Ze had het vermoeden dat hij er diep in zijn hart anders over dacht en dat hij zijn droom over het conservatorium niet zo gemakkelijk opzij zou zetten als hij haar wilde doen geloven. Soms belde zijn moeder. Maj-Britt wilde zo graag weten of ze haar ouders had gezien, maar ze vroeg er nooit naar. Niemand had het ooit nog over hen, ze leken wel uitgewist, alsof ze nooit hadden bestaan. Net zoals de Gemeente dat met haar had gedaan.

De dagen kwamen en gingen en het werd steeds moeilijker om ze te vullen. Ze kende daar niemand behalve Göran en een paar van zijn klasgenoten, maar de keren dat ze ergens mee naartoe ging en hen ontmoette, voelde ze zich alleen nog maar eenzamer. Zij volgden immers dezelfde opleiding, en ze hadden een bepaald jargon ontwikkeld dat zij niet kon volgen. Göran was de oudste leerling van de school en ze vond hem kinderachtig in de omgang met zijn klasgenoten. Ze dronken longdrinks en luisterden naar muziek en alles stond zo ver af van wat zij kende en van hoe het was geweest voordat ze verhuisd waren. Toen hadden ze samen het koor gehad, en de avonden hadden ze het liefst met zijn tweeën doorgebracht. Ze hadden boeken gelezen, gepraat, gevreeën. Ze voelde zich altijd minder dan de anderen die erbij waren, vooral de meisjes. Zij zat daar met haar bolle buik en was stil en saai aangezien ze nooit iets te vertellen had en Göran leek niet te begrijpen dat ze snel moe werd en dat ze het liefst naar huis wilde. Ze miste Vanja. Zij zou begrepen hebben hoe Maj-Britt zich voelde en haar partij hebben gekozen. Zou alles gezegd hebben wat ze zelf niet kon zeggen. Ze had vooral een hekel aan Harriet; ze stoorde zich aan de manier waarop ze naar Göran keek. Ze fantaseerde er stiekem over wat Vanja zou hebben gedaan als ze dat had gezien. Dat luchtte haar een beetje op.

Op een vrijdagavond had hij een borrel op toen hij thuiskwam. Niet dat het meteen aan hem te merken was, maar zij stond bij het aanrecht in de keuken en hij kwam achter haar staan en legde zijn handen op haar schouders en toen rook ze het aan zijn adem. Ze ging door met afwassen. Zijn handen gleden langs haar zijden en kropen onder haar truitje en toen hij zich tegen haar aan drukte, kon ze zijn opwinding voelen. Ze deed haar ogen dicht, probeerde rustig te blijven ademhalen. Ze zou niet toegeven, deze keer niet. Ze zou tonen dat ze haar begeerten kon intomen en dat ze niet de slaaf was van haar lust.

'Hou op.'

Göran bleef haar strelen.

'Göran, hou alsjeblieft op.'

Zijn handen verdwenen. En ze hoorde de voordeur dichtslaan.

Het duurde bijna een uur voordat ze de lustgevoelens kwijt was die hij had opgewekt.

Haar buik werd steeds dikker. Van Vanja kwam er steeds minder vaak een teken van leven en aan Görans schooldagen kwam nooit een eind. Soms kwam hij pas om acht uur 's avonds thuis. Dan waren er extra repetities en kooroefeningen en van alles waarvoor hij moest blijven en wat voor alle leerlingen verplicht was. Haar buik was dik en zwaar en ze maakte zichzelf wijs dat ze elkaar daarom niet meer aanraakten.

Dat zij zich er daarom aan onttrokken had.

Hij probeerde het na een tijdje niet eens meer.

Ze had veel tijd om te piekeren in haar eenzaamheid, haar gedachten raasden doelloos in een kringetje rond en stuitten nooit op tegenargumenten, aangezien ze nooit werden uitgesproken. Ze had gedacht dat alles veel gemakkelijker zou worden als ze maar bij al die glurende ogen weg was. Dat ze zich eindelijk compleet zou voelen als ze zich had bevrijd van alle dwang en deel had aan de wereld waar ze door de jaren heen wel eens een glimp van had opgevangen, enerzijds door Vanja, maar vooral door Göran. Ze had gedacht dat het veel beter zou worden als ze zelf de verantwoordelijkheid nam voor haar leven en haar beslissingen, in plaats van zich gewoon te schikken en op Hem te vertrouwen, die toch nooit antwoordde of liet merken wat Hij ergens van vond. Het was anders uitgepakt. Ze begreep nu hoe ongecompliceerd haar oude leven was geweest, toen ze zich alleen maar had kunnen overgeven aan de gemeenschappelijke zienswijzen en richtsnoeren van de Gemeente. Hoe gemakkelijk het was geweest om niet zelf te hoeven nadenken. Nu stond ze er helemaal alleen voor.

Een giftige wortel die was afgesneden om zijn besmetting niet over te brengen.

En ze had er zelf voor gekozen.

Ze was er zo zeker van geweest dat de liefde tussen haar en Göran, en alles wat die inhield, natuurlijk en gezond was. Dat haar ouders en de Gemeente het bij het verkeerde eind hadden. Nu besefte ze hoe egoïstisch ze was geweest. Ze had alleen maar aan zichzelf gedacht en aan hoe ze zelf aan haar trekken kon komen. Nu haar boosheid was gezakt en het verdriet haar had ingehaald, besefte ze in wat voor wanhoop ze haar ouders moest hebben achtergelaten, hoe vreselijk ze zich hadden geschaamd. Er hadden geen goede bedoelingen achter haar daden gezeten, alleen

een groot, afschuwelijk egoïsme. Ze had gedacht dat ze haar vrees voor God kon inruilen voor de liefde die ze voor Göran voelde, dat die haar zou helen; ze had hen ervan beschuldigd dat ze haar tot een keuze hadden gedwongen. Maar nu begon het haar te dagen dat het misschien alleen maar een kwestie was geweest van toegeven aan, dat haar keuze eigenlijk alleen maar berustte op haar onvermogen om haar lusten te beteugelen. De woorden van de dominee achtervolgden haar.

'Het doel van seksualiteit is het krijgen van kinderen, zoals het biologische doel van eten is het lichaam te voeden. Als we zouden eten wanneer we maar trek hebben en zoveel als we maar willen, dan zouden sommigen van ons onvermijdelijk te veel eten. De deugd vereist controle over je lichaam en de deugd brengt licht. Er is geen conflict tussen God en de natuur; tenzij we met "natuur" onze natuurlijke begeertes bedoelen: die moeten we leren beteugelen, als we ons leven niet te gronde willen richten.'

En hij citeerde uit de brief aan de Romeinen: '*Want ik weet dat in mij, dat wil zeggen in mijn vlees, geen goed woont.*'

Haar gedachten draaiden in een kringetje rond en ze raakte er met de dag meer van overtuigd dat hij het bij het rechte eind had gehad. Want het was niet goed, dat voelde ze nu wel aan. Ze hadden een kind ontvangen, praktisch binnen het huwelijk, en dat was helemaal in orde, maar om het dan te blijven doen, dat kon niet door de beugel. Ze was niet van mening veranderd omdat haar ouders er zo over dachten, maar omdat ze zelf tot dat inzicht was gekomen. Ze was zich plotseling vies gaan voelen. Onrein. En aangezien ze wist dat het daarvan kwam, kon het niet goed zijn wat ze deden. Als ze zich er zo naar onder voelde.

Onrein.

Vleselijke lust is vijandschap tegen God.

Het was moeilijk om je schoon genoeg te boenen bij de gootsteen in de keuken, maar er reed twee keer per dag een bus over de grote weg en van de bushalte in de stad was het maar een paar honderd meter naar het badhuis. Ze begon er dagelijks heen te gaan, maar zei er nooit iets over tegen Göran. Ze was altijd terug als hij thuiskwam. Ze aten samen warm en wisselden een paar woorden, maar de gesprekken werden steeds armzaliger en haar gedachten steeds verstikkender. Ze dacht dat alles vast beter zou worden als het kind er eenmaal was en hij met school ophield, zodat ze weer samen waren. Dan konden ze misschien nog een kind nemen. Dan zouden ze samen kunnen zijn zonder dat dat fout was.

Ze had het telefoonnummer van het secretariaat van de Volkshogeschool gekregen en dat kende ze uit haar hoofd. De uitgerekende datum kwam dichterbij en als de bevalling op gang kwam terwijl Göran op school zat, zou ze bellen. Hij had al afgesproken dat hij een auto mocht lenen, dus daar hoefde ze zich geen zorgen over te maken. Zei hij.

Ze stond onder de douche in het badhuis toen het water brak. Totaal onaangekondigd gebeurde er opeens iets en toen ze de douchekraan dichtdraaide, bleef er water langs haar benen stromen. Er stond een oudere vrouw in het hokje tegenover haar en Maj-Britt was met de rug naar haar toe gaan staan, ze vond het ook vervelend als andere vrouwen haar naakt onder de douche zagen staan. Ze griste haar handdoek mee, liep naar buiten en ging op de bank in de kleedkamer zitten. De eerste wee kwam toen ze net haar ondergoed aanhad. Ze slaagde erin de rest van haar kleren aan te krijgen en toen ze helemaal aangekleed was vroeg ze de vrouw uit de doucheruimte of ze wilde kijken waar een telefoon was.

Tijdens de bevalling kwamen ze weer nader tot elkaar. Hij hield haar hand vast en streelde haar voorhoofd en wist van de zenuwen niet wat hij moest doen om haar door de weeën heen te helpen. Alles zou weer goed komen, dat wist ze nu. Ze zou met hem praten over alles waar ze mee zat en wat haar langzaam maar zeker kapotmaakte, ze zou proberen om het hem uit te leggen. Ze deed haar uiterste best om zich te voegen in de pijn die haar lichaam aan stukken reet en verwonderde zich over de wreedheid van

God, die de vrouw zo zwaar strafte voor de zonde die Eva had begaan. De woorden uit de Schrift echoden door haar hoofd: *Zie, in ongerechtigheid ben ik geboren, in zonde heeft mijn moeder mij ontvangen.*

De tijd verstreek. De weeën doorsneden de uren, maar haar lichaam weigerde zich te openen en los te laten wat het had geschapen. Het hield het kind gierig vast, dat daarbinnen vocht om het leven in te mogen gaan, en de vroedvrouw leek steeds ongeruster. Na twintig uur moesten ze het opgeven. Het besluit werd genomen en Maj-Britt werd naar de operatiekamer gereden om met behulp van een keizersnee verlost te worden.

*Zie, in ongerechtigheid ben ik geboren, in zonde heeft mijn moeder mij ontvangen.*

'Majsan.'

Ze hoorde de stem, maar die kwam van zo ver. Ze was ergens anders, niet op de plaats waar de stem vandaan kwam. Een zwakke lichtglinstering drong met regelmatige tussenpozen door de mistflarden in haar gezichtsveld heen en de stem die ze hoorde galmde als in een lange tunnel.

'Majsan, hoor je me?'

Ze slaagde erin haar ogen te openen. De vage contouren van de dingen om haar heen namen vorm aan en haar ogen stelden met tegenzin de scherpte in om die vervolgens weer te verliezen.

'Het is een meisje.'

En toen zag ze het opeens. De narcose verslapte langzaam haar greep en ze zag hem met een kind in zijn armen staan. Göran was er nog, hij had haar niet verlaten. En het kind in zijn armen moest hun kind zijn, dat haar lichaam niet op eigen kracht ter wereld had kunnen brengen. Het kind in zijn armen droeg witte kleren, dat zag ze ook. Het was af en klaar, schoon en gewassen en het had witte kleertjes aan.

'Liefste, het is een meisje.'

Hij legde het kleine wezentje op haar arm en haar ogen probeerden wanhopig de scherptediepte aan te passen aan de nieuwe afstand. Een klein meisje.

De deur ging open en de verpleegster rolde een telefoontoestel naar binnen.

'Jullie willen het goede nieuws vast wel aan iedereen vertellen.'

Göran belde zijn ouders. En Vanja. Maj-Britt kon bijna geen woord uitbrengen, maar aan de andere kant van de lijn schreeuwde Vanja het uit van blijdschap.

Verder belden ze niemand.

Het ging niet helemaal zoals Göran had gezegd. In plaats van een baan te nemen vroeg hij zijn ouders om financiële hulp om ook het tweede schooljaar af te kunnen maken. En de flat waarnaar ze hadden zullen verhuizen moest ook nog even wachten. Maar hij was bij de gemeente wezen praten en het zou geen probleem worden als het zover was. Hadden ze gezegd.

Maj-Britt had nog steeds niet verteld wat haar bezighield, maar nu had ze tenminste afleiding. Ze besloten het meisje Susanna te noemen en haar in de kerk thuis te laten dopen, door dezelfde dominee die hun huwelijk had ingezegend. Ze schreef een brief aan haar ouders waarin ze vertelde dat ze een kleinkind hadden gekregen en op welk tijdstip ze gedoopt zou worden, maar ze kreeg geen antwoord.

Er was iets met het kindje, Maj-Britt voelde het. Het was niet dat ze niet om haar gaf, maar ze voelde dat ze een zekere afstand moest bewaren. Het meisje had zoveel eisen en het was belangrijk dat ze vanaf het begin leerde haar behoeften te beheersen. Opvoeden betekende ook grenzen stellen en geen enkele verantwoordelijke ouder gaf de wil van zijn kind prioriteit boven het gezag van een volwassene. Daarmee bewees je het geen dienst. Ze gaf het kind om de vier uur de borst, zoals haar was gezegd, en als ze tussendoor honger had liet ze haar net zo lang schreeuwen totdat ze moe werd. Ze moest elke avond om zeven uur slapen, hadden ze op het consultatiebureau gezegd, dat was een mooie tijd. Het kon uren duren voordat ze in slaap viel, ten slotte was het net of ze het geschreeuw niet meer hoorde. Maar Göran kon er niet tegen. De avonden dat hij thuiskwam voordat ze in slaap was gevallen, ijsbeerde hij door het huis en zette steeds meer vraagtekens bij haar manier van opvoeden, die inhield dat het meisje alleen lag en zich in slaap moest huilen.

Ze was vier maanden oud toen het werd geconstateerd. Maj-Britt had al aangevoeld dat er iets niet goed was, maar had het vermoeden niet tot inzicht laten rijpen. Ze was met verschillende smoesjes onder de laatste controles op het consultatiebureau uit gekomen, maar ten slotte hadden ze gebeld en gedreigd dat ze op huisbezoek zouden komen als Maj-Britt niet kwam opdagen met het kind. Ze had Göran niets verteld van haar vrees, die had ze voor zichzelf gehouden en hij wist ook niet dat ze niet op controle was geweest. Ze wilde er niet heen, ze wilde daar niet zitten luisteren naar wat ze te vertellen hadden en net doen alsof ze niet al wist hoe het ervoor stond. Of waar het van kwam.

*Zelfbevlekking heet dat.*

Het was wat ze had gedacht. Ze nam het bericht in ontvangst alsof het een routebeschrijving was. Ze stelde alleen wat aanvullende vragen om alles goed op een rijtje te hebben. 's Avonds gaf ze het nieuws op dezelfde manier door aan Göran.

'Ze is blind. Dat hebben ze vandaag op de controle geconstateerd. We moeten over twee weken terugkomen.'

Vanaf die dag begon alles in verval te raken. Het laatste krampachtige restje rebellie verdween voorgoed en er bleven alleen nog schaamte, gewetenswroeging en angst over. De woede en de schuldgevoelens vraten als zuur in haar lichaam, het lichaam dat ze het meest van alles op de wereld haatte, dat haar altijd alleen maar kwaad had willen doen. Hetzelfde lichaam waarvan het duidelijke bewijs van haar zonde nu om de vier uur afhankelijk was. *Een slechte boom draagt slechte vruchten. Door de zonde staat iedere mens met echte schuld voor God en wordt bedreigd door Zijn woede en straffende rechtvaardigheid. De onweerstaanbare, duistere begeerte naar het kwaad wordt van geslacht op geslacht doorgegeven en deze erfzonde is de bron van alle andere zonden in gedachten, woorden en daden.*

Ze was in haar hoogmoed tegen God opgestaan en de straf was vreselijker dan ze ooit had kunnen denken. Hij had haar dood-gezwegen, en nu richtte Hij zich op haar nakomeling. Hij liet de volgende generatie de straf dragen die zíj had moeten dragen.

En toen kwam de brief van haar ouders. Ze hadden de ge-ruchten gehoord. Ze hadden haar niet vergeven, maar de hele Gemeente zou een voorbede houden voor haar kind, dat getrof-fen was door Gods rechtvaardige vergelding.

Er gingen weer een paar maanden voorbij. Göran zei steeds minder, de uren dat hij thuis was. Hij had het niet eens meer over de nieuwe flat waar ze naartoe zouden verhuizen als het zomer werd. Twee kamers en een keuken op de begane grond, achtenzestig vierkante meter met balkon. En een badkamer. Ein-delijk zouden ze een badkamer krijgen, zodat ze zich behoorlijk kon wassen.

Ze was al begonnen met inpakken, aangezien ze iets om handen moest hebben, ze kon steeds moeilijker stilzitten. Ze had net de linnenkast op de overloop boven aan de trap open-gedaan en reikte naar een stapel lakens. Die hadden ze van Görans ouders gekregen, zijn monogram was er keurig in blauw op geborduurd. Ze zag haar dochtertje over de drempel van de slaapkamer kruipen, ze zag dat ze haar hoofd stootte tegen de deurpost en bleef zitten. Er zat geen hekje voor de trap. Maj-Britt liep langs haar heen naar de verhuisdoos die opengeklapt op het bed stond en stopte de lakens erin. Toen ze zich omdraaide stootte ze haar scheenbeen tegen het bed. De pijn was kort en explosief en duurde maar een moment, maar het was net of de fysieke gewaarwording bij haar alle remmen losgooide. Alles werd wit. Eerst kwam de schreeuw. Ze brulde het uit totdat haar keel er zeer van deed, maar toch hielp dat niet. Het meisje schrok van haar geschreeuw en Maj-Britt zag uit een ooghoek dat ze snikkend verder de overloop op ging. Dichter naar de trap toe. Haar razernij kwam echter niet tot bedaren, maar werd alleen maar sterker en ze greep de doos met beide handen vast en smeet die met al haar kracht tegen de muur.

'Ik haat U! Ik haat U, hoort U dat? U weet dat ik bereid was alles op te offeren, maar nog was het niet genoeg!'

Ze balde haar vuisten en schudde ze naar het plafond.

'Hoort U dat? Nou? Kunt U nooit eens antwoorden als iemand wat tegen U zegt?'

Alle opgekropte woede barstte los en spoot er als een vloedgolf uit. Ze voelde het bonzen bij haar slapen, ze rukte de lakens van het opgemaakte bed en smeet die door de kamer. Een schilderij aan de muur werd meegetrokken in de val en er zat geen hekje boven aan de trap op de overloop en nu kon ze haar blinde dochtertje niet meer zien, ze was achter de deurpost verdwenen. Maar er was iets wat ze niet meer kon stoppen, iets binnen in haar was definitief kapotgegaan en nu moest het eruit, anders ontplofte ze.

'U dacht dat U kon winnen, hè? Dat ik zou bidden en smeken om Uw vergeving, nu het allemaal toch te laat is, nu U haar de straf hebt gegeven die ik had moeten hebben. Dat dacht U, hè?'

Er was niets meer om mee te gooien, dus pakte ze de doos op en gooide er nog een keer mee. Ze stond in de slaapkamer met een verhuisdoos te gooien, hoewel er op de overloop geen hekje voor de trap zat.

'Ik red me in het vervolg wel zonder U, hoort U dat!'

Naderhand herinnerde ze zich dat ze net op dat moment de overloop op wilde lopen, omdat er geen hekje voor de trap zat en haar blinde dochtertje daar alleen op de vloer zat, maar zover kwam ze niet.

Ze schreeuwde niet toen ze viel.

Er klonken alleen een paar bonzen en toen werd alles stil.

## 21

Nachten hadden iets speciaals. Wakker zijn als andere mensen sliepen. Wanneer alles in rust was, wanneer de gedachten van alle mensen verzameld waren en gesorteerd in verschillende droomtoestanden en het luchtruim vrij lieten. Het was net alsof het denken dan gemakkelijker ging, alsof ze beter kon doorredeneren als haar gedachten niet opzij hoefden te gaan voor al het spitsverkeer. Tijdens haar studie had ze perioden gehad dat ze dag en nacht verwisselde en als ze de kans kreeg, gaf ze er de voorkeur aan om 's nachts te studeren voor haar tentamens. Als de lucht vrij was.

Nu associeerde ze de nacht met gevaar, om precies dezelfde reden. Hoe minder momenten van afleiding en storing, des te opener het terrein. Want iets in haar bood verzet en zocht contact met haar, en hoe stiller het werd, des te moeilijker werd het om dat niet te horen. Iets in haar veroordeelde haar, ondanks haar dappere pogingen om orde te scheppen en gerechtigheid, en ze moest goed oppassen dat ze niet meegetrokken werd de diepte in. Ze kon alleen maar vermoeden hoe het daar was en dat vermoeden alleen was al genoeg om haar een doodsschrik te bezorgen. Drieëntwintig jaar lang was ze erin geslaagd om afstand te bewaren ten opzichte van het duister dat steeds dichter werd, maar nu werd het zo groot dat het bijna aan de oppervlakte kwam. De enige manier om het beetje afstand dat er nog steeds was te bewaren, was voortdurend in beweging blijven. Geen moment stil blijven staan. Want ze had haast, enorme haast. Ze kon in haar hele lichaam voelen hoeveel haast erbij was. Als ze maar goed haar best deed, viel alles recht te zetten.

Ze had de radio aangezet om de ergste stilte te dempen. De papierwinkel van Pernilla lag verspreid over de grote eiken keukentafel die speciaal gemaakt was om op die plek te staan. Met plaats voor tien mensen. Er zat geen vermoeidheid in haar lichaam, het was bijna halfvier en ze was aan haar derde glas Glen Mhor uit 1979 bezig. Ze had de whisky op een buitenlandse reis gekocht om de exclusieve inhoud van haar barkast te completeren en ze had er indruk mee gemaakt op enkele met zorg gekozen gasten, die ze ook erg graag had willen imponeren. Maar hij deed het ook goed als verdovend middel.

Ze tikte Pernilla's inkomsten in op de rekenmachine en telde het nog een keer op, maar dat hielp niet. De situatie was echt net zo erg als Pernilla had verteld. Daniella zou een wezenpensioen krijgen, maar dat was gebaseerd op de aanvullende pensioenuitkering van Mattias en zou niet bijzonder groot zijn. Ze had op internet gezocht en was erachter hoe ze dat moest uitrekenen. Voor het duikongeluk hadden ze van de hand in de tand geleefd, hier en daar wat gewerkt en genoeg gespaard om daarna weer een of andere reis te maken. Na het ongeluk had Mattias wel veel gewerkt, maar dat waren niet zulke goedbetaalde banen geweest. Pernilla had gelijk gehad. Ze zouden moeten verhuizen. Als ze geen hulp kregen.

Pas toen ze het ochtendblad op de vloer van de hal hoorde neerkomen, stond ze op en ging naar de slaapkamer. Het doosje met slaaptabletten lag op haar nachtkastje en ze drukte een pil uit de metalen strip en nam die in met het restje water in het glas dat er nog stond van de vorige nacht. Ze was helemaal niet moe, maar ze zou weer gaan werken en moest toch een paar uur slapen. Als ze nu een tablet nam en nog een halfuur opbleef, zou ze in slaap vallen zodra ze in bed ging liggen.

Er zou geen gedachte naar buiten kunnen glippen.

Het diner.

Ze volgde het onbekende cantharelrecept tot in de details en het werd erg lekker, ook al had ze graag naast al het groen nog een stukje vlees op haar bord gezien. Pernilla zweeg. Monika vulde haar wijnglas bij zodra dat nodig was, maar nam zelf niet. Ze wilde helder blijven en bovendien moest ze nog rijden. Ze zat te genieten van de gedachte dat ze Pernilla's papieren mee naar huis zou nemen, ze verlangde ernaar zich in het probleem in te lezen.

De papieren waren niet alleen een bron van informatie, ze waren ook een garantie, een korte adempauze waarin ze zich geen zorgen zou hoeven maken. Als ze die in handen had, wist ze zeker dat ze terug mocht komen, in ieder geval nog één keer. Ze lagen op een stapel op de keukenbank en het deed haar goed als ze daarnaar keek.

Ze schraapte het laatste restje van haar bord met behulp van een stukje brood en begon zich op te laden voor wat ze moest zeggen. Dat er verandering zou moeten komen in wat je bijna 'hun vaste gewoonten' mocht noemen. Dat begrip beviel haar, 'hún vaste gewoonten'. Maar die moesten ze nu dus een beetje veranderen. Ze kon haar baan niet op het spel zetten. Daar zouden ze geen van beiden beter van worden. Daarom zat ze zich op te laden voor wat ze moest zeggen.

'Morgen houdt mijn verlof op, dus dan moet ik weer aan het werk.'

Er kwam geen reactie van de andere kant van de tafel.

'Maar ik wil in het vervolg best 's avonds langskomen, als je daar wat aan hebt.'

Pernilla zei niets, knikte slechts, maar leek eigenlijk niet te luisteren. Haar gebrek aan belangstelling was een domper voor Monika. Ze had zich nog niet onmisbaar weten te maken en telkens als ze werd herinnerd aan haar totale gebrek aan controle, rukte het duister verder op.

'Misschien zou ik morgenavond langs kunnen komen om te vertellen over dat fonds en hoe het gesprek met hen is verlopen, ik wil ze morgenvroeg meteen bellen.'

Pernilla zat met haar vork in een cantharel te prikken, die op haar bord was achtergebleven. Ze had niet erg veel gegeten, maar ze had in ieder geval beweerd dat ze het lekker vond.

'Best, als je dat nog wilt, anders bespreken we het over de telefoon.'

Ze hield haar blik op de cantharel gericht en nam een slok wijn. Er viel een tamelijk lange stilte. Monika gluurde naar Sofia Magdalena en zon op een manier om het gesprek op een historisch onderwerp te brengen, waardoor de stemming wat beter zou worden en Pernilla zou beseffen hoeveel ze gemeen hadden, maar Pernilla was haar voor. Ze wilde alleen net dat deel van de geschiedenis ter sprake brengen dat Monika koste wat het kost wilde vermijden. De woorden troffen haar als harde stompen in haar buik.

'Morgen is hij jarig.'

Monika slikte. Ze keek naar Pernilla en zag haar vergissing in. Tot dan toe had ze zijn naam bijna nooit genoemd en Monika was gaan ontspannen, had gedacht dat het zo verder zou gaan, was snel langs zijn blik in de woonkamer geschoten als ze erlangs moest. Maar nu raakte Pernilla onder de invloed van de wijn die ze had gedronken. Die Monika in haar onnozelheid zelf had gekocht en haar had ingeschonken. Het was te merken aan haar lome bewegingen en als ze met haar ogen knipperde duurde het langer dan normaal voordat haar oogleden dichtgingen en weer open. Ze zag dat er tranen over Pernilla's wangen liepen en dat ze anders huilde dan eerdere keren. Toen had Pernilla zich terug-getrokken met haar verdriet, had getracht het voor zichzelf te houden. Nu zat ze daar open en bloot en deed niets om haar wanhoop te verbergen. De alcohol had alle barrières opgeheven en Monika baalde van haar eigen onnozelheid. Ze had beter moeten weten. Nu moest ze boeten voor haar vergissing. Ze zou het hele verhaal moeten aanhoren.

'Hij zou dertig geworden zijn. We zouden voor de gelegenheid uit eten, ik had al maanden geleden oppas geregeld, het moest een verrassing worden.'

Monika balde haar vuist en liet de nagels in haar handpalm dringen. Het gaf enige verlichting als je een plek kon aanwijzen waar het pijn deed.

Pernilla pakte haar vork weer op en liet hem terugkeren naar de cantharel.

'De begrafenisondernemer belde vanmorgen, ze hebben hem gisteren gecremeerd. Ja, wat ze nog van hem bij elkaar hadden kunnen schrapen, ook al zeiden ze het niet zo. Dus nu is hij niet alleen maar dood, hij is ook vernietigd, alleen wat as in een urn die voor me klaarstaat bij de begrafenisonderneming.'

Monika vroeg zich af hoe heet de oven moest zijn voor de bosbessentaart die ze als toetje had gekocht. Ze was vergeten het na te kijken en ze had de verpakking al weggegooid. Tweehonderd graden zou wel goed zijn. Als ze er wat folie op legde, zodat hij niet verbrandde.

'Ik heb een witte gekozen. Ze hadden een hele catalogus met kisten en urnen in allerlei kleuren, vormen en prijsklassen, maar ik heb de goedkoopste genomen, want ik weet dat hij het waanzin gevonden had om geld weg te smijten aan een dure urn.'

En de vanillesaus moest ze ook nog kloppen, dat was ze vergeten. Ze vroeg zich af of er een mixer was, want die had ze niet gezien toen ze aan het koken was, maar die lag misschien in een la waar ze niet in had gekeken.

'Ik wil geen begrafenis. Ik weet dat hij niet begraven zou willen worden, hij wilde boven zee uitgestrooid worden, hij hield van de zee. Ik weet hoe hij het duiken miste en dat hij diep in zijn hart graag weer wilde beginnen, het was alleen ter wille van mij dat hij het niet deed.'

Sofia Magdalena was pas vijf toen ze zich met Gustav III verloofde. In de boeken stond dat ze een droevig leven had gehad, dat ze verlegen was en teruggetrokken en streng was opgevoed. Ze was op haar negentiende naar Zweden gekomen en had zich moeilijk aan het Zweedse hofleven kunnen aanpassen.

'Waarom heeft hij niet nog eens kunnen duiken. Nog één keer!'

Wat praatte ze hard, ze maakte Daniella nog wakker als ze niet gauw wat zachter ging praten.

'Waarom mocht hij dat niet? Hè? Eén keer maar!'

Monika schrok ervan toen Pernilla plotseling opstond en naar de slaapkamer ging. Het was duidelijk dat de wijn haar in de benen was gezakt. Monika zocht de kamer af naar de mixer die ze nodig had, maar ze kon er geen vinden. Toen dook Pernilla weer op en nu hield ze Mattias' gebreide trui in haar handen, dicht tegen zich aan als in een omarming. Ze liet zich op haar stoel neerzakken, haar gezicht was vertrokken van pijn en ze schreeuwde nu meer dan ze sprak.

'Ik wil hem hier hebben! Bij mij! Waarom kan hij niet hier bij mij zijn?'

Voortdurende beweging. Door voortdurend in beweging te blijven kon ze eraan blijven ontsnappen. Pas als je stil bleef staan deed alles pijn.

Dokter Monika Lundvall stond op. De weduwe van Mattias Andersson zat aan de andere kant van de tafel zo hard te huilen dat ze ervan trilde. De arme vrouw sloeg haar armen om zichzelf heen en wiegde heen en weer. Dokter Lundvall had dit zo vaak meegemaakt. Dierbaren die overleden en ontroostbare, wanhopige nabestaanden. En nooit kon je troosten. Mensen die zoveel verdriet hadden, waren een hoofdstuk op zich. Je kon jaren hebben gestudeerd en vlak naast hen staan, maar je toch in een ander werelddeel bevinden. Je kon niets zeggen om hen op te beuren, niets doen waardoor ze zich beter voelden. Het enige wat je kon doen was er zijn en naar hun ondraaglijke droefenis luisteren. Het doorstaan, ook al straalden ze totale ontroostbaarheid uit, het idee dat alles zinloos was, dat het leven zo onbarmhartig was dat het niet eens zin had om het te proberen. Je kon het net zo goed meteen opgeven. Wat had het voor nut als alles toch over een uur afgelopen kon zijn? Waarom zou je je nog inspannen als alles toch streefde naar hetzelfde onverbiddelijke einde? Als er geen ontkomen aan was. Mensen met verdriet brachten je altijd die ene grote vraag in herinnering: waarom? Waarom zou je überhaupt?

'Kom, Pernilla, dan breng ik je naar bed. Kom maar.'

Dokter Lundvall liep om de tafel heen en legde een hand op haar schouder.

De vrouw bleef heen en weer wiegen.

'Kom maar.'

Dokter Lundvall pakte haar bij de schouders en hielp haar van haar stoel. Met haar arm om haar schouders leidde ze haar naar de slaapkamer. Als een kind liet ze zich leiden, ze deed wat haar werd gezegd en ging gehoorzaam in bed liggen. Dokter Lundvall trok de sprei van de lege kant van het tweepersoonsbed en stopte haar daarmee in. Toen ging ze op de rand van het bed zitten en streek over haar voorhoofd. Zachte, kalme gebaren, die de ademhaling rustiger maakten. Ze bleef zitten. De rode cijfers van de wekker-radio werden vervangen en kwamen in andere combinaties terug. Pernilla was diep in slaap en dokter Lundvall keerde terug naar haar verlof.

Nu was alleen Monika er nog.

'Het spijt me.'

Het kwam allemaal weer bij haar boven.

'Het spijt me zo dat ik niet moediger was.'

Ze streek een haarlok van haar voorhoofd.

'Ik zou er alles voor doen om hem weer levend te maken.'

Aan Pernilla's hortende ademhaling was nog te horen dat ze had gehuild. En Monika voelde dat ze het wilde zeggen. Ook al hoorde Pernilla het niet. Het opbiechten.

'Het was mijn schuld, ik heb hem in de steek gelaten. Ik heb hem erin laten zitten, terwijl ik hem had kunnen redden. Vergeef me, Pernilla, dat ik niet moediger was. Ik zou er alles voor willen doen, alles, als ik Lasse maar weer bij jou terug kon brengen.'

# 22

'Waarom heb je niets gezegd?'

Er waren vier dagen verstreken sinds de badkameraffaire en er was niemand van de thuiszorg komen opdagen. Nu stond Ellinor plotseling in de hal en ze gooide de vraag eruit nog voordat ze de buitendeur goed en wel had dichtgetrokken. De woorden galmden door het trappenhuis. Maj-Britt stond bij het raam van de woonkamer en was zo verbaasd over haar reactie dat ze niet eens registreerde dat haar zojuist een vraag was gesteld.

Wat had ze die stem verafschuwd. Die had haar gepijnigd als een geraffineerd martelwerktuig met zijn nimmer aflatende woordenvloed, maar nu kwam er een gevoel van dankbaarheid in haar boven. Ze was terug. Ondanks wat er de vorige keer was gebeurd.

Ellinor was er weer.

Maj-Britt bleef voor het woonkamerraam staan. Wat ze voelde was zo ongewoon dat ze helemaal de kluts kwijt was, ze wist niet meer hoe je je in dergelijke situaties moest gedragen, als je iets ondervond wat je gemakkelijk voor een milde vorm van blijdschap zou kunnen aanzien.

Ze kreeg niet heel veel tijd om na te denken, want Ellinor kwam de kamer in stormen en het was overduidelijk dat ze geen vreugdesprong verwachtte als begroeting. Want ze was boos. Heel boos. Ze keek met priemende ogen naar Maj-Britt en nam zelfs geen notitie van Saba, die uitsloverig bij haar voeten stond te kwispelen.

'Je hebt pijn in je rug, hè, waar je je hand altijd zet? Geef het toe!'

De vraag kwam zo onverwacht dat Maj-Britt haar dankbaarheid alweer vergeten was en zich meteen terugtrok in haar gebruikelijke verdedigende positie. Ze zag dat Ellinor een opgevouwen vel papier in haar hand hield. Een gelinieerd A4'tje uit een collegeblok.

'Hoezo?'

'Waarom heb je niets gezegd?'

'Weet je wel dat je vier dagen niet bent geweest? Ik had wel kunnen verhongeren.'

'Ja, of je had boodschappen kunnen gaan doen.'

Haar stem was even boos als haar blik, en Maj-Britt besefte dat er iets was gebeurd in de vier dagen dat Ellinor weg was gebleven. Maj-Britt vermoedde dat het iets te maken had met het velletje papier dat ze in haar hand hield. Dat haar herinnerde aan andere velletjes die onlangs haar appartement waren binnengedrongen en waarvan ze spijt had dat ze ze ooit had gelezen. Ellinor moest haar blik hebben gezien, want nu vouwde ze het vel open en hield het haar voor.

'Daarom dacht je dat ik Vanja Tyrén kende, hè? Omdat ze schreef dat je ergens pijn had, je dacht dat ik haar dat had verteld, hè?'

Maj-Britt voelde de ongerustheid de kop opsteken. Sinds het verleden was teruggekeerd leek ze wel verdoofd, het was eigenaardig genoeg net of er ruimte zat tussen al haar gevoelens en datgene wat ze zich plotseling weer had herinnerd. Ze had wel verwacht dat dat maar tijdelijk zou zijn en nu ze naar het vel papier keek dat naar haar werd uitgestoken, bleef er van die tussenruimte maar een heel dun vliesje over. Niets ter wereld kon haar ertoe brengen het aan te pakken. Niets.

'Aangezien je zelf geen antwoord wilde geven, heb ik haar geschreven en gevraagd wat er eigenlijk aan de hand was, wat jou het idee gaf dat zij en ik elkaar kenden. Vandaag heb ik antwoord van haar gekregen.'

Maj-Britt wilde het niet weten. Echt, echt, echt niet. Ze was ontmaskerd. Nu Ellinor een brief had geschreven wist Vanja helemaal dat Maj-Britt had gelogen en was het haar wel duidelijk wat voor een mislukte zielenpoot ze was geworden. Maar Ellinor was natuurlijk niet van plan het haar te besparen. Ook ditmaal niet. De woorden kwamen als zweepslagen toen ze begon voor te lezen.

'Beste Ellinor. Bedankt voor je brief. Fijn dat er daarbuiten

188

mensen zijn zoals jij, die zich werkelijk inzetten voor hun medemens. Dat geeft hoop voor de toekomst. De meeste mensen die
worden opgesloten in de badkamer van hun Gebruikers, en dan
tussen haakjes, rare term, die had ik nog nooit eerder gehoord. Wij
hebben niet zoveel thuiszorg hierbinnen, puntje, puntje, puntje,
haakje sluiten, zouden het waarschijnlijk achter zich laten als een
nare herinnering en er nooit meer heen gaan. Ik ben blij voor
Majsan dat ze jou heeft. Probeer haar te vergeven. Ik denk dat ze
het niet zo kwaad bedoelde als het leek en eigenlijk is het mijn
schuld. Ik heb iets geschreven in een brief waardoor ze waarschijnlijk bang is geworden, en dat was eerlijk gezegd ook de bedoeling,
omdat ik denk dat er haast bij is. Ik schreef dat Majsan naar een
dokter moet als ze ergens pijn heeft. Ik had gehoopt dat ze al iets
had ondernomen op het moment dat ze mijn brief kreeg, maar
kennelijk heeft ze gemeend dat niet te moeten doen en het is natuurlijk haar beslissing, die kan niemand anders voor haar nemen.'

Ellinor keek kwaad naar Maj-Britt, die haar de rug toekeerde
en uit het raam keek. Ellinor las verder.

'Je zult je wel afvragen hoe ik dat nou kon weten en ik neem
aan dat je nu al hebt besloten me nog een brief te schrijven om me
dat te vragen. Om je tijd te besparen antwoord ik je daarom nu
alvast. De enige aan wie ik bereid ben dat te vertellen is Majsan en
ik ben niet van plan het per brief of telefonisch te doen. Succes,
Ellinor. Mijn allerhartelijkste groeten. Vanja Tyrén.'

Eindelijk was het stil. Maj-Britt voelde die akelige brok in haar
keel. Ze probeerde te slikken, maar hij bleef zitten, werd zelfs
groter en ze kreeg er tranen van in haar ogen. Het kwam goed uit
dat ze met haar rug naar Ellinor toe stond, want die mocht het
niet zien. Haar zwakheid zou tegen haar gebruikt worden, dat
wist ze, zo was het altijd. Als je even niet op je hoede was, kon de
pijn je het hardst treffen.

'Alsjeblieft, Maj-Britt. Mag ik voor je bellen en een afspraak bij
de dokter maken?'

'Nee!'

'Dan ga ik met je mee, dat beloof ik.'

Ellinor klonk nu anders. Niet meer zo boos, eerder bezorgd.

Met haar boosheid kon Maj-Britt beter uit de voeten, dan had ze het volste recht om zich te verdedigen.

'Waarom zou ik luisteren naar iemand die een levenslange gevangenisstraf uitzit en die zich iets in het hoofd heeft gehaald?'

'Omdat het klopt wat ze zich in het hoofd heeft gehaald. Of niet? Je hebt echt pijn in je rug. Geef het maar toe.'

De toon van haar brief was niet eens boos geweest. Ook al had Maj-Britt haar voorgelogen. Vanja leefde nog steeds met haar mee, ondanks haar boosaardige antwoorden. Ze voelde dat ze een kleur kreeg. De kleur van de schaamte zocht zich een weg over haar wangen toen ze dacht aan wat ze Vanja had geschreven.

Vanja.

Misschien wel de enige die zich ooit echt om haar had bekommerd.

'Kun je niet op zijn minst uitzoeken wat ze weet?'

Maj-Britt slikte in een poging haar stem onder controle te krijgen.

'Hoe dan? Ze wil het immers niet in een brief of over de telefoon vertellen. En ze kan hier niet komen.'

'Nee, maar jij kunt wel naar haar toe.'

Maj-Britt snoof. Dat kon natuurlijk nooit, dat wist Ellinor net zo goed als zij, en toch moest ze dat zo nodig voorstellen. Nooit een kans laten lopen om Maj-Britts minderwaardigheid te benadrukken. Ze hield zich vast aan de vensterbank. Ze was zo moe. Doodmoe werd ze ervan dat ze zich ertoe moest zetten om rustig door te ademen. Ze had de laatste tijd continu pijn; ze was er bijna aan gewend geraakt en had het als een natuurlijke toestand geaccepteerd. Soms ervoer ze de pijn als bijna draaglijk, aangezien hij de gedachten afleidde van wat nog pijnlijker was. Slechts af en toe werd hij zo hevig dat het bijna niet uit te houden was.

Maj-Britts knieën hielden het niet meer en ze draaide zich om. De brok in haar keel was hanteerbaar geworden en dreigde niet langer haar te ontmaskeren. Ze liep naar de leunstoel en probeerde een grimas van pijn te onderdrukken toen ze zich erin liet neerzakken.

'Hoe lang heb je al pijn?'

Ellinor ging op de bank zitten. Op weg erheen legde ze Vanja's brief op tafel neer. Maj-Britt keek ernaar en voelde dat ze die wilde lezen, dat ze de woorden die Vanja had geschreven met eigen ogen wilde zien. Hoe kon ze het weten? Vanja was geen vijand, dat was ze nooit geweest. Ze had alleen gedaan wat Maj-Britt haar had gevraagd en was gestopt met brieven schrijven. Niet uit boosheid, maar uit consideratie.

Maar hoe wist ze het?

'Hoe lang heb je al pijn?'

Ze kon niet meer liegen. Ze kon geen enkele schijn meer ophouden. Omdat er eigenlijk niets te verdedigen was.

'Ik weet het niet.'

'Hoe lang ongeveer?'

'Het begon sluipend. In het begin deed het niet aldoor pijn, alleen soms.'

'Maar nu voel je het de hele tijd?'

Maj-Britt deed een laatste, moedige poging om zich te verdedigen door niet te antwoorden. Verder kon ze niets doen. Dat het alleen uitstel van executie was, wist ze al.

'Is dat zo, Maj-Britt? Heb je continu pijn?'

Vijf seconden had het uitstel geduurd. Maj-Britt knikte.

Ellinor zuchtte diep.

'Ik wil je toch alleen maar helpen, snap je dat niet?'

'Ja, daar word je immers voor betaald.'

Dat was gemeen en dat wist ze, maar soms kwamen de woorden er gewoon als vanouds uit. Ze waren zo thuis in haar appartement, dat ze naar buiten kwamen voordat erover nagedacht was. Eigenlijk wist ze best dat Ellinor veel meer voor haar had gedaan dan waarvoor ze werd betaald. Heel veel meer. Alleen kon Maj-Britt met geen mogelijkheid begrijpen waarom. En natuurlijk reageerde Ellinor op haar opmerking.

'Waarom moet je altijd alles zo moeilijk maken? Ik begrijp best dat je een rotleven hebt, maar moet de hele wereld daar de dupe van worden? Kun je niet een beetje onderscheid proberen te maken tussen de mensen die je moet haten en degenen die dat niet verdiend hebben?'

Maj-Britt wendde haar blik naar het raam. Haten. Ze proefde het woord. Wie verdienden haar haat eigenlijk? Wie waren de schuld van alles?

Haar ouders?

De Gemeente?

Göran?

Hij had wel doorgehad wat er was gebeurd. Hij had haar niet ronduit beschuldigd, maar ze wist nog hoe hij had gekeken. Het sterfgeval werd afgedaan als een ongeluk, maar Görans verachting was spoedig uitgegroeid tot openlijke haat. Toen het tijd werd om te verhuizen naar het appartement waar ze zo lang op hadden gewacht, moest ze dat alleen doen. En daar zat ze dan. Ze had haar nieuwe adres aan niemand doorgegeven, niet eens aan Vanja. Waar Göran naartoe was gegaan toen de papieren getekend waren en de scheiding rond was, wist ze niet en na een jaar of wat had het haar ook niet meer kunnen schelen.

Ellinor klonk vooral moedeloos toen ze verderging, haar stem had zijn gloed verloren en ze begon met een diepe zucht.

'Maar het is natuurlijk net wat Vanja ook schrijft. Het is jouw keus.'

Maj-Britt schrok van de woorden.

'Wat bedoel je daarmee?'

'Het is jouw leven, jij beslist. Ik kan je niet dwingen naar de dokter te gaan.'

Maj-Britt zweeg. Ze had niet verder willen doordenken. Dat het misschien levensbedreigend was. Dat de pijn in haar lichaam misschien het begin van het einde betekende. Het einde van iets wat zo totaal zinloos was geweest, maar toch zo vanzelfsprekend.

'Wil je niet naar de dokter omdat je dan de deur uit moet?'

Maj-Britt dacht na. Ja. Dat was beslist een van de redenen. Het idee dat ze naar buiten zou moeten was verschrikkelijk. Maar dat was maar één reden en de andere woog zwaarder.

Ze zouden haar moeten aanraken. Ze zou haar kleren uit moeten trekken en ze zou hun moeten toestaan haar afstotende lichaam aan te raken.

Plotseling veerde Ellinor op en ze keek of ze net een idee had gekregen.

'Maar als er nu een dokter bij jou komt?'

Maj-Britt kreeg hartkloppingen bij het voorstel. Ze werd in het nauw gedreven door Ellinors hardnekkige pogingen om het probleem op te lossen. Het zou zoveel gemakkelijker zijn om gewoon in te zien dat het onmogelijk was, dan was ze van alle verantwoordelijkheid af en hoefde ze niet eens over een beslissing na te denken.

'Wat voor dokter dan?'

Ellinors enthousiasme was weer terug nu ze kennelijk dacht dat ze de oplossing had gevonden.

'Mijn moeder heeft een kennis die arts is. Die kan ik bellen. Ze wil vast wel komen als ik het haar vraag.'

Haar. Dat ging dan misschien nog. Misschien.

'Zal ik haar bellen om het te vragen? Is dat goed?'

Maj-Britt gaf geen antwoord en Ellinor bleef maar aandringen.

'Dan bel ik haar, oké? Ik bel gewoon en dan hoor ik wel wat ze zegt.'

En zo was er kennelijk een besluit genomen. Maj-Britt had er niet mee ingestemd en zich er ook niet tegen verzet. Ze had nog steeds de mogelijkheid om Ellinor overal de schuld van te geven als het misliep.

Het maakte het leven een stuk gemakkelijker.

Als je altijd iemand de schuld kon geven.

## 23

Ze werd om halfacht wakker van de wekkerradio en voelde zich helemaal niet moe. Haar hele systeem was al actief voordat ze haar ogen opende. Ze was in slaap gevallen zodra ze haar hoofd op het kussen had gelegd en daarna had ze drie uur lang droomloos geslapen. Meer had ze niet nodig. De slaaptabletten hadden haar niet in de steek gelaten, ze barricadeerden alle ingangen effectief en versperden hem de toegang. Dan hoefde ze de snijdende leegte in haar hart niet te voelen als ze wakker werd en hij weer weg was.

Ze liet de radio aanstaan terwijl ze zich klaarmaakte en ontbeet. In het voorbijgaan werd ze geïnformeerd over alle moorden, verkrachtingen en executies die het afgelopen etmaal in de wereld hadden plaatsgevonden en terwijl ze haar koffiekopje in de vaatwasser stopte, werd die informatie opgeslagen in een afgelegen hersenwinding. Pernilla's papieren zaten al in haar tas. Ze had haar besluit genomen en ze belde naar de kliniek om te zeggen dat ze pas na de middag zou komen.

Ze was veel te vroeg. Het bleek dat de bank pas over een halfuur open zou gaan. Nu had ze tot haar ergernis plotseling een halfuur over en gewoon stil staan wachten voor de deur was geen denkbaar alternatief. Ze moest iets doen in de tussentijd. In het vervolg zou ze beter nadenken. Ze zou dit soort onwelkome verrassingen, die haar planning in de war stuurden, zien te voorkomen. Ze liep de straat door en keek in de etalages zonder iets te zien wat haar interesseerde, kwam langs de kiosk, RITUELE MOORD OP 7-JARIG jongetje en 93-JARIGE VERKRACHT door inbreker, ze zag dat de gordijnstoffen in de uitverkoop waren bij Hemtex, maar merkte de auto niet op die geërgerd toeterde toen ze vlak voor de motorkap de straat overstak.

Ze was de eerste klant in de bank die ochtend, en ze knikte naar een vrouw achter in het vertrek die ze herkende. De vrouw beantwoordde haar groet en Monika haalde een nummertje voor 'overige zaken'. Ze had haar vinger nog maar net van het knopje gehaald, toen een geluidssignaal aangaf dat ze aan de beurt was. Ze liep naar het aangegeven loket. De man aan de andere kant droeg een stropdas en een donker pak en kon niet veel ouder zijn dan twintig.

Ze legde haar rijbewijs op de balie.

'Ik wil weten hoeveel geld ik op mijn rekeningen heb staan.'

De man pakte haar rijbewijs erbij en begon iets in te tikken op zijn computer.

'Even kijken. Alleen de spaarrekeningen, of ook de lopende rekening?'

'De spaarrekening en mijn fondsen.'

Geld had haar eigenlijk nooit geïnteresseerd. Niet sinds ze zoveel was gaan verdienen dat ze zich er nooit druk over hoefde te maken. Ze had een goed inkomen, ze werkte veel, en ze had geen grote uitgaven. Vier jaar geleden had ze de dure flat gekocht in een van de pas gerenoveerde historische panden van de stad en haar moeder had duidelijk blijk gegeven van haar verbijstering. Monika had nooit verteld wat het had gekost, dat had haar moeder uit de krant gehaald, uit een reportage waarin de verslaggever ontsteld was geweest over de idiote huizenprijzen. Haar moeder had het appartement op haar gemak geïnspecteerd en had meer gebreken gevonden dan een professionele inspecteur.

'Eens even zien. Op uw spaarrekening staat tweehonderdzevenentachtigduizend en dan hebt u nog een gemengd fonds dat nu achtennegentigduizend kronen waard is.'

Monika noteerde de bedragen. Beleggen was nooit haar hobby geweest, maar bij een gelegenheid had ze het advies van de bank opgevolgd en wat geld geïnvesteerd in verschillende fondsen. Maar eigenlijk vond ze het maar niets. Van een bankrekening wist je wat de rente was en je kon niet worden overvallen door onprettige verrassingen. Het rendement op een fonds was onzekerder en ze hield niet van risico's.

'Goed. En het Azië-fonds?'

Hij tikte weer een paar getallen in.

'Achtenzestigduizend vijfhonderd.'

Monika wipte van de ene voet op de andere.

'Ik wil alles verkopen en het geld van mijn spaarrekening opnemen.'

Hij keek haar snel even aan voordat zijn hand terugkeerde naar de computer.

'Wilt u een postwissel of wilt u het geld laten overmaken naar een rekening?'

Ze dacht na. Opnieuw verbaasde ze zich over haar gebrekkige planning. Het was niets voor haar om details over het hoofd te zien. In het vervolg moest ze echt beter nadenken.

'Als u het geld op mijn lopende rekening zet, kan ik het dan daarna telefonisch overboeken naar de rekening van iemand anders? Ik bedoel, ook als het om zo'n groot bedrag gaat?'

Hij keek plotseling onzeker. Hij antwoordde aarzelend.

'Ja, technisch gesproken kunt u het overboeken, maar het ligt eraan wat u met het geld gaat doen, of het mag van de belasting, bedoel ik. Als u iets gaat kopen, kunt u beter een postwissel nemen.'

'Ik ga niets kopen.'

Hij aarzelde weer. Keek om zich heen alsof hij wilde dat een collega hem zou komen helpen.

'Het wordt nogal een groot bedrag om over te boeken, dus…'

Hij tikte weer iets in.

'Vierhonderddrieënvijftigduizend    vijfhonderddrieëntwintig kronen. Ik wil u er alleen op attenderen dat zo'n grote transactie de belastingdienst zou kunnen interesseren.'

Monika voelde plotseling dat de vage ergernis die ze had gevoeld steeds sterker werd en dat ze daar straks nog uiting aan zou geven tegenover de man aan de andere kant van de balie. Het was niets voor haar om zich niets aan te trekken van wat iemand anders van haar vond. Dat dit bemoeizieke mannetje haar op dit moment misschien wel lastig vond met haar wensen. Maar ze moest wel oppassen. Ze was nog niet klaar, er moest nog meer gebeuren en dat zou moeilijker worden als ze zijn sympathie verspeelde.

'Dan neem ik wel een postwissel.'

Hij knikte en wilde net een laatje uittrekken toen ze verderging.

'En dan zou ik graag een lening willen afsluiten.'

Ze begon in haar tas te graven en haalde het taxatierapport van haar appartement te voorschijn. Het was dan wel negen maanden oud, maar iedereen in de stad kende het gebouw. Iedereen wist hoe aantrekkelijk de appartementen waren. Voor wie het kon betalen.

Hij duwde het laatje langzaam weer dicht, keek haar ditmaal wat langer aan en begon toen het document te lezen. Ze bleef naar hem kijken terwijl zijn ogen over de regels gingen. Ze had al een hypotheek, ook al had ze een groot deel contant kunnen betalen. Iemand had tegen haar gezegd dat het om belastingtechnische redenen beter was om een lening te houden dan die af te betalen met het geld dat ze op de bank had staan.

Toen hij klaar was met lezen keek hij haar weer aan.

'Welk bedrag had u in gedachten?'

'Hoeveel mag ik lenen?'

Hij bleef roerloos staan. Alleen zijn hand ging naar zijn keel en hij trok aan de perfect gestrikte das. Toen trok hij het laatje weer open en haalde er een formulier uit.

'Als u dit even invult, ga ik wat rekenen.'

Ze las het papier door dat op de balie lag. Inkomen, dienstjaren, burgerlijke staat, aantal kinderen voor wie zij de zorg had.

Ze pakte een pen en begon de gegevens in te vullen.

Haar blik bleef haken aan de hand die de pen vasthield, want plotseling herkende ze die niet. Ze herkende de ring die ze voor zichzelf had gekocht en zag dat de vingers de bewegingen uitvoerden die zij ze opdroeg, maar de hand voelde afgescheiden aan, alsof die eigenlijk bij het lichaam van iemand anders hoorde.

'U kunt een tweede hypotheek nemen van nog eens driehonderdduizend.'

Hij had het ingevulde formulier doorgenomen en had nage-

keken wat hij verder nog moest weten en nu had hij een lenings-
voorstel voor haar op de balie gelegd. Ze had hem met een van
zijn collega's zien praten. Het was haar opgevallen dat ze tijdens
dat gesprek een paar keer haar kant op hadden gekeken, maar dat
maakte haar niet uit. Het was merkwaardig hoe weinig haar dat
kon schelen. Maar driehonderdduizend was te weinig. Ze had
meer nodig en schoof zijn voorstel terug over de balie.

'En hoeveel kan ik daarnaast nog lenen?'

Ze zag hem aarzelen. Zag wat voor kwelling dit voor hem was
en was zich er volkomen van bewust dat zij daar de oorzaak van
was, maar dat interesseerde haar geen fluit. Ze had een taak uit te
voeren en daar had hij niets mee te maken. Hij loste zijn eigen
problemen maar op.

Wat had ze trouwens aan haar geld als ze niet eens recht had op
haar eigen leven?

'Het is voor ons prettig als wij weten waar u het geld voor gaat
gebruiken. Ik bedoel of u bijvoorbeeld een huis wilt kopen of een
auto, dan geven wij gemakkelijker een lening.'

'Maar dat wil ik niet. Ik ben dik tevreden met mijn bmw.'

Weer die hand. Die zag er zo anders uit. En de woorden die ze
zichzelf hoorde zeggen waren ook vreemd.

'Ik zie hier dat u een goed inkomen hebt... arts... en uw
kredietwaardigheid ziet er onmiskenbaar goed uit. En de zorg
voor maar één kind.'

Hij weifelde even.

'Even geduld, dan overleg ik met mijn collega.'

Hij liep naar achteren. Ze keek naar het papier dat ze had
ingevuld.

Ze was tenminste eerlijk geweest en had haar zorgplicht ten
opzichte van Daniella erkend.

De zorg voor máár één kind.

Wat een idioot.


Hij overlegde met de vrouw die ze had gegroet bij het binnen-
komen. Dat was mooi. Zij was vermoedelijk op de hoogte van
Monika's onberispelijke verleden. Nergens een betalingsachter-

stand, in alle jaren had ze nog nooit een rekening te laat betaald. Ze was altijd een oppassende burger geweest, daar zou in ieder geval niemand iets over te klagen hebben. Eigenlijk kon je haar haar tekortkoming niet eens meer aanrekenen, het tekort dat in haar zat maar niet te zien was, want nu had ze definitief besloten om dat te compenseren. Alles op te offeren wat ze ooit had gewild en zich onderdanig op te stellen. Wat kon er nog meer van haar verwacht worden? Om haar het recht terug te geven er te zijn.

Ze merkte pas dat hij er weer was toen ze hoorde dat hij iets tegen haar zei.

'We kunnen een lening verstrekken van tweehonderdduizend, uitgaande van het bedrag dat u doorgaans spaart.'

Ze pakte de pen en rekende het snel uit. Negenhonderddrieënvijftigduizend vijfhonderd. Het was eigenlijk te weinig, maar kennelijk alles wat ze er op dit moment uit kon halen. Het moest maar genoeg zijn. Pernilla zou tenminste haar lening af kunnen betalen. En zelf zou ze bij haar kunnen blijven om waar mogelijk hulp te bieden.

'Oké. Op dezelfde postwissel, graag.'

'Op welke naam?'

Ze dacht even na. De belastingdienst zou geïnteresseerd kunnen raken.

'Zet maar op mijn naam.'


Ze voelde zich met elke meter die ze dichterbij kwam onprettiger. Bij iedere kruising leek het gaspedaal zwaarder in te trappen. Ze moest zichzelf dwingen om door de hekken van het ziekenhuisterrein te rijden en verder naar de parkeerplaats. Iemand had de brutaliteit gehad om op haar parkeerplaats te gaan staan en ze krabbelde snel het kenteken op een parkeerbonnetje. Ze zou eens even uitzoeken wie de eigenaar was en hem persoonlijk opbellen en uitschelden. Of haar. Daar zou ze van opknappen, realiseerde ze zich. Om zich op iemand af te reageren. Iemand die iets fout had gedaan. Om tegen iemand te zeggen wat voor stomme sukkel hij of zij was en zich met alle gelijk van de wereld boven iemand te verheffen.

Ze zette haar auto in het vak ernaast en liep met haastige stappen naar de ingang. De rode façade torende voor haar op. Dit was haar toevluchtsoord geweest en de zin van haar bestaan, maar nu deed het haar opeens niets meer. Alles wat met dit gebouw te maken had stond datgene in de weg waarmee ze zich eigenlijk bezig moest houden. Naar Pernilla gaan om te kijken hoe het vandaag met haar was. Of ze misselijk was van alle wijn die ze had gedronken. Kijken of ze iets kon doen. Het gevoel van onbehagen werd sterker met iedere stap die ze in de richting van de ingang zette, en ze was al zo ver gekomen dat ze haar hand op de kruk van de voordeur kon leggen toen ze besefte dat het onmogelijk was. De overbekende vorm. De hand die zich meteen thuis voelde en probeerde signalen door te sturen naar de Monika die daar altijd kwam, maar die niet meer te bereiken was.

*Jij hebt naar eer en geweten verklaard dat je er bij de beoefening van de geneeskunde naar zult streven je medemensen te dienen, met humaniteit en respect voor het leven als richtsnoer. Je stelt je ten doel om de gezondheid te onderhouden en te bevorderen, om ziekte te voorkomen en om zieken te genezen en hun pijn te verzachten.*

Slechts twee mensen hadden het recht dat van haar te vragen. Alleen de twee aan wie ze iets schuldig was. Alleen zij.

Plotseling werd ze misselijk. Ze deed een paar stappen achteruit, draaide zich om en rende terug naar de auto. Achter gesloten deuren liet ze haar blik over de gevel glijden om te controleren of niemand haar vanuit een raam had gezien. Zonder goed uit te kijken reed ze achteruit van de parkeerplaats, ze botste bijna tegen een parkeerautomaat aan en reed met veel te hoge snelheid het hek uit. Toen ze uit het zicht gekomen was, ging ze aan de kant staan. Ze pakte haar mobieltje en begon de letters in te toetsen.

*Neem nog een week vrij. Groeten Monika L.*

Bericht verzonden.

Het duurde maar een minuut voordat de telefoon ging. Ze herkende het nummer van de geneesheer-directeur op de display, maar stopte het mobieltje weer in haar tas. Een minuut later klonk het gepiep dat aangaf dat hij een boodschap had achtergelaten.

Pernilla en Daniella waren op de speelplaats toen ze voor hun flat parkeerde. Ze zag hen al vanuit de auto en bleef naar hen zitten kijken. Het was een prettig gevoel om daar stiekem te zitten en hen toch in het oog te kunnen houden. Om voor één keer de baas te zijn, ook al was Pernilla in de buurt. Zich niet aan haar humeur te hoeven aanpassen en niet elk woord op een gouden schaaltje te hoeven wegen uit angst te worden afgewezen. Ze bleef een hele poos zitten. Ze volgde het schommelen van Daniella, vooruit, achteruit, vooruit, achteruit. Pernilla duwde de schommel, maar intussen ging haar blik in een andere richting, haar ogen staarden in het niets.

Het diner van de vorige dag. Alle ondraaglijke dingen die Pernilla had gezegd. Als ze elkaar ergens anders ontmoetten zou het vast gemakkelijker worden. Ergens waar de aanwezigheid van Mattias niet zo duidelijk was. Waar Pernilla en Monika met rust gelaten werden met hun tastende vriendschap. En toen nam ze haar besluit. Het was beter als ze elkaar bij haar thuis ontmoetten. Daar kwam Mattias er niet in.

Ze startte de auto en reed terug naar het centrum.

Ze reed langs Olssons antiquariaat. Ze had ze 's ochtends gezien, zonder er bewust aandacht aan te schenken, maar nu zag ze ze weer duidelijk voor zich. Ze hingen in de etalage, twee historische prenten in eenvoudige, gouden lijsten. De ene was een landkaart uit de Zweedse gouden eeuw en de tweede een lithografie van de kroning van Karl xiv Johan. Ze kreeg ze voor twaalfhonderd rond en ging vervolgens naar de kringloopwinkel. Ze hadden verscheidene keramieken voorwerpen die er zelfgemaakt uitzagen en ze kocht geen dingen die Pernilla een minderwaardigheidsgevoel konden bezorgen.

Ze zette alle nieuwe aankopen in de hal neer en ging met haar jas en schoenen nog aan naar haar werkkamer om te bellen. De telefoon ging meerdere keren over, maar er nam niemand op. Misschien waren ze nog buiten op de speelplaats, dan bleven ze er wel lang. Ze keek op de klok en zag dat er meer dan een uur voorbij was sinds ze hen daar had gezien en ze vond het vervelend dat ze nog niet terug waren. Ze legde de hoorn erop en ging haar jas ophangen. Het gevoel van onbehagen liet haar niet los. Het volgende uur belde ze om de vijf minuten, en toen Pernilla eindelijk opnam was ze buiten zichzelf van ongerustheid.

'Hallo, met Monika, waar zaten jullie toch?'

Pernilla antwoordde niet meteen, en in die korte tussenpoos drong het tot Monika door dat ze te hoog van de toren blies. In ieder geval met de toon waarop ze de vraag stelde. En het was te horen dat Pernilla dat ook vond.

'Buiten. Hoezo?'

Monika slikte.

'Nee, ik vroeg het me gewoon af, ik bedoelde er verder niks mee.'

Zou ze het durven vragen? Nu ze zo verkeerd begonnen was? Ze was er niet zeker van of ze een nee aankon. Maar ze moest iets met haar afspreken, jezusmina, ze had immers al haar papieren, ze moest ze terug mogen brengen en ze had nog goed nieuws ook!

'Ik wilde vragen of jullie zin hebben vanavond bij me te komen eten.'

Pernilla gaf geen antwoord en Monika voelde hoe de adrenaline haar hart aanjoeg. Tegelijkertijd begon ze het onrechtvaardig te vinden, ze bedoelde het zo goed. Pernilla zou haar best een beetje tegemoet mogen komen.

'We kunnen extra vroeg afspreken, dan kan Daniella ook mee-eten. Om een uur of vier, vijf als jou dat schikt.'

Pernilla gaf nog steeds geen antwoord en Monika voelde zich steeds meer in het nauw gedreven. Ze was niet van plan geweest van tevoren al iets te zeggen, maar de aarzeling van Pernilla dreef haar ertoe. In ieder geval was ze gedwongen haar een kleine hint te geven.

'Ik heb namelijk leuk nieuws.'

Dat eeuwige verlies van controle. Ze werd er gek van. Dat ze zich altijd kleiner moest maken, de mindere moest zijn. Moest paaien.

'O, wat dan?'

Nee. Meer ging ze niet vertellen. Ze had er op zijn minst recht op in de buurt te zijn als ze het nieuws overbracht. Om voor één keer in de vreugde te delen. Dat had ze verdiend.

'Heb je dat fonds gebeld?'

'Ik vertel het wel als jullie hier zijn. Ik kan jullie wel komen halen, als je wilt.'

En Pernilla had toegegeven, had ermee ingestemd te komen. Maar erg blij had ze niet geklonken. Monika voelde nog steeds een restje van de ergernis die bij de bank was ontstaan. Ze ergerde zich zelfs aan Pernilla, aan het feit dat ook niemand ooit deed zoals zij had gedacht en dat niets werd zoals zij het zich had voorgesteld. Dat het nooit goed genoeg was wat zij deed.

Ze haalde hen om vier uur op en er werd niet veel gezegd tijdens de autorit. Het was duidelijk dat Pernilla het niet over het eten van de vorige avond wilde hebben en dat hoefde van Monika ook niet. Pernilla zat op de achterbank met Daniella op schoot. Aangezien ze geen auto hadden, hadden ze ook geen autostoeltje en Monika bedacht dat ze er een moest kopen. Met het oog op de toekomst. Op alles wat ze gezamenlijk zouden ondernemen.

Voorlopig voelde ze zich tamelijk veilig en ze was bijna in een verwachtingsvolle stemming geraakt toen Pernilla plotseling vroeg: 'Kun je hier even stoppen? Ik moet een boodschap doen.'

Monika parkeerde in een gat tussen twee auto's en zette de motor uit. Pernilla stapte uit met Daniella op haar arm en Monika deed het portier open en spreidde haar armen uit om haar aan te pakken. Toen verdween Pernilla een straatje in en Monika en Daniella bleven achter in de auto en zongen 'Hansje pansje kevertje'. Steeds weer. Monika keek steeds ongeduldiger op haar horloge en begon zich af te vragen hoe haar wortelgratin in de oven thuis er op dit moment uitzag. Toen Hansje al zeven keer omhoog was geklommen ging plotseling het portier open zonder dat ze haar had zien aankomen. Pernilla zette een witte doos op de vloer voor de passagiersstoel en strekte haar armen uit naar Daniella. Toen ging de rit weer verder. Monika gluurde naar de doos, die het formaat had van een sixpack bier. Haar ogen werden er keer op keer naartoe getrokken. Wit en anoniem, zonder een letter als aanknopingspunt. Ze was vandaag al een keer te nieuwsgierig overgekomen, ze wist dat het riskant was, maar uiteindelijk kon ze zich niet meer bedwingen.

'Wat is dat voor doos?'

Ze kon Pernilla in de achteruitkijkspiegel zien. Hoe ze naar buiten zat te kijken door de zijruit en geen spier vertrok toen ze antwoordde.

'Dat is gewoon Mattias.'

Er ging een schok door de auto. Eerst trof die Monika, maar haar handen gaven hem door aan het voertuig, dat over de weg hotste. Pernilla stak instinctief een arm uit naar de handgreep boven het portier en met de andere pakte ze Daniella steviger beet.

'Sorry, er sprong een kat voor de auto.'

Monika probeerde rustiger adem te halen. Op de vloer van de auto stond de witte doos haar uit te lachen en hoewel ze haar blik uit alle macht op de weg probeerde te houden, wist die zich keer op keer los te rukken om naar de doos te kijken. Die leek elke keer groter. Alsof hij groeide als ze even niet keek.

*Zoveel is er van mij over. Ik hoop dat jullie een gezellige maaltijd hebben.*

Nog maar een paar honderd meter. Ze moest de auto uit.

*Het was allemaal jouw schuld. Daar verander je niks aan, wat je ook doet.*

Ze kreeg geen lucht meer in de auto. Ze moest eruit.

Monika stond roerloos naast de deur aan de bestuurderskant. Ze had zojuist geconstateerd dat de lucht buiten de auto ook zwaar ademde. Dat het overal moeilijk ademen was, waar ze zich ook bevond, bij iedere hap lucht die ze probeerde te nemen.

'Woon je hier? Wat mooi.'

Pernilla was aan de andere kant uitgestapt met Daniella op haar arm. Ze was onderweg in slaap gevallen en haar hoofd rustte tegen Pernilla's schouder.

'Neem jij de urn mee? Ik wil hem niet in de auto laten staan.'

Het had meer als een opdracht geklonken dan als een vraag en wat het ook was, het liet Monika geen keus. Ze keek door de ruit naar de witte doos.

*Kom op nou. Ik kan niet zelf lopen, dat weet je.*

'Welke deur is het? Het wordt wat zwaar voor mijn rug.'

Monika liep langzaam om de auto heen en deed de deur aan de passagierskant open.

'Nummer vier daar.'

Pernilla lokaliseerde de deur en begon te lopen.

Monika's handen trilden toen ze naar de doos reikte. Voorzichtig tilde ze hem op en ze sloot de auto af met een druk op de sleutelhanger. Ze liep achter Pernilla aan met de doos voor zich uit gestoken, zo ver mogelijk van zich af zonder dat het er al te raar uit zou zien. Maar toen ze de deur door wilde gaan en die bovendien voor Pernilla wilde openhouden moest ze hem wel met één arm dicht tegen haar lichaam houden, bijna als in een omarming. Het beetje verzet dat nog in haar zat werd de doos in gezogen als in een zwart gat. Ze voelde een druk op haar borst. Ze kreeg haast geen lucht meer. Ze had hen hier niet moeten vragen. Ze zou er alles voor doen om dit niet te hoeven meemaken. Alles.

'Wat een mooi appartement.'

Monika bleef bij de deur staan en wist niet waar ze hem neer moest zetten. Op de vloer leek niet passend, maar ze moest hem ergens neerzetten zodat ze weer kon ademhalen. Ze liep snel de woonkamer binnen en keek om zich heen, ze liep eerst naar de boekenkast, maar bedacht zich en liep door naar de tafel. Haar handen lieten hem los uit hun greep en zetten hem naast de stapel geschiedenisboeken en de nieuwe keramieken fruitschaal neer.

Ze zag dat Pernilla achter haar aan was gelopen en Daniella op de bank neerlegde. Dat ze haar gezicht vertrok toen ze overeind kwam en haar rug probeerde te rechten.

'Wat woon je hier mooi.'

Monika probeerde te glimlachen en liep terug naar de hal; ze was bekaf. Ze trok haar jas uit, liep door naar de keuken en steunde met haar handen op het aanrecht. Ze sloot haar ogen en probeerde de misselijkheid die ze voelde de baas te worden, alles draaide vanbinnen, ze had het gevoel dat ze gevaarlijk dicht bij de grens was die ze met zoveel succes had weten te ontwijken. Waardoor ze niet helemaal instortte. Met inspanning van al haar krachten slaagde ze erin de wortelgratin op tafel te zetten en de oven uit te schakelen.

Ze zag door de deuropening naar haar werkkamer dat Pernilla de oude kaart bestudeerde die ze 's middags had gekocht en die in de plaats was gekomen van wat eerst aan dezelfde spijker had gehangen. Ze haalde de petfles met water en de salade die ze had voorbereid uit de koelkast. Toen liet ze zich op een van de stoelen bij de tafel neerzakken.

Ze kon geen woord uitbrengen. Niet eens zeggen dat het eten klaar was. Maar Pernilla kwam uit eigen beweging aan de andere kant van de tafel zitten, na haar huisbezichtiging. Ze voelde dat Pernilla naar haar keek, voelde de angst dat ze niet goed genoeg zou zijn in haar ogen.

'Hoe gaat het?'

Ze knikte en probeerde weer te glimlachen. Maar Pernilla gaf het niet op.

'Je ziet er wat bleekjes uit.'

'Ik heb vannacht slecht geslapen. Ik voel me ook een beetje misselijk.'

De witte doos in haar woonkamer werkte als een magneet. Bij iedere ademhaling was ze zich ervan bewust dat hij daar stond.

*Ik wil ook eten! Hé jullie daar, horen jullie dat? Ik wil ook meedoen.*

'Wat wilde je vertellen?'

Pernilla had wat van de gratin opgeschept. Monika probeerde zich te herinneren wat ook alweer het antwoord was op haar vraag. Haar hoofd tolde. Ze pakte het stoelkussen vast waarop ze zat in een poging haar hoofd tot stilstand te brengen.

'Had je dat fonds opgebeld?'

Pernilla schonk wat water in Monika's glas.

'Drink wat. Je ziet echt bleek. Je gaat toch niet flauwvallen?'

Monika schudde haar hoofd.

'Niks aan de hand, ik werd alleen wat slap.'

Ze was nu zo dicht bij de grens. Zo gevaarlijk dichtbij. Ze moest Pernilla weg zien te krijgen. Ze kon zich niet zo zwak tonen, hoe kon ze nou helpen als Pernilla voor haar moest zorgen? Pernilla zou haar afwijzen, haar niet langer kunnen gebruiken.

Ze slikte.

'Ze wilden je helpen, zeiden ze, en ik probeerde er meteen druk achter te zetten en vroeg of we meteen een bedrag konden krijgen, aangezien het zo dringend was, ik ben er met al je papieren heen gegaan, dan konden ze het zelf zien, ik heb verteld van je ongeluk en alle gedoe met de verzekering die niet in orde was.'

Ze dronk wat water. Ze had gedacht dat dit een plechtig moment zou worden. Een grote stap voorwaarts in hun vriendschap. Nu wilde ze het graag gauw achter de rug hebben, zodat ze een paar slaaptabletten kon nemen en kon ontsnappen.

'En kon dat?'

Monika knikte en nam nog een slokje water. Een klein slokje maar, het risico was groot dat het anders weer omhoogkwam.

'Je krijgt negenhonderddrieënvijftigduizend.'

Pernilla liet haar vork vallen.

'Kronen?'

Monika deed haar best om te glimlachen, maar was niet zeker van het resultaat.

'Is het echt waar?'

Ze knikte weer.

Pernilla's gezicht vertoonde de reactie waarop ze zich zo had verheugd. Voor het eerst zag ze er oprechte blijdschap en dankbaarheid in ontluiken. Pernilla begreep meteen wat het nieuws betekende en de woorden kwamen er in een rap tempo uit.

Monika voelde niets.

'Maar dat is geweldig. Weet je zeker dat ze het meenden? Dan kunnen we in de flat blijven wonen, ik kan de lening afbetalen. Weet je echt zeker dat ze het meenden? Ik weet gewoon niet hoe ik je hiervoor moet bedanken.'

*Weet jij het, Monika? Weet jij hoe ze je hiervoor moet bedanken? Als je nagaat wat je allemaal voor haar hebt gedaan.*

Monika stond op.

'Excuseer, ik moet naar het toilet.'

Op weg naar de badkamer zocht ze steun bij meubels en deurposten en daarbinnen bleef ze staan met de deur op slot. Over de wastafel gebogen keek ze naar haar eigen gezicht, totdat het spiegelbeeld oploste en veranderde in dat van een monster. Ze was er zo dichtbij. Zo gevaarlijk dichtbij. Het duister lag vlak onder het oppervlak te trillen. Te duwen tegen het dunne vlies en het vond kleine gaatjes. Ze moest het opbiechten. Ze moest naar Pernilla toe gaan en schuld bekennen. Zeggen dat alles door haar kwam. Als ze het nu niet deed, hoefde het niet meer. Dan zou ze altijd moeten blijven liegen. En voortdurend bang moeten zijn om te worden ontmaskerd.

Op dat moment ging de telefoon. Monika bleef staan en liet hem rinkelen. Maar toen werd er zachtjes op de deur van de badkamer geklopt.

'Monika. Er is telefoon voor je. Ze heeft haar naam niet gezegd.'

Monika haalde diep adem en deed de deur open om de hoorn van de telefoon aan te pakken, die Pernilla haar toestak. Ze wist niet zeker of haar stem het wel zou doen.

'Ja, met Monika.'

'Hallo, met Åse. Ik zal je niet ophouden als je bezoek hebt, maar ik moet je even iets vragen.'

In één tel zat het vlies weer dicht en wat eruit gesijpeld was zat er weer veilig onder. Haar eerste impuls was om de deur achter zich dicht te trekken, maar de behoefte om Pernilla's gezicht te zien won het. Zien hoe ze reageerde, of ze de stem had herkend van de vrouw met de zware schuldgevoelens, die haar thuis had opgezocht. Pernilla was weer aan tafel gaan zitten en Monika kon alleen haar rug zien.

'Geen probleem, ik heb een vriendin te eten.'

Ze was in ieder geval doorgegaan met eten. Monika probeerde zichzelf krampachtig wijs te maken dat dat een goed teken was.

'Ja, het zit zo, mijn dochter Ellinor werkt in de thuiszorg en ze heeft jouw hulp nodig. Van jou als arts. Ik weet dat ze het niet zou vragen als het niet belangrijk was. Ik wilde vragen of ik haar jouw nummer mag geven, dan kan ze je zelf bellen. Ze wil graag in contact komen met een arts die bereid is op huisbezoek te gaan bij een van haar Gebruikers.'

Monika wilde het gesprek snel afbreken om erachter te komen wat Pernilla er al dan niet van had begrepen, weer op haar plaats aan de eettafel gaan zitten, zodat ze Pernilla's gezicht kon zien. Om een eind te maken aan de onzekerheid was ze bereid overal in mee te gaan.

'Natuurlijk, vanzelfsprekend, geen probleem. Laat haar wat later op de avond maar bellen, dan kunnen we een afspraak maken.'

En daarna beëindigden ze het gesprek. Monika bleef doodstil staan. Pernilla's zwijgende rug daar aan tafel, ieder detail was plotseling zo scherp dat haar ogen ervan prikten. Ze voelde angst bij de paar stappen die ze moest zetten om Pernilla's gelaatsuitdrukking te kunnen zien, die haar zou tonen of ze ontmaskerd was of niet, of het moment gekomen was om het op te biechten. Haar benen gehoorzaamden haar niet. Zolang ze daar bleef staan had ze nog rust.

Toen draaide Pernilla zich om en het leek een eeuwigheid te duren voordat Monika haar gezicht kon zien.

'Jemig, te gek zeg, al dat geld. Dankjewel, Monika, heel erg bedankt.'

De duizeligheid en de misselijkheid waren over. Haar wankelmoedigheid ook. De hevige angst die ze had gevoeld bij het idee dat ze zou worden ontmaskerd had haar ervan overtuigd dat het te laat was. Ze kon al niet meer omkeren.

Er was geen weg terug.

Zichzelf wegcijferen en Mattias' verantwoordelijkheden overnemen was haar enige mogelijkheid om te ontsnappen.

# 24

Maj-Britt wilde van a tot z van Ellinor horen wat er in het telefoongesprek met de arts besproken was, en Ellinor deed haar best.
Maj-Britt wilde ieder woord, iedere lettergreep weten, iedere
hint, de geringste klemtoon waarmee ze te kijk was gezet. Ze
voelde de pijn haast niet meer, haar aandacht was volledig gericht
op het aanstaande doktersbezoek. En ze was bang; zo bang was ze
zelfs bij benadering nog nooit geweest. Straks ging de voordeur
open en trad een onbekende haar vesting binnen en ze had er zelf
aan meegewerkt om haar binnen te halen. Daarmee had ze zichzelf in een afhankelijke positie geplaatst, die bijna niet te verdragen was.

'Ik heb alleen maar gezegd dat je pijn in je onderrug hebt.'

'En wat heb je gezegd waarom ze per se hierheen moest
komen?'

'Ik heb gezegd dat je niet graag de deur uit gaat.'

'En verder?'

'Verder heb ik niet zoveel gezegd.'

Maar Maj-Britt dacht dat Ellinor vast wel meer had gezegd, al
zei ze nu van niet. Ze had vast haar afstotelijke lichaam beschreven, haar onbereidwillige houding en haar onsympathieke optreden. Er was van alles over haar gezegd en nu zou ze de vrouw
die dat allemaal had aangehoord hier laten komen om aan haar te
zitten.

Haar vast te pakken!

Ze had vreselijk veel spijt dat ze zich had laten ompraten.

Ellinor beweerde dat ze een vrije dag had en dat ze daarom zo lang
bij haar kon blijven, en Maj-Britt werd weer geplaagd door een
gevoel van onbehagen over de goede wil van Ellinor. Er moest een
reden voor zijn. Waarom zou ze dit allemaal doen als er geen
bedoeling achter zat?

Het was kwart voor elf. Nog maar een kwartier. Nog vijftien ondraaglijke minuten voordat de marteling begon.

Maj-Britt ijsbeerde door de flat en negeerde de pijn in haar knieën. Stilzitten was nog erger.

'Hoe ken je die arts?'

Ellinor zat met opgetrokken benen in kleermakerszit op de bank.

'Ik ken haar niet, mijn moeder kent haar. Ze hebben elkaar een paar weken geleden op een cursus ontmoet.'

Ellinor stond op, liep naar het raam en keek naar de gevel aan de overkant.

'Weet je nog dat ik je van dat auto-ongeluk heb verteld?'

Maj-Britt wilde net antwoord geven, maar kwam zover niet, want op dat moment ging de bel. Twee korte tonen die aangaven dat de tijd om was.

Ellinor keek haar aan, zette de paar stappen die nodig waren om vlak voor haar te komen staan.

'Het komt goed, Maj-Britt. Ik blijf zolang hier.'

Ze stak haar hand uit en wilde die op Maj-Britts arm leggen. Maj-Britt wist zich in veiligheid te stellen door gauw een stap achteruit te doen. Hun blikken ontmoetten elkaar even en toen verdween Ellinor naar de hal.

Maj-Britt hoorde de deur opengaan. Hoorde hoe hun stemmen elkaar aflosten, maar haar hersenen weigerden de woorden te interpreteren, wilden er nog niet aan dat er geen ontsnappingsmogelijkheid meer was. De brok in haar keel sneed in haar vlees en ze wilde het niet. Ze wilde het niet! Ze wilde haar kleren niet hoeven uittrekken en zich aan vreemde ogen blootgeven.

Niet nog eens.

En toen stonden ze plotseling in de deur van de woonkamer. Ellinor en de arts die erbij geroepen was en zo barmhartig was geweest om te komen. Maj-Britt herkende haar meteen. Het was de vrouw die ze buiten op de speelplaats had gezien, met het vaderloze kind. Die met eindeloos geduld de schommel had geduwd, onvermoeibaar. Nu stond ze daar bij Maj-Britt in de kamer, ze glimlachte en stak een hand naar haar uit.

'Dag, Maj-Britt. Ik ben Monika Lundvall.'

Maj-Britt keek naar de hand die haar uitnodigend werd toegestoken. Wanhopig probeerde ze de scherpe brok in haar keel weg te slikken, maar dat lukte niet. De tranen sprongen haar in de ogen en ze wilde hier niet zijn.

'Maj-Britt?'

Iemand zei haar naam. Ze kon niet ontsnappen. Ze was omsingeld in haar eigen flat.

'Maj-Britt. Jullie kunnen wel naar de slaapkamer gaan als je wilt, dan wacht ik hier zolang.'

Dat was Ellinor. Maj-Britt zag dat ze naar de slaapkamerdeur liep en Saba riep.

Maj-Britt dwong zichzelf om naar de slaapkamer te lopen, ze voelde dat de arts haar op de hielen zat en ze hoorde de deur achter hen dichtgaan. Nu waren ze hier met zijn tweeën. Zijzelf en degene die zich zo dadelijk aan haar op zou dringen. Ze wist niet meer waarom ze zich hier vrijwillig aan blootstelde. Wat ze er ooit mee had willen bereiken.

'Wijs eerst maar eens aan waar de pijn zit.'

Maj-Britt ging met de rug naar haar toe staan en deed wat haar was gezegd. De tranen stroomden over haar wangen, maar ze durfde ze niet af te vegen uit angst te worden ontmaskerd. Meteen daarna raakten de handen haar aan. Haar lichaam verstijfde en ze kneep haar ogen dicht in een poging zich terug te trekken in het donker, maar daarbinnen werd ze zich alleen nog maar meer bewust van die handen. Hoe ze tastten en knepen op de plek die ze had aangewezen. Dat ze bleef staan en het liet gebeuren! Ze stond gewoon te wachten op die vreselijke vraag. Of ze zich uit wilde kleden.

'Zit het hier?'

Maj-Britt knikte snel.

'Heb je nog andere symptomen gehad?'

Ze kon geen antwoord geven.

'Zoals koorts, gewichtsverlies. Heb je geen bloed in de urine ontdekt?'

En toen pas besefte ze waar ze aan begonnen was. Ze had in

haar onnozelheid gedacht dat als ze zich maar liet onderzoeken, alles daarna weer gewoon zou zijn. Ze zou van Ellinors eeuwige gezeur af zijn en misschien, eventueel medicijnen voorgeschreven krijgen, maar verder had ze niet gedacht. Ze had zo in angst gezeten voor het onderzoek zelf, dat ze over de gevolgen ervan niet eens had nagedacht. Nu besefte ze dat die arts achter haar al een idee had waar de pijn vandaan kwam, en ze wist plotseling niet meer zeker of ze dat wel wilde weten. Want waar zou dat toe leiden, behalve tot nog meer krenkingen?

Ze was erin getrapt.

De handen verdwenen.

'Ik moet even aan je rug voelen. Je hoeft alleen je jurk maar op te trekken.'

Maj-Britt kon zich niet bewegen. Ze voelde de handen terugkeren en langs haar zijden tasten. Toen haar jurk omhooggetrokken werd voelde ze zo'n walging dat ze bijna moest overgeven. De vingers zochten zich een weg over haar huid en tasten tussen de vetrollen, duwden en knepen, en ten slotte kon ze het niet meer tegenhouden. Haar lichaam trok zich samen en ze moest overgeven. Ze voelde tot haar opluchting de handen verdwijnen; de jurk viel op zijn plaats en verborg haar benen weer.

'Ellinor! Ellinor, heb je een emmer?'

Ze hoorde de deur opengaan en hun stemmen verderop in de flat en meteen was Ellinor bij haar met de groene schoonmaakemmer. Er lag een vaatdoekje als een verdroogde schil onderin, maar Ellinor liet het liggen, hield de emmer gewoon voor Maj-Britt, maar er kwam niets uit. Ze had sinds gisteren niets meer kunnen eten, dus er zat niets in haar maag. Langzaam trok de angst zich terug in zijn krochten en maakte plaats voor haar gerechtvaardigde boosheid. Ze duwde de emmer opzij en keek Ellinor kwaad aan en voor het eerst meende ze onzekerheid te zien in haar blik. Ellinor had haar erin geluisd en dat wist Ellinor net zo goed als zij. Maj-Britt zag het in haar ogen. Dat Ellinor nu pas begreep wat ze haar had aangedaan.

'Ga weg!'

'Voel je je nu beter?'

'De kamer uit, zeg ik!'

En toen was ze weer alleen met de arts. Maar ze was niet meer bang. Vanaf nu was ze van plan zelf te bepalen wat ze met haar mochten doen.

'En? Hoe luidt de diagnose?'

Ze voelde dat haar stem weer vast was en ze keek de arts recht in de ogen.

'Dat kan ik nu nog niet zeggen. Ik wil ook nog wat testjes doen.'

Maj-Britt stond het toe. Ze bleef gehoorzaam op de stoel zitten terwijl er in haar arm werd gestoken en ze keek naar haar bloed, dat in verschillende buisjes terechtkwam. Ze zouden niets met haar mogen doen waar ze niet zelf toestemming voor gaf. Niets. Het was nog steeds háár lichaam, ook al zat er een ziekte in. De arts was druk bezig haar bloeddruk te meten en Maj-Britt voelde zich weer betrekkelijk kalm.

'Ik heb je hier wel eens op de speelplaats gezien. Met het kind dat hiertegenover woont.'

Ze had het uit een soort beleefdheid gezegd, in een alledaagse poging om een gesprek te voeren, ook al wist ze wel dat dat niet haar sterkste kant was. Het effect dat haar woorden hadden, had ze niet kunnen voorzien. De verandering was door de hele kamer heen te voelen. Er vond een onzichtbare machtsverschuiving plaats. Maj-Britt merkte hoe de bewegingen van de vrouw plotseling stopten om daarna in een sneller tempo hervat te worden, maar ze begreep eerst niet wat er was gebeurd. Het enige wat ze doorhad was dat de arts die bezig was haar bloeddruk te controleren, op haar woorden had gereageerd. Door alle ongewenste verzorgstertjes die de afgelopen vijfentwintig jaar bij haar over de vloer waren gekomen had ze een uniek vermogen ontwikkeld: ze kon de zwakheden van mensen ruiken. Het was uit een drang tot zelfbescherming voortgekomen en het was de enige mogelijkheid die ze had om iets van haar waardigheid te bewaren tegenover hun minachting. Om snel te ontdekken wat hun zwakke punten waren en zo nodig van die kennis gebruik te maken. Al was het maar om van hen af te komen. Ellinor was de eerste bij wie het niet was gelukt.

De arts rolde haar bloeddrukmanchet op en stopte hem in haar tas.

'Nee, dat moet iemand anders geweest zijn.'

Tot haar verbazing besefte Maj-Britt dat ze het goed had geroken. De arts loog tegen haar. Loog recht in haar gezicht. Wat ze ook duidelijk voelde was tevredenheid over het feit dat het evenwicht was hersteld. De onzichtbare machtverschuiving hield in dat ze voortaan respect kon eisen. Ze was niet meer overgeleverd aan de handen van die vrouw en aan al haar geleerdheid over haar eventuele ziekte. Slank, succesvol en superieur had ze in haar grote barmhartigheid naar Maj-Britt omgezien, ondanks haar geringe betekenis. Ze had de moeite genomen om bij haar te komen, aangezien ze niet eens in staat was haar flat te verlaten. Een ondermaats wezen.

Ze had geen flauw idee hoe het eigenlijk zo was gekomen, maar ze had iets gevonden waarmee ze misschien druk kon uitoefenen. Het was altijd prettig als je dat kon, voor het geval ze al te opdringerig werd en ze van haar af zou moeten zien te komen. Mensen werden dat maar al te gauw.

Opdringerig.

## 25

Ze had er nooit heen moeten gaan. Toen ze het adres had doorgekregen, had ze het gevaar moeten onderkennen en terug moeten krabbelen, maar toen had ze het al beloofd. En ze wilde geen ruzie met Åse. Waarom wist ze eigenlijk niet, ze voelde alleen een ondefinieerbare drang om met haar op goede voet te blijven. Met iedereen die misschien de waarheid kende. Niemand moest haar ervan kunnen beschuldigen dat ze niet kwam als het nodig was, dat ze iemand was die haar verantwoordelijkheid ontliep. Die positieve indruk hadden mensen nog van haar, en dat wilde ze zo houden.

Ze kon de onredelijke angst die ze tijdens het gesprek met Åse had ervaren nog verbluffend duidelijk voelen. Het leek wel alsof dat moment van angst zo was opgeslagen dat het bij de minste herinnering weer te voorschijn kon komen. De dreiging dat ze tegenover Pernilla zou komen te staan en het op zou moeten biechten. In een helder moment was ze tot het wanhopige inzicht gekomen dat haar schuld alleen maar was toegenomen. Haar opofferingen werden overschaduwd door haar leugens en ze konden worden opgeteld bij alle onvergeeflijke dingen die ze al had gedaan. Als Pernilla ooit achter de waarheid kwam, zou haar minachting alle uitwegen afsnijden behalve één en dat was van de aardbodem verdwijnen.

Monika was het aan Mattias verplicht om te blijven.
En aan Lasse om haar leven te rechtvaardigen.

Ellinor had telefonisch summiere informatie doorgegeven. Alleen gezegd dat een van haar Gebruikers hevige pijn in de onderrug had en een arts nodig had, maar weigerde om haar flat te verlaten. Toen Monika uiteindelijk de patiënte te zien kreeg in haar woonkamer, had ze zich erover verbaasd dat Ellinor niet meer had verteld. Ze had haar kunnen waarschuwen. Monika kon zich niet herinneren dat ze ooit een vrouw met zoveel over-gewicht had gezien, behalve misschien een keer op een foto tijdens haar opleiding, en bij de aanblik van haar enorme lichaam was ze aanvankelijk met stomheid geslagen. Ze wist tamelijk zeker dat ze erin geslaagd was haar verbazing te verbergen, mis-schien had haar wat trage begroetingszin haar ontmaskerd, maar ze dacht dat haar vakkundigheid haar had geholpen. En dan haar gedrag. Monika had wel eerder patiënten behandeld die bang waren voor aanrakingen, maar nooit zo uitgesproken angstig als deze vrouw. Het was of er een onzichtbaar schild om haar heen zat, waar haar handen doorheen moesten voordat ze het doel bereikten. En toen ze er waren, schudde het enorme lichaam alsof er krampen doorheen schoten, en aangezien ze toch nauwelijks iets zou kunnen voelen door alle lagen vet heen, had ze haar dat verder maar bespaard en zich op de tests geconcentreerd.

Het was een dubbel gevoel om weer in de rol van dokter te stappen. Haar innerlijk was in twee elkaar bestrijdende kampen verdeeld; het ene was tevreden over de zakelijkheid van het onderzoek dat ze had gedaan, terwijl het andere geërgerd con-stateerde dat minuten die beter gebruikt hadden kunnen worden nutteloos wegtikten. Maar ze vond er ook een heel klein beetje van de rust waarnaar ze verlangde. In de handelingen waarin ze zo bedreven was. In de competentie die ze bezat. In het feit dat ze even de volledige controle had en precies wist wat er moest gebeuren. Dat ze voor het eerst in lange tijd haar ondergeschikte positie mocht verlaten en met respect werd behandeld.

Net op dat moment deed die vrouw haar mond open en bevestigde alle bange vermoedens die ze al had vanaf het moment dat Ellinor haar het adres had gegeven. Dat iemand haar had gezien. Al voordat de vrouw haar zin had afgemaakt, was ze terug in het inferno dat ze zichzelf op de hals had gehaald en geen handeling ter wereld kon haar beschermen tegen de dreiging die ze voelde. Sneller dan ze voor mogelijk had gehouden sloeg ze op de vlucht en pas toen het al te laat was zag ze haar vergissing in.

Ze loog.

Fabriceerde nog een draad aan het web van leugens dat ze steeds moeilijker kon overzien. Bij de kleinste onvoorzichtigheid kon het aan een van de hoeken losraken en de rest meetrekken, en nu had ze gelogen zonder dat ze ook maar een idee had van de relatie van deze vrouw met Pernilla, en waar dat toe zou kunnen leiden.

Wanhopig liet ze de seconden wegtikken en probeerde gewoon te doen, terwijl ze vertwijfeld zocht naar een mogelijkheid om haar vergissing te herstellen. Ze overwoog snel alle denkbare mogelijkheden waarom ze op de speelplaats had kunnen zijn met Pernilla's dochter. Ze bedacht welke mogelijkheden het waarschijnlijkst waren en de seconden raasden door zonder dat er iets werd gezegd. Toen ze ten slotte al haar instrumenten weer had teruggestopt en haar tas had dichtgedaan en ze alleen het plastic bakje voor de urinetest nog hoefde te overhandigen, had ze nog steeds geen uitweg gevonden, maar ze moest toch iets zeggen.

'Ja, nu weet ik het weer. Ik was hier een tijdje geleden met een vriendin en haar dochtertje. Ze moest iets afgeven bij een collega die hier woont en ik ben met haar dochtertje op de speelplaats gebleven, bij de schommels, toen zul je me wel hebben gezien. Maar dat meisje woont niet in deze flat.'

Misschien was het alleen haar verbeelding, maar plotseling speelde er een glimlachje om de mondhoek van de vrouw die Maj-Britt heette toen ze Monika's bewering met een langzame hoofdknik bevestigde.

In de hal nam ze afscheid van Ellinor. Ze schreef snel een recept voor pijnstillers uit en gaf wat aanvullende instructies. Maj-Britt kwam uit het toilet met het urinemonster en Ellinor keek verschrikt naar de rode vloeistof in het plastic bakje. Monika meed Ellinors ongeruste blik. Het bloed in de urine en de aard en plaats van de pijn versterkten Monika's vermoeden weliswaar, maar ze moest wachten totdat ze de testuitslagen had. Het had geen zin om iemand ongerust te maken voordat ze honderd procent zekerheid had. Ze opende haar tas en stopte het urinemonster erin.

'Ik bel zodra ik de uitslag heb.'

De vrouw was naar de woonkamer verdwenen, maar Ellinor deed een stap naar voren en gaf haar een hand.

'Bedankt dat je de tijd wilde nemen om te komen.'

Toen ze naar de auto liep was ze dankbaar dat ze de flat uit was. Ze wist nog steeds niet zeker of haar uitleg bevredigend was geweest en alle risico's had weggenomen. De informatie die ze miste, was of Maj-Britt en Pernilla elkaar kenden, maar Ellinor had verteld dat Maj-Britt haar appartement nooit verliet. Aan de andere kant was Ellinor mee geweest toen Åse bij Pernilla op bezoek ging, en als Ellinor Maj-Britt had verteld hoe ze met elkaar in contact waren gekomen?

Ze wierp een vluchtige blik op Pernilla's lege keukenraam en liep snel door naar haar auto. Ze mocht hier nu niet worden gezien. Niet riskeren dat Pernilla het raam opendeed en naar haar riep.

Ze had haar tas net op de achterbank gezet en had ze maar een minuutje langer de tijd gekregen, dan was er niets aan de hand geweest. Maar het lot besliste natuurlijk anders. Net toen ze achter het stuur wilde gaan zitten, kwamen ze aanlopen over het pad vanaf het park en natuurlijk kregen ze haar in het oog.

'Hoi, jij hier?'

Monika wierp een blik op Maj-Britts balkon. De zon spiegelde zich in de ruiten en ze kon niet uitsluiten dat er iemand voor het raam stond. Te kijken.

Pernilla was nu bij haar en zette de wandelwagen op de rem.

'We hebben een eindje gewandeld.'

Monika knikte en ging achter het stuur zitten.

'Ik heb een beetje haast, ik ben op huisbezoek geweest en nu moet ik terug naar de kliniek.'

'O ja, bij wie?'

Plotseling zag Monika in dat ze nu haar antwoord zou kunnen krijgen, en het was beter om haar ongerustheid bevestigd te krijgen dan om nog langer in onzekerheid te verkeren.

'Maj-Britt heet ze. Ken je die?'

Pernilla keek peinzend en schudde langzaam haar hoofd.

'Woont ze in ons portiek?'

'Nee, aan de andere kant van de binnenplaats.'

'Daar ken ik niemand.'

Haar lichaam ontspande. Ze had het zich maar verbeeld. Haar ongerustheid maakte haar overgevoelig, ze had de opmerking van de vrouw belangrijker laten worden dan die eigenlijk was.

Ze stak de sleutel in het contact.

'Trouwens, ik heb vandaag met de mensen van het fonds gesproken. Ze maken het geld vandaag over naar jouw rekening. Ik heb hun het nummer van je betaalrekening gegeven.'

Pernilla glimlachte.

'Ik hoop dat je begrijpt hoe dankbaar ik je hiervoor ben.'

Monika knikte.

'Ik moet er helaas vandoor. Ik ben al laat.'

'Heb je zin om vanavond een hapje bij ons te komen eten? Als dank voor alle hulp.'

Tot haar verbazing besefte Monika dat ze aarzelde. Hier had ze zo naar uitgekeken. Dat Pernilla haar uit eigen vrije wil audiëntie verleende, zonder dat ze erom hoefde te bedelen. Maar ze was op. Ze was doodmoe, omdat ze continu op haar tellen moest passen en de schijn moest ophouden. Ze was van plan geweest om haar slaaptabletten vroeg in te nemen en de avond en de nacht te ontvluchten. Maar ze kon geen nee zeggen. Daar had ze het recht niet toe.

'Graag. Hoe laat wil je me hebben?'

'Hoe laat kun je?'

Ze zou om vijf uur klaar geweest zijn met werken. Dat mocht ze niet vergeten. Dat Pernilla dacht dat ze weer aan het werk was. Ze moest aan zoveel dingen denken.

'Ik ben om vijf uur klaar.'

'Om zes uur dan?'


Na een laatste blik op het raam van Maj-Britt reed ze de stad weer in. Ze was al laat. Haar moeder wachtte al een kwartier op haar en Monika wist dat ze allang met haar jas aan in de hal zat en met de minuut ongeduldiger werd. Maar ze moest langs de bank. En de

geneesheer-directeur had vier keer gebeld en boodschappen achtergelaten die ze niet had beantwoord. Verscheidene collega's van
haar hadden ook al herhaalde malen geprobeerd haar te bereiken,
maar ze had nog steeds niet teruggebeld.

Ergens diep in haar binnenste zat iets wat zich wilde laten
horen, haar wilde doen inzien dat de situatie die ze creëerde met
het uur onhoudbaarder werd. Maar aangezien er toch geen weg
terug was en ze op geen enkele manier iets aan de toestand kon
veranderen, was het veel gemakkelijker om niet te luisteren. Veel
gemakkelijker.

Wat op dit moment het belangrijkste was, was dat de dreiging
die ze net had gevoeld weggewerkt was. Dat ze zich even een
beetje veilig kon voelen. Met tien minuten mocht ze al blij zijn.
Meer kon ze niet verlangen.

Ze had het recht niet om meer te verlangen.

# 26

Maj-Britt stond voor het raam te kijken naar wat er op de parkeerplaats gebeurde. Ze volgde hun gesprek geïnteresseerd, maar kon natuurlijk geen woord horen van wat er werd gezegd. Maar iedere beweging en gezichtsuitdrukking bevestigde wat ze had vermoed. Die arts had echt tegen haar gelogen, al begreep ze nog steeds niet waarom.

Ellinor was op de bank gaan zitten. Saba stond kwispelstaartend bij haar voeten en Ellinor aaide haar over de rug. Ze hadden geen van beiden een woord gezegd sinds ze weer alleen waren. Maj-Britt worstelde nog met de vernedering dat ze haar onvermogen zo duidelijk aan Ellinor had getoond. Dat ze niet eens in staat was om een eenvoudig onderzoek door een arts te ondergaan. Ellinor had tenminste de goede smaak gehad om geen commentaar te leveren op haar kennelijke onmacht, en ze had ook niet geprobeerd het te verzachten met klef medelijden of een idiote opmerking dat ze begreep hoe Maj-Britt zich voelde. Gelukkig niet. Want als ze dat had gedaan, had Maj-Britt wel tegen haar moeten zeggen dat ze naar de hel kon lopen en dat was een uitdrukking die ze niet graag gebruikte.

Maj-Britt zag de auto wegrijden en de moeder met haar kind naar hun voordeur lopen.

Ellinor gaf er nog geen blijk van dat ze van plan was op te stappen. Ze had haar plicht gedaan, maar bleef toch nog zitten. Dat was altijd verbijsterend, maar Maj-Britt had nu iets anders om over na te denken en kon zich er niet zo druk over maken.

Ellinor verbrak de stilte het eerst, en dat kwam voor geen van beiden als een verrassing.

'Waarom heb je niets gezegd van het bloed in de urine?'

Moeder en kind verdwenen in hun portiek en de deur viel achter hen dicht. Maj-Britt verliet haar uitkijkpost en liep naar de leunstoel.

'Waarom zou ik? Daar had ik het vast niet mee weg gekregen.'

Het was even stil. Er liep water door een buis ergens in het gebouw en vanuit het trappenhuis klonken stemmen en het geluid van voetstappen, het zwol aan en ebde weer weg om abrupt te stoppen toen de voordeur dichtsloeg. Ze keek naar Ellinor, die in gedachten aan de nagelriem van haar rechterduim zat te peuteren. Maj-Britt zat vol vragen en ze wist dat Ellinor de antwoorden had. Peinzend liet ze zich in haar stoel zakken.

'Hoe kende je die vrouw, zei je?'

Ellinor liet haar nagelriem met rust.

'Monika heet ze. Als je die tenminste bedoelt.'

Maj-Britt gaf haar een vermoeide blik.

'Sorry, hoor. Hoe ken je Mo-ni-ka?'

Ze sprak de naam met duidelijke afkeer uit en ze hoefde niet eens naar Ellinor te kijken om te voelen hoe dat haar ergerde.

'Ik vond het anders heel geschikt van haar om hier te komen.'

'Zeker. Een fantastisch edelmoedig mens.'

Ellinor zuchtte diep.

'Zoals gezegd, je zou eens na moeten denken over wie je verachting verdient en wie niet.'

Maj-Britt snoof. En toen werd het weer stil. Maar Maj-Britt wist dat als ze maar lang genoeg wachtte, Ellinor het niet zou kunnen laten om te vertellen. Dat kwam nog het meest in de buurt van een zwakheid, waarvan ze er verder geen had kunnen vinden bij het koppige meisje. Dat ze haar mond niet kon houden. In ieder geval niet erg lang.

Er ging misschien een minuut voorbij.

'Ik ken haar niet, mijn moeder kent haar.'

Maj-Britt lachte in haar vuistje.

'Ze hebben elkaar een paar weken geleden op een cursus ontmoet, ze is met mijn moeder meegereden daarnaartoe.'

Ellinor stond op en liep naar het raam. Maj-Britt luisterde geïnteresseerd.

'Weet je nog dat ik je een paar weken geleden vertelde dat er iemand was overleden die hiertegenover woonde?'

Maj-Britt knikte, ook al kon Ellinor dat niet zien.

'Mattias heette hij. Hij is verongelukt toen ze van die cursus terugreden naar huis. Mijn moeder reed, ze botste op een eland.'

Maj-Britt staarde in de leegte. Ze zag de vader en het kind op de speelplaats voor zich.

'En je moeder?'

'Ja, dat is niet te geloven, ze heeft er geen schrammetje aan overgehouden. Ze raakte in een shock natuurlijk, en ze heeft vreselijke schuldgevoelens omdat hij dood is en zij het heeft overleefd. Zij zat immers achter het stuur. Hij had een kind en zo.'

Maj-Britt dacht verder. Ze bekeek Ellinors rug alsof die haar nog verdere aanknopingspunten zou kunnen bieden.

'Dus die arts, sorry, Monika bedoel ik natuurlijk, zat die ook in de auto?'

Ellinor draaide zich om. Ze bleef even staan en liep weer terug naar de bank. Ze trok haar benen op en ging in kleermakerszit zitten met het geborduurde kussen op schoot. Toen keek ze Maj-Britt plotseling glimlachend aan. Maj-Britt was meteen op haar hoede, en het kiertje dat ze had opengezet, sloot zich als bij een oester.

'Wat is er?'

Ellinor haalde haar schouders op.

'Ik realiseerde me opeens dat we voor het eerst met elkaar praten. Echt praten. Het is de eerste keer dat jij een gesprek bent begonnen.'

Maj-Britt wendde haar blik af. Ze was er niet helemaal zeker van of het een goed teken was dat ze feitelijk vrijwillig een gesprek was begonnen. Ze had het zelf niet eens doorgehad, ze had het gedaan zonder erbij na te denken, bijna alsof het normaal was. En natuurlijk was het Ellinor niet ontgaan. Had ze de verandering opgemerkt. Op dit moment kon Maj-Britt niet bepalen waar het toe zou kunnen leiden, of het positief of negatief was. Of het ongunstig kon uitpakken voor haar. Maar ze wist dat ze antwoord wilde hebben op haar vragen, zodat ze tenminste compensatie had als het een vergissing mocht blijken te zijn.

'Ik vroeg of zij ook in de auto zat.'

'Nee, maar dat was wel de bedoeling geweest. Zij en Mattias

hadden op de terugweg van plaats geruild en zij reed met iemand anders mee. De laatste cursusdag liep uit of zoiets en ze moest snel naar huis en toen bood Mattias aan om te blijven.'

Maj-Britt nam de informatie tot zich en probeerde die te plaatsen. Ze probeerde wat ze had gehoord te koppelen aan het feit dat de arts zo stellig had ontkend dat ze dat vaderloze meisje kende. Aan het eindeloze geduld waarmee ze de schommel had geduwd.

*Zij en Mattias hadden op de terugweg van plaats geruild.*

'Kenden ze die Mattias voor de cursus al?'

Ellinor schudde haar hoofd.

'Ze kenden elkaar van tevoren allemaal niet. Dat was ook de bedoeling.'

En toen maakte Ellinor Maj-Britts denkwerk voor haar af. Voegde het commentaar toe dat nodig was om de ketting aan elkaar te klikken tot een begrijpelijke verklaring.

'Je kunt je afvragen hoe zij zich eronder voelt, ik bedoel Monika. Als ze niet van plaats geruild hadden, was zij nu dood geweest. Ik vraag me af hoe je je voelt als je met die wetenschap rondloopt.'


Niet te geloven wat een poging tot een beleefd gesprekje kon opleveren. Haar vraagje tijdens het onderzoek was een schot in de roos geweest en door het kijkgat dat was ontstaan kon ze recht in het innerlijk van die wijsneuzige arts kijken. Daar zaten altijd de dingen waarmee je macht over mensen kon krijgen. Krampachtig verstopt in het donker, maar waar je zo bij kon als je maar de juiste vraag stelde. Het enige waar ze geen verklaring voor had gekregen was de leugen zelf. Waarom ze ontkende dat ze dat kind kende en de vrouw die haar man had verloren doordat zij nog leefde.

Tenzij ze tegen hen ook had gelogen.

# 27

Het kerkhof lag er schijnbaar verlaten bij. Monika was bezig een gieter te vullen met water en zou zo weer naar haar moeder toe gaan, die bij het graf gebleven was. Het had Monika maar vijf miezerige minuutjes gekost om voor de bank te stoppen, naar binnen te rennen en het geld op Pernilla's rekening te storten, maar ze was toch te laat gekomen, en zoals verwacht was haar moeder alweer ontstemd. Merkwaardig genoeg was dat na haar pensioen erger geworden. Nu ze alle tijd van de wereld had om rustig te wachten. Plotseling was elke minuut van levensbelang geworden en de minuten die verloren gingen richtten enorme schade aan in haar lege agenda. Ze had nooit een grote kennissenkring gehad en na haar pensionering was die nog verder uitgedund. Een nieuwe man had ze niet ontmoet. Misschien was ze daar niet eens in geïnteresseerd geweest. Dat wist Monika niet. Daar praatten ze niet over. Ze praatten überhaupt nooit over iets wezenlijks. Zodra ze bij elkaar waren gingen ze over op het nietszeggende jargon dat ze altijd bezigden. Ze glibberden rond tussen alle woorden die nergens toe leidden om onvermijdelijk terug te glijden naar het uitgangspunt waar ze ooit waren begonnen.

Monika had zich vandaag maar net in kunnen houden toen ze met een boze blik werd begroet. Met een bits zinnetje was haar moeder aan de passagierskant ingestapt en ze had de tien minuten die de rit duurde niets gezegd. Monika voelde haar boosheid groeien. Zij reed maar af en aan als een taxichauffeur en probeerde zich aan te passen aan de chagrijnige nukken van haar moeder, die nooit dankjewel zei, nooit eens dankbaarheid of waardering uitsprak, of iets wat erop leek. De nieuwe boosheid baande zich een weg door kanalen waarover ze zelf geen zeggenschap had. Als ze niet altijd moest komen opdraven om als taxichauffeur te fungeren, dan had Mattias nog geleefd en dan was alles veel gemakkelijker geweest.

Veel gemakkelijker.

Ze verliet het omheinde plaatsje en liep terug met de gieter. Haar moeder zat op haar knieën heide te planten. Lila, roze en wit. Met zorg gekozen plantjes.

Monika zette de gieter neer en keek zwijgend naar de handen van haar moeder, die behoedzaam wat blaadjes weghaalden die zich in het goed verzorgde perkje rondom de steen hadden genesteld.

Mijn geliefde zoon.

Even onvoorwaardelijk bemind als onherroepelijk weg, maar voor altijd het middelpunt waar alles om draaide. Een zwart gat dat alles naar zich toe trok wat misschien nog levensvatbaar was. Dat dag in dag uit nieuwe brandstof gaf aan het standpunt dat ze niet in genade kon worden aangenomen, dat de enig juiste houding onderwerping was, dat alles verwoest was en zinloos, en dat ook zou blijven.

Een verwoest gezin.

Vier min twee is nul.

Ze hoorde zichzelf de woorden uitspreken.

'Waarom is papa bij ons weggegaan?'

Ze zag de trilling door de kromme rug voor haar gaan. Ze zag dat de handen hun werk staakten.

'Waarom vraag je dat?'

Haar hart sloeg zware, doffe slagen.

'Omdat ik het wil weten. Omdat ik het me altijd heb afgevraagd, maar niet eerder op het idee ben gekomen om het te vragen.'

De vingers bij de grafsteen kregen hun beweeglijkheid terug en drukten de aarde rondom het witte heideplantje aan.

'Waarom kom je nu wel op het idee om het te vragen?'

Ze hoorde het barsten. Een dof gerommel dat steeds sterker werd toen de woede die ze zo lang in toom had gehouden zich losrukte en haar vastgreep. De woorden hoopten zich op in haar mond, verdrongen elkaar om het eerst naar buiten te komen, om eindelijk uitgesproken te worden.

'Maakt dat wat uit? Ik weet niet waarom ik het twintig jaar geleden niet heb gevraagd, maar dat maakt voor het antwoord toch niet uit?'

Haar moeder stond op, vouwde zorgvuldig en omstandig de krant op waar ze met haar knieën op had gezeten.

'Is er iets gebeurd?'

'Hoezo?'

'Omdat je zo'n nare toon aanslaat.'

Nare toon? Nare toon! Op haar achtendertigste vatte ze eindelijk moed en vroeg waarom ze nooit een vader had gehad, en misschien had de spanning haar toon enigszins beïnvloed. Natuurlijk was de eerste reactie van haar moeder een verwijt dat ze zo'n nare toon aansloeg.

'Waarom vraag je het hem niet?'

Ze voelde haar wangen gloeien.

'Omdat ik hem niet ken! Omdat ik verdomme niet eens weet waar hij tegenwoordig woont en omdat jij me nog geen ene keer hebt geholpen om met hem in contact te komen, integendeel, ik weet nog hoe chagrijnig je was toen ik vertelde dat ik hem een brief had geschreven.'

Ze vond het moeilijk te bepalen wat ze in de ogen van haar moeder zag. Ze was altijd met een grote boog om het onderwerp heen gegaan en had al helemaal nooit deze toon aangeslagen. Onder geen enkele omstandigheid.

'Dus het is mijn fout dat hij bij ons is weggegaan en zijn verantwoordelijkheid niet heeft genomen? Bedoel je dat? Moet ik verantwoording afleggen? Je vader was een slapjanus; hij maakte mij zwanger terwijl hij geen kind wilde en toen ik nog een keer zwanger raakte, hield hij het voor gezien. Hij verdween toen jij nog in mijn buik zat. Ik had Lasse al en het is niet altijd even gemakkelijk om alleenstaande moeder te zijn van twee kleine kinderen, maar daar weet jij niets van, want jij hebt geen kinderen.'

Een ritmisch bonzend geluid weergalmde over het kerkhof en het duurde even voor Monika doorhad dat het haar eigen hartslag was die ze hoorde.

'Dus daarom heb je nooit van me gehouden. Omdat het aan mij lag dat papa ervandoor ging?'

'Dat is flauwekul en dat weet je net zo goed als ik.'

'Nee, dat weet ik niet!'

Haar moeder haalde een grafkaars uit de zak van haar ruime jas en begon boos het plastic eraf te pulken. Maar ze reageerde niet.

'Waarom moeten we altijd naar het graf? Het is drieëntwintig jaar geleden dat hij is gestorven en het enige wat wij samen doen, jij en ik, is hierheen rijden en die verdomde kaarsen aansteken.'

'Het is toch niet mijn fout dat je nooit tijd hebt. Je werkt altijd. Of je bent bij vrienden. Voor mij heb je nooit tijd.'

Altijd hetzelfde, wat ze ook deed. Ondanks de woede die haar tijdelijk beschermde, kwam de steek onder water hard aan. Die activeerde haar slechte geweten, dat haar moeder als een virtuoos wist te bespelen. En ze was nog niet klaar. Als de maestro die ze was, had ze de kleurverandering op Monika's gezicht kennelijk opgemerkt. En die kans liet ze niet aan zich voorbijgaan.

'Je hebt niet eens om hem gerouwd.'

Monika verstond het eerst niet.

*Je hebt niet eens om hem gerouwd.*

De woorden stuiterden echoënd rond om zich verstaanbaar te maken en telkens als ze werden herhaald ging er iets kapot. Stukje bij beetje stortte alles in.

*Je hebt niet eens om hem gerouwd.*

Haar moeders stem was dof en haar blik bleef gevestigd op de kaars in haar hand.

'Je ging gewoon door alsof er niets was gebeurd. Je moest eens weten hoeveel pijn het mij deed om jou zo bezig te zien. Het leek wel of je blij was dat hij er niet meer was.'

Er waren geen woorden meer over. Alles was leeg. Haar benen begonnen naar de auto te lopen. Het enige wat ze voelde was een vurige wens om buiten gehoorsafstand te komen.

Er was bos aan beide kanten en het werd al donker. De auto stond aan de kant van een landweg geparkeerd. Ze keek verdwaasd om zich heen en wist niet waar ze was of hoe ze daar was terechtgekomen. Ze keek op haar horloge. Over een kwartier zou ze bij

Pernilla moeten zijn om daar te eten. Ze keerde de auto en vermoedde dat ze die kant op moest.

*Je hebt niet eens om hem gerouwd.*


'Wil jij Daniella verschonen? Ik moet alleen de saus nog maken, dan is het klaar.'

Ze wilde naar huis. Naar haar slaaptabletten. Er schoten bliksemschichten door haar hoofd en het was moeilijk om alle woorden die ze hoorde in een verband te plaatsen.

'Wil je dat doen?'

Ze knikte snel en tilde Daniella op. Ze droeg haar naar de aankleedtafel boven de badkuip en deed haar luier af. Pernilla riep uit de keuken.

'Je kunt haar de rode pyjama aantrekken. Die hangt daar aan een haakje.'

Ze draaide haar hoofd om en zag de rode pyjama. Ze verwisselde de luier en deed wat Pernilla had gezegd. Onderweg terug naar de keuken kwam ze langs het geloogde kastje. De kaars was opgebrand en zijn gezicht lag in de schaduw achter de witte urn. Hij zei niets toen ze passeerde, maar liet haar met rust.


'Tast toe. Het is vast niet zo lekker als wat je zelf altijd op tafel zet, ik ben niet zo'n goede kok. Mattias kookte meestal.'

Daniella zat in de kinderstoel en Pernilla legde een crackertje op het blad voor haar. Monika keek naar het eten dat op tafel stond. Ze zou geen hap door haar keel kunnen krijgen, maar ze moest het wel proberen.

Ze zaten een poosje zwijgend aan tafel. Monika schoof het eten heen en weer over haar bord en stopte met regelmatige tussenpozen een klein hapje in haar mond, maar haar lichaam wilde niet slikken. Iedere keer dat ze het probeerde, werd het moeilijker.

'Zeg, Monika.'

Ze keek op. Ze voelde ondanks haar vermoeidheid en verwarring dat ze meteen op haar hoede was. Het was riskant om daar te zitten. Nu ze al geen greep meer had op de situatie.

'Ik wil je mijn excuses aanbieden.'

Monika zat volkomen stil. Pernilla had haar bestek neergelegd en gaf Daniella nog een crackertje voordat ze verderging.

'Ik weet dat ik soms bar onaardig tegen je ben geweest als je hier was, maar ik was gewoon niet in staat me fatsoenlijk te gedragen.'

Ze had een droge keel en slikte voordat ze een woord kon uitbrengen.

'Je bent toch niet onaardig geweest.'

'Toch wel, maar ik kon het niet beter. Soms is het gewoon zo moeilijk dat ik het simpelweg niet aankan.'

Monika legde haar bestek ook neer. Hoe minder ze aan haar hoofd had, hoe beter. Ze moest bij de les blijven. Zich concentreren. Pernilla had net haar excuses voor iets aangeboden. Ze moest iets verzinnen om te zeggen.

'Je hoeft me echt geen excuses aan te bieden.'

Pernilla keek naar haar bord.

'Ik wil alleen dat je weet dat ik het waardeer dat je toch bent blijven komen.'

Monika tilde haar glas water op en nam een slokje.

'Na mijn ongeluk bleven veel van onze vrienden weg, dat ging gewoon vanzelf, het werd steeds minder. Ik had altijd pijn in mijn rug en geld hadden we ook niet, en de meesten van onze vrienden waren nog steeds actief aan het duiken.'

Monika nam nog een slok. Ze kon zich bijna verstoppen achter het glas water.

'Nu dit is gebeurd, kan ik wel toegeven dat ik me wat teleurgesteld voel dat zo weinig vrienden iets van zich hebben laten horen. Het werd opeens zo duidelijk hoe eenzaam we waren.'

Pernilla keek haar aan en glimlachte bijna verlegen.

'Dus wat ik probeer te zeggen is gewoon dat ik blij ben dat wij elkaar hebben leren kennen. Je bent echt een grote steun voor me.'

Monika probeerde tot zich door te laten dringen wat ze nu eigenlijk had gehoord. Ze had een vaag idee dat het datgene was waar ze de hele tijd voor had geknokt, dat ze nu blij zou moeten zijn, nu ze eindelijk het bewijs kreeg dat het was gelukt. Waarom voelde ze zich dan nu zo? Ze moest naar huis. Naar haar slaap-tabletten. Maar eerst moest ze naar de kliniek met de monsters van Maj-Britt. Als ze zeker wist dat iedereen naar huis was, durfde ze wel naar binnen om de monsters te analyseren. Want dat had ze beloofd. En wat je belooft moet je doen.

Ze schrok toen de telefoon ging. Pernilla stond op en verdween naar de woonkamer. Monika sloop naar de vuilniszak onder de gootsteen en veegde haar bord schoon met een stuk plasticfolie dat bovenop lag.

Ze hoorde Pernilla opnemen in de woonkamer.

'Met Pernilla.'

Ze verstopte het eten onder een leeg melkpak.

'Ja, je kunt toch niet anders verwachten, ik weet niet goed wat je van me wilt horen.'

Pernilla's stem had een harde klank en ze bleef een hele poos stil. Monika liep terug met haar bord en met haar vork wiste ze de sporen van de plasticfolie uit. Toen kwam de stem van Pernilla weer terug en toen Monika de woorden hoorde kwam haar angst weer door de verwarring heen.

'Eerlijk gezegd heb ik liever dat je niet meer belt. Alles goed en wel, maar ik vind het wat te veel gevraagd dat ik jóú zou moeten troosten.'

Ze werd kennelijk in de rede gevallen, maar ging al na een seconde verder.

'Nee, maar dat gevoel heb ik wel. Dag.'

Pernilla zweeg en alles werd stil. Alleen Monika's hart weigerde zich aan de rust aan te passen. Toen dook Pernilla weer op en ze ging op haar stoel zitten. Precies op dat moment ging Monika's mobiele telefoon. Ze tastte naar haar handtas, die bij haar voeten stond, niet om op te nemen maar om de venijnige beltoon uit te schakelen. Ze wierp een blik op de display en zag Åses naam. Haar hand trilde toen ze erin slaagde het gesprek weg te drukken, ze voelde dat Pernilla haar aankeek en ze beantwoordde de vraag nog voordat die was gesteld.

'Niks bijzonders. Het was mijn moeder maar, die bel ik later nog wel.'

Pernilla zette haar bord weg, hoewel er nog een heleboel eten op lag.

'Dat was de vrouw die de auto bestuurde, die net belde.'

Daniella liet haar crackertje op de grond vallen en Monika bukte dankbaar om het op te rapen. Dan was ze even uit zicht.

'Ze is hier een paar dagen na het ongeluk ook geweest. Ze wilde zeggen hoe erg ze het vond, of wat ze ook precies zei.'

Pernilla snoof.

'Ik had toen zoveel pillen geslikt dat ik waarschijnlijk niet zo goed besefte wat er aan de hand was. Ik heb er daarna nog best vaak over nagedacht. Ik heb er spijt van dat ik haar niet gewoon de huid vol heb gescholden. Hoe kan ze nou denken dat ik haar ooit zou kunnen vergeven?'

Plotseling zat Pernilla aan de andere kant van een tunnel. Monika staarde naar haar gezicht, dat omgeven was door een golvende, donkergrijze massa. Ze kneep haar ogen dicht, deed ze weer open en zag weer hetzelfde beeld. Ze vroeg zich af waarom de kraan liep, wie de kraan had opengedraaid, waarom het zo bruiste.

'Wat is er? Voel je je niet goed?'

Ze ademde snel, met korte ademstootjes.

'Jawel, maar ik moet nu weg.'

'Maar ik heb ook nog een toetje.'

Monika stond op van haar stoel.

'Ik moet gaan.'

Door de verplaatsing verdween de tunnel. Het bruisen was er nog, maar ze zag dat de kraan dichtzat, dus het kwam vast uit een ander appartement.

Ze wankelde naar de hal, steun zoekend bij deurposten en muren. Pernilla liep achter haar aan.

'Gaat het wel goed met je?'

'Ja, maar ik moet nu weg.'

Ze trok haar laarzen en haar jas aan. Pernilla had haar tas in haar hand en reikte haar die aan.

'Ik bel je morgen.'

Monika opende de voordeur zonder antwoord te geven. Ze

ging nu weg. Pernilla had haar gevraagd te blijven, maar ze ging weg. Een andere keer kon ze terugkomen, want Pernilla was haar vriendin en ze was dankbaar voor hun vriendschap. Voor alles wat Monika voor haar had gedaan. Ze had haar niet de huid vol gescholden zoals ze bij Åse wel het liefst zou hebben gedaan, integendeel, zij tweeën waren nu echte vriendinnen en op echte vriendinnen kon je bouwen. Die logen nooit tegen elkaar. Die steunden elkaar door dik en dun en stonden altijd voor elkaar klaar.

Pernilla had één vriendin over en dat was de respectabele Monika Lundvall.

Als die haar om wat voor reden dan ook eveneens in de steek liet, was Pernilla helemaal alleen.

# 28

Maj-Britt stond bij de balkondeur te wachten tot Saba weer binnen zou komen. Die had zich net door het gat in het balkonhekje gewurmd en was uit het oog verdwenen op het grasveld beneden.

Maj-Britt had haar stoel vlak bij het raam gezet en daar had ze de afgelopen twee dagen bijna de hele tijd gezeten, maar er was niet veel spannends gebeurd daarbuiten. Die arts was één keer bij de weduwe geweest. Meteen dezelfde dag dat ze bij Maj-Britt was geweest en haar walgelijke onderzoek had gedaan, was ze tegen de avond weer opgedoken, maar daarna had ze zich niet meer laten zien. Ze had ook nog niet gebeld met de uitslag van de tests, maar dat maakte niet uit, het was vooral Ellinor die daar ongeduldig op wachtte.

Maj-Britt zelf vond het uitstel eerder aangenaam. De tabletten die Ellinor had gehaald tegen de pijn, gaven wat verlichting en zolang ze niets hoorde, hoefde ze er ook geen standpunt over in te nemen. Ze zat in haar flat net als altijd, viel van de ene stilte in de andere. Het enige wat anders was, was de pijn in haar rug en het feit dat ze niet meer zoveel at. Dat kwam niet alleen doordat ze misselijk was, maar de impuls om iets in haar mond te stoppen was niet zo sterk meer, die kon ze plotseling weerstaan, waarom begreep ze niet goed. Iets had zich teruggetrokken toen ze het had aangedurfd om alle gedachten tot het eind toe door te denken. Ze was langs alle ondraaglijke herinneringen gegaan, had onder ogen gezien hoe weerzinwekkend ze waren en hoefde zich er niet meer voor te verstoppen. Niet te vluchten. Ze deden net zoveel pijn als ze ergens altijd al had geweten, en nu ze dat wist, konden ze haar niet meer bang maken. Ze raakten hun macht kwijt.

Ze zag Ellinor beneden over het pad aankomen. Het leek Maj-Britt maar koud, met zo'n stuk blote buik tussen shirt en broek en ze schudde haar hoofd. Het dunne spijkerjackje kon niet warm genoeg zijn voor de tijd van het jaar. Maar misschien hielden de politiek bewuste plastic buttons waarmee het versierd was de stevigste bries nog wel tegen. Ja, dat was het natuurlijk. Ze zag Saba over het grasveld sjokken om haar te begroeten, en Ellinor keek naar de balkondeur en zwaaide. Maj-Britt zwaaide terug. Ze voelde dat ze vanbinnen warm werd.

'Ze komt om twee uur. Ze heeft niets gezegd over testuitslagen of zo; dat wilde ze met jou bespreken.'

Ellinor zat op haar hurken de veters van haar schoenen los te maken terwijl ze praatte. Maj-Britt voelde een steek van onbehagen bij de gedachte dat ze die arts weer in huis zou hebben, maar toen dacht ze weer aan haar machtsmiddel en die gedachte luchtte haar op. Als je maar wist wat je aan elkaar had, werd alles stukken eenvoudiger. Als niemand de baas kon spelen over de ander. Die arts mocht dan misschien beschikken over de sleutel tot de geheimen van haar lichaam, en zou daar gemakkelijk gebruik van kunnen maken, maar als ze dat deed, dan was Maj-Britt verzekerd van een geschikt verdedigingswapen.

Niemand zou ooit meer iets met haar mogen doen waarvoor ze zelf geen toestemming gaf.

Nog maar een paar minuten, dan was het twee uur. Maj-Britt nam plaats in haar leunstoel met uitzicht op de parkeerplaats, maar gek genoeg had ze de auto nog niet gezien toen er werd aangebeld. Het was een kleine tegenvaller dat ze zich niet goed had kunnen voorbereiden.

Ellinor ging opendoen.

'Hallo, wat aardig van je om langs te komen.'

De arts gaf een kort antwoord en even later stonden ze allebei bij Maj-Britt in de woonkamer. Het viel haar op dat de arts iets in haar hand had, het leek een kleine, grijze aktetas, maar dan met een snoer eraan en een paar knoppen.

'Hallo, Maj-Britt.'

Maj-Britt keek achterdochtig naar het apparaat in haar hand. 'Wat is dat?'

'Mag ik even gaan zitten?'

Maj-Britt knikte en de arts, van wie ze heel goed wist dat ze Monika heette, maar met wie ze niet van plan was een persoonlijk contact op te bouwen, ging op de bank zitten, legde het wonderlijke ding op tafel en haalde wat papieren uit haar handtas. Maj-Britt hield haar ogen niet van haar af, de geringste beweging werd geregistreerd. Ze nam geïnteresseerd waar dat de papieren in haar hand licht trilden.

'Het is als volgt.'

De arts vouwde de papieren uit. Ellinor keek haar aandachtig aan. Maj-Britt wendde haar blik naar het raam. Het interesseerde haar eigenlijk niet zoveel.

'Je bezinking is abnormaal hoog en de bloedwaarde erg laag. De proef toonde geen bacteriën in de urine aan en na een kweek heb ik er ook geen gevonden, dus we kunnen een infectie aan de urinewegen met zekerheid uitsluiten. Een niersteen was een andere mogelijkheid waaraan ik dacht, maar dan zou de pijn meer plotseling moeten komen, en bovendien zou er geen effect zijn op de bezinking.'

Ze zweeg en Maj-Britt bleef naar de schommel kijken. Ze had nog minder interesse voor waar ze niét aan leed.

'Dus ik ben gezond?'

'Nee, dat ben je niet.'

Er viel een korte stilte waarin alles nog steeds vredig was.

'Ik zou een echo willen maken.'

Maj-Britt draaide haar hoofd om en keek haar aan, meteen op haar hoede.

'Ik ga nergens heen.'

'Nee, het kan hier.'

De arts legde haar hand op het apparaat op tafel. Maj-Britt voelde zich bedrogen. Ze had besloten dat ze geen onderzoeken meer wilde laten doen, met haar weigering om haar flat te verlaten had dat geregeld moeten zijn. Maar nu kwam die arts met apparatuur aanzetten die het toch mogelijk zou maken. Ellendige vooruitgang.

'En als ik dat niet wil?'

'Maj-Britt!'

Dat was Ellinor. De grens tussen smeken en het spuugzat zijn was uitgewist.

Maj-Britt keek weer uit het raam.

'Wat denk je te kunnen vinden met een echo?'

Ellinor vroeg naar de details waarvoor Maj-Britt zelf niet veel interesse had en de twee vrouwen begonnen haar eventuele aandoening te bespreken.

'Ik weet het natuurlijk niet zeker, maar ik moet even naar de nieren kijken.'

'Wat denk je dan dat het kan zijn?'

Het werd weer even stil, maar er was geen rust meer. Het was alsof het woord al lag te vibreren in de kamer, nog voordat het een klank had gekregen. Het bleef nog even rustig liggen gedurende een laatste moment van vertrouwen.

'Het kan een tumor zijn. Maar zoals gezegd,' voegde ze er snel aan toe, 'ik weet het niet honderd procent zeker.'

Een tumor. Kanker. Dat was een woord dat ze vaak op tv had gehoord en helemaal onopgemerkt was het niet aan haar voorbijgegaan. Maar vanaf dat moment wist ze dat dat woord een heel ander effect had als het werd uitgesproken over iets wat misschien in je eigen lichaam zat. Dan kwam het tot leven en riep een beeld op van iets zwarts en boosaardigs daarbinnen, je kon het bijna zien, een monster dat in haar zat, alles opslokte wat hem voor de voeten liep en steeds groter werd.

Toch was ze niet zo bang. Het was meer alsof opnieuw een gedachte die ze niet tot het eind had durven doordenken eindelijk was bevestigd. Want waarom zou haar lichaam geen kanker hebben? Dat zou zijn laatste overwinning zijn op haar zinloze, levenslange verzet. Om stiekem een gezwel te voeden en definitief wraak te nemen en haar te overwinnen.

Ze besefte dat ze het moest weten.

'Hoe gaat zo'n onderzoek in zijn werk?'

Want ergens voelde ze toch de behoefte om het bevestigd te krijgen.

Het was doodstil in de kamer. Maj-Britt zat weer in haar stoel. Ellinor zat voorovergebogen op de bank met haar hoofd in haar handen. Midden in de kamer stond de arts haar mooie apparaat in te pakken, dat zojuist de vermoedens had bevestigd die ze kennelijk allemaal hadden gedeeld. Maj-Britt constateerde tevreden dat haar handen nog steeds trilden. Om de een of andere reden deed het haar goed dat te zien.

'Voorzover ik zag was de tumor nog beperkt tot de nier, maar we moeten natuurlijk een röntgenfoto maken om dat zeker te weten. Ik heb niets gezien wat wees op een uitzaaiing, maar dat moet ook nog verder onderzocht worden. Hij was wel groot, dus het is belangrijk om hem snel te weg te halen.'

Maj-Britt voelde zich merkwaardig rustig. Ze keek weer uit het raam. Naar de schommel waar ze al dertig jaar naar keek, maar nooit bij in de buurt was geweest.

'En als hij niet weggehaald wordt?'

Niemand gaf antwoord, maar na een poosje hoorde ze een puffend geluid van Ellinor.

'Wat als hij niet weggehaald wordt?'

Nu was het Maj-Britts beurt om te zwijgen. Ze had alles gezegd wat er te zeggen viel.

'Maj-Britt, wat bedoel je daarmee? Je snapt toch wel dat je hem moet laten weghalen! Of niet, Monika? Hoe lang kun je leven met zo'n tumor, als je hem niet behandelt?'

'Daar kan ik onmogelijk antwoord op geven. Ik weet immers niet hoe lang hij er al zit.'

'Ja, maar bij benadering?'

Bij Ellinor stak het als gewoonlijk weer vreselijk nauw met de details.

'Zo'n zes maanden. Het kan langer zijn en het kan korter zijn, het ligt eraan hoe snel hij groeit. Als arts moet ik een operatie echt sterk aanraden.'

Als arts. Maj-Britt snoof in zichzelf.

Plotseling ging Ellinors mobieltje, ze stond op en liep naar de hal.

Maj-Britt keek naar de vrouw die zo zorgvuldig haar mooie uitrusting inpakte.

Zes maanden.

Misschien.

Moeilijk te zeggen, had ze gezegd.

'Tja, jullie artsen hebben de taak al het mogelijke te doen om het leven van andere mensen te redden.'

Ze begreep eigenlijk niet waarom ze dat zei, maar ze kon het niet laten. Misschien wilde ze iets van die wijsneuzigheid tenietdoen die de arts uitstraalde. Ze stond daar in de kamer alsof ze de goedheid zelve was en deed net of ze de hele mensheid ten dienste stond. Maar haar duistere geheimen verborg ze zorgvuldig, onder het onberispelijke oppervlak lagen dezelfde smoezelige vergissingen en tekortkomingen als bij alle andere stervelingen.

Maj-Britt las de reactie snel af en kreeg zin er nog een schepje vurige kolen bovenop te doen.

'Om ervoor te zorgen dat mensen zo lang mogelijk in leven blijven, hier op aarde blijven bij hun gezinnen en hun kinderen zien opgroeien. Daar zijn dokters voor. Er is toch eigenlijk niets wat belangrijker voor jullie zou kunnen zijn dan dat.'

Ellinor dook weer op in de deuropening.

De arts zat op haar hurken en deed haar tas dicht en Maj-Britt zag dat ze zich aan de rand van de bank moest vastpakken toen ze opstond. Een snelle beweging van haar hand om haar evenwicht niet te verliezen. Zonder Maj-Britts kant op te kijken verdween ze naar de hal en Ellinor liep met haar mee. Maj-Britt kon hun korte gesprek toch volgen.

'Ik kan helaas verder niets meer doen. Jullie moeten contact opnemen met haar gezondheidscentrum, dan loopt het verder via hen. Zij regelen verwijzingen naar het ziekenhuis voor verder onderzoek.'

De voordeur ging open en Ellinors laatste woorden kaatsten heen en weer tussen de stenen muren van het trappenhuis.

'Bedankt voor alle hulp.'

En toen ging de deur weer dicht.

Ellinor bleef een vol uur zitten terwijl er andere Gebruikers op haar wachtten. Maj-Britt zei niet zoveel, maar Ellinors woordenvloed vierde nieuwe triomfen in een wanhopige poging Maj-Britt zover te krijgen dat ze haar toestemming gaf om het gezondheidscentrum te bellen. Maar dat wilde Maj-Britt niet. Ze was niet van plan nog meer onderzoeken te ondergaan en al helemaal geen operaties.

Waarom zou ze?

Wat had ze er überhaupt voor reden voor?

Hoe pijnlijk het ook was om het toe te geven, ze kon met de beste wil van de wereld niets bedenken wat maar in de verte op een reden leek.

# 29

Het was een monster, die vrouw. Ze kon zo uit een griezelfilm komen. Het lot had deze afstotelijke vrouw vast op Monika's pad gebracht om haar te straffen. Het leek wel of de priemende ogen dwars door haar heen konden kijken, recht in haar mismaakte innerlijk en om de een of andere reden die Monika niet doorgrondde, had de vrouw kwaad in de zin.

Ze was regelrecht naar huis gereden, was met haar jas nog aan meteen doorgelopen naar de badkamer en daar had ze twee tabletten Xanax ingenomen. Ze had ze zichzelf tegelijk met de slaaptabletten voorgeschreven, maar ze nog niet gebruikt.

Nu hield ze het niet langer vol.

Ze ijsbeerde door de woonkamer, terwijl ze wachtte totdat de tabletten zouden gaan werken. Iedere seconde, ieder moment. Er was geen ontkomen meer aan. Het leek wel of er niet genoeg ruimte meer was in haar lichaam en of haar huid ieder moment kon gaan barsten. Ze had het gevoel dat ze zou ontploffen.

En dan haar mobieltje. Dat rinkelde maar en rinkelde maar en ze werd gek van het geluid, maar ze durfde het niet uit te zetten. Het was het bewijs dat er ergens nog steeds een functionerende werkelijkheid bestond en als ze de verbinding daarmee helemaal verbrak, wist ze niet waar dat op uit zou draaien. Ze kon alleen niet begrijpen hoe het allemaal zo had kunnen lopen en wist niet wat ze moest doen om alles weer goed te krijgen.

En toen eindelijk.

Eindelijk voelde ze dat de angst zijn greep verslapte, zijn weerhaken introk en oploste. Haar liet herademen. Dankbaar bleef ze midden in de kamer staan en heette de bevrijding welkom. Stockholm-wit. De kleur op de muur van haar woonkamer. Vreemd dat je hier Stockholm-wit op de muur kon hebben. Maar ook wel mooi. Dat alles kon. Gewoon ademhalen. Rustig en kalm ademhalen. Niets was verder belangrijk. Ze zou gewoon even op de bank gaan liggen en goed doorademen.

Muren van rode baksteen. Een kelder. Ze bevond zich in een kelder, maar ze wist niet van wie die was. Nergens zag ze een deur. Ze zocht met haar handen over de ruwe muur om een kier te vinden of iets van een opening, maar die was er niet. Opeens wist ze dat er een lijk in de muur ingemetseld was; ze wist niet wie, maar wel dat zij dat had gedaan. Ze hoorde een geluid en draaide zich om. Haar moeder zat op haar knieën een orchidee te planten. Ze had een stuk brood in haar hand waar ze stukjes af brak, die ze op de grond strooide. *Columba livia. Erg lekker met cantharellen.* En toen kwam er een trein. Pernilla stond midden op de rails en het signaal van de trein werd steeds luider. Monika rende zo hard ze kon, maar ze kwam niet dichterbij, ze zou haar niet kunnen redden. Ze moest het signaal zien uit te schakelen, ze moest het signaal tot zwijgen brengen, het moest ophouden.

'Hallo?'

Plotseling hield ze haar mobieltje in haar hand. Ze stond met haar jas aan in de hal, maar was er nog steeds niet echt bij.

'Ja hallo, met Pernilla.'

De stem overtuigde haar ervan dat ze terug was in de werkelijkheid, maar ze was nog aangenaam afgestompt. Ze bevond zich op veilige afstand van alles wat pijn deed of haar bedreigde en zelfs haar lichaam reageerde niet. Haar hart klopte rustig en kalm.

'Hallo.'

'Ik wilde eens horen hoe het me je is. Het ging zo snel laatst, ik dacht dat je misschien ziek geworden was.'

Ziek geworden. Pernilla's woorden weerklonken als een echo. Ziek geworden. Was ze ziek geworden? Als ze ziek was, zou ze alle recht hebben op een paar dagen uitstel van haar opdracht en had ze dat eigenlijk niet verdiend? Een paar dagen maar? Ze was zo vreselijk moe. Als ze gewoon goed uit kon slapen, zou alles beter worden. Ze zou weer fatsoenlijk kunnen denken, een gestructureerd plan kunnen bedenken voor hoe het verder moest, hoe ze alles op de best mogelijke manier kon oplossen. Nu was ze te moe. Haar hersenen waren een eigen leven gaan leiden en gehoorzaamden haar niet meer. Als ze maar kon slapen, zou alles beter worden.

'Ja, ik ben ziek. Ik lig met koorts in bed.'

'Ach jee, misschien heeft Daniella je wel aangestoken, die is ook niet zo lekker.'

Monika antwoordde niet. Als Daniella ziek was, moest ze naar haar toe; dat hoorde bij de overeenkomst. Maar ze kon het niet, ze moest slapen.

'Ik zal je niet langer storen als je je niet goed voelt. Je moet maar bellen als je weer op de been bent. Als ik iets voor je kan doen, zeg je het maar, als ik boodschappen voor je moet doen of zo.'

Monika deed haar ogen dicht.

'Dankjewel.'

Ze kon geen woord meer uitbrengen en drukte het gesprek weg. Haar rug gleed langs de voordeur naar beneden en ze bleef op de grond zitten. Met haar ellebogen op haar opgetrokken knieën verborg ze haar gezicht in haar handen. De verdovende werking van de tabletten behoedde haar ervoor de gedachten die langskwamen helemaal te begrijpen. De tere lijn tussen wreedheid en zorgzaamheid. Maar slechtheid, wat was dat? Wie bepaalde dat? Wie kende zichzelf het recht toe een waarheid te definiëren die onder alle omstandigheden voor iedereen gold? Ze wilde alleen maar helpen, rechtzetten, het ongerijmde 'nooit meer' minder onbarmhartig maken. Want je kon echt alles rechtzetten als je maar heel goed je best deed. Dat moest kunnen! Dat moest!

Ze zou Pernilla terzijde blijven staan, iets anders was ondenkbaar. Ze zou onderdanig blijven, ze zou er blijven zolang Pernilla haar nodig had, haar eigen leven opzijzetten, zo lang als nodig was. Toch wist ze dat het uiteindelijk niet genoeg zou zijn. Ze had Pernilla haar man afgenomen en de vader van haar dochtertje, niet haar beste vriendin. Ze ging rechtop zitten en zonder eigenlijk iets te zien, staarde ze strak naar de muur boven de schoenenplank. Ze had het niet eerder gezien, maar dat was de oplossing.

Pernilla moest een nieuwe man ontmoeten. Een man die Mattias' plaats kon innemen op een heel andere manier dan ze zelf ooit zou kunnen. Die een nieuwe vader voor Daniella kon worden, de zorg voor het gezin op zich kon nemen en Pernilla de liefde kon geven waarvan Mattias' dood haar had beroofd.

Monika krabbelde omhoog en liet haar jas op de grond vallen. Vervuld van haar nieuwe inzicht voelde ze zich een last lichter. Als ze ervoor zorgde dat Pernilla een nieuwe man ontmoette, zou haar opdracht voltooid zijn, dan zou ze haar plicht vervuld hebben. Ze zouden als vriendinnen met elkaar om kunnen blijven gaan en Pernilla zou de waarheid nooit te horen krijgen.

Monika zou haar schuld aan Mattias hebben ingelost.

Ze liep de slaapkamer in en drukte een slaaptablet uit de metalen strip. Nu moest ze allereerst slapen. Goed uitslapen, zodat haar hersenen haar weer gehoorzaamden. Daarna zou ze gereed zijn om haar nieuwe plan op poten te zetten. Pernilla meenemen naar de kroeg, haar uitnodigen voor een buitenlandse reis, namens haar contactadvertenties op internet en in de krant zetten.

Ze zou het wel regelen.

Het kwam allemaal weer goed.

Ze stapte uit haar kleren en liet ze op de grond vallen. Zodra haar hoofd op het kussen neerkwam, viel ze met een gerust gevoel in slaap, ervan overtuigd dat ze eindelijk de controle weer terug had.

## 30

Maj-Britt zat te schemeren in haar leunstoel. De schaduwen in haar flat werden steeds donkerder, totdat ze ten slotte samensmolten met de omgeving.

Zes maanden.

Eerst deed het haar niets. Zes maanden was gewoon een aanduiding van tijd. Twaalf maanden was een jaar en zes maanden een halfjaar, daar was niets bijzonders aan. Ze telde op haar vingers. 12 oktober. 12 oktober plus zes maanden. Dan was het april. Herfst, winter, maar eigenlijk geen voorjaar.

12 oktober.

Het was veel vaker in haar leven 12 oktober geweest, ook al kon ze zich niet in detail herinneren wat ze op die dagen had gedaan. Ze zouden wel tamelijk onopgemerkt voorbijgegaan zijn, zoals de meeste andere dagen. Maar deze twaalfde oktober zou heel speciaal worden. Het zou de laatste zijn.

Ze zat al zeker vier uur op haar stoel en dat betekende dat er vier uur minder over was van de laatste 12 oktober van haar leven.

Ze was niet bang om het leven te verlaten. Er was zoveel tijd, er waren zoveel jaren voorbijgegaan waar ze niets aan had gehad. Het was lang geleden dat het leven haar iets had geboden wat haar echt interesseerde.

Maar doodgaan!

Weggevaagd worden zonder een spoor, zonder de geringste afdruk achter te laten. Zolang de toekomst een vanzelfsprekendheid was geweest, konden bepaalde dingen altijd nog, had ze die gemakkelijk voor zich uit kunnen schuiven. Vanaf nu was de tijd beperkt, het aftellen was begonnen, iedere minuut was plotseling een merkbaar verlies. Het was totaal niet te vatten dat het om dezelfde tijd ging die jarenlang voortgekropen was en waarvan ze zo'n overvloed had gehad dat ze niet wist wat ze ermee aan moest. Voortgekropen en voorbij en verdronken in zinloosheid. Ze zou verdwijnen zonder een spoor achter te laten.

Haar handen grepen de armleuningen steviger vast.

Of ze het er nu mee eens was of niet, ze zou zich moeten overgeven aan het grote Hiernamaals, de eeuwigheid, waarvan geen mens wist wat je er te wachten stond.

Stel je voor dat ze gelijk hadden? Dat het waar was wat ze haar met zoveel ijver hadden geprobeerd in te prenten. Dat het Laatste Oordeel daar wachtte. Als dat zo was, zou het oordeel over haar niet genadig zijn, dat wist ze heel goed. Ze hoefde de hand niet erg diep in eigen boezem te steken om te beseffen naar welke kant de weegschaal zou doorslaan. Misschien zou Hij daar aan gene zijde staan wachten, voldaan en ingenomen met het feit dat hij haar eindelijk in Zijn macht kreeg. Wanneer ze haar keuzevrijheid had opgebruikt en aantoonbaar een logisch gevolg verdiende.

Er was geen reden om te leven, maar waar moest ze de moed vandaan halen om te sterven? Om zich uit te leveren aan de eeuwigheid, als ze niet wist wat dat inhield?

De uiterste eenzaamheid.

In eeuwigheid.

Terwijl er nog zoveel niet gedaan was.

In haar flat nam de duisternis het over, haar ongerustheid groeide. Het werd met het moment duidelijker. Op de een of andere manier moest ze het gewicht in de weegschalen gelijk zien te krijgen.

Ze zag de vrouw voor zich die hier een paar uur geleden in de kamer had gestaan en haar doodvonnis had geveld, op het dure horloge om haar smalle pols had gegluurd en er vervolgens met een verschrikte blik vandoor was gegaan. Zo onberispelijk aan de buitenkant, maar zich zo bewust van haar schuld. Als het weer 12 oktober was, zou ze zich Maj-Britt niet meer herinneren, en deze dag ook niet. Alles zou weggevallen zijn in de drukte van andere stervende patiënten en van dagen die allemaal op elkaar leken. Zij zou in alle rust haar leven op aarde kunnen voortzetten en tijd genoeg hebben om haar schuld af te betalen.

Maj-Britt niet.

Vanaf nu zou iedere seconde die nutteloos voorbijging een verloren kans zijn.

Ze stond op. Saba stond bij de balkondeur te wachten en ze deed de deur open. Er scheen licht achter een raam aan de overkant, waar de man had gewoond die nu het antwoord in handen had op de vraag waarop alle mensen door alle tijden heen een antwoord hadden gezocht.

En ze dacht weer aan Monika. Aan de schuld die ze droeg.

Twee levens met te veel gewicht in de ene weegschaal.

Ze kreeg plotseling moeite met ademhalen en besefte tot haar schrik hoe bang ze was. Aan alleen zijn was ze gewend, maar of ze de moed had om alleen af te lopen op wat haar te wachten stond...

*Onze vader die in de hemelen zijt.*

Ze draaide zich om en keek naar de kleerkast. Ze wist dat er een lag weggestopt op de bovenste plank, al jaren niet meer gebruikt, maar nog steeds met een versleten kaft na alle gebruik van toen. Maar ze had Hem de rug toegekeerd, ze had gezegd dat ze het zonder Hem wel redde en Hem gevraagd haar met rust te laten. Ze had Hem verloochend. Nu begreep ze het opeens. Het werd haar opeens duidelijk, ze wist het zeker: Hij had gewoon op dit moment gewacht. Hij had aldoor geweten dat ze op haar knieën terug zou komen op de dag dat er aantoonbaar weinig korrels overbleven in de zandloper. Wanneer ze zich niet meer kon verbergen in het leven, maar naakt tegenover het feit stond dat alle mensen kennen, maar waarvan iedereen doet alsof het er niet is. Dat aan alles een eind komt. Dat iedereen op een dag alles moet achterlaten wat hij kent en zich moet overgeven aan wat sinds onheuglijke tijden de grootste angst is van ieder mens.

Hij had geweten dat ze Hem dan zou aanroepen, op haar blote knieën om vergiffenis en een zegen zou vragen en zou smeken om Zijn genade.

Hij had gelijk gekregen.

Hij had gewonnen en zij had verloren.

Ze lag naakt voor Zijn ogen, bereid tot onderwerping.

Haar nederlaag was kolossaal.

Ze sloot haar ogen en voelde dat ze een kleur kreeg. Met het schaamrood op de wangen liep ze naar de kleerkast en trok de deuren open. Ze zocht met haar hand over de plank, ging over stapels lakens en allang vergeten tafelkleden en gordijnen om uiteindelijk de welbekende vorm te voelen. Zo bleef ze staan, aarzelend, de vernedering brandde als vuur en toegeven dat ze het fout had gedaan was ook toegeven dat Hij aldoor gelijk had gehad. Dat maakte haar schuld nog groter. Ze gaf Hem de bevoegdheid haar te straffen.

Ze pakte de bijbel van de plank. Ze zag de beduimelde kaft. Er zat iets tussen de bladzijden en zonder erbij na te denken trok ze het eruit en pas toen het te laat was en haar ogen het al hadden gezien wist ze het weer. Twee foto's. Langzaam liep ze weer naar de leunstoel en liet zich erin neerzakken. Ze sloot haar ogen, maar opende ze weer en omvatte het liefhebbende paar met haar blik. Een mooie lentedag. Zij slank in een witte jurk en Göran in een zwart pak. De sluier die ze met zoveel zorg had gekozen. Hun ineengestrengelde handen. De overtuiging. De absolute zekerheid. Vanja vlak achter hen, zo blij voor haar. De welbekende glimlach, de twinkelende ogen, haar Vanja, die er altijd was als ze haar nodig had. Die altijd aardig voor haar was geweest. En tegen wie ze nu zelf had gelogen, die ze had verraden, veroordeeld en afgewezen.

Te veel gewicht in de ene weegschaal.

Ze liet de foto op de vloer vallen en haar oog viel op de tweede. Ze hapte naar adem toen ze de lege blik van het meisje ontmoette. Ze zat op een deken op de keukenvloer in het huis dat ze hadden gehuurd. Het rode jurkje. De witte schoentjes die ze van Görans ouders had gekregen.

Ze voelde de tranen opwellen. Haar handen herinnerden zich hoe het voelde om het kleine lijfje op te tillen, het in haar armen te sluiten, ze wist weer hoe ze rook. De kleine handjes die zich in grenzeloos vertrouwen naar haar uitstrekten en die ze niet vast had weten te pakken. Hoe had ze dat ook moeten kunnen als niemand haar ooit had geleerd hoe dat moest.

Het verdriet dat ze van zichzelf nooit had mogen voelen kwam bij haar boven en de wanhoop die ze voelde was zo diep dat ze buiten adem raakte. Ze liet de foto los, vouwde haar handen krampachtig en hief ze naar het plafond.

'Here God in de hemel, help mij. Wees mij genadig, vaag in Uw grote barmhartigheid mijn overtredingen uit, was mijn misdaden van mij af en reinig mij van mijn zonde. Tegen U alleen heb ik gezondigd en gedaan wat niet mag. Ik vraag het U, opdat Uw woorden en Uw oordeel rechtvaardig mogen zijn. Zie, in ongerechtigheid ben ik geboren, in zonde heeft mijn moeder mij ontvangen.'

Haar handen trilden.

Zes maanden was te veel. Zo lang hield ze het niet vol.

De tranen stroomden over haar wangen en snikkend bracht ze uit: 'Ik vraag U om vergeving, omdat ik het kwaad doe dat ik niet wil. Goede God, vergeef mij alstublieft. U moet mij antwoord geven! Lieve Heer, toon Uw barmhartigheid! Geeft U mij alstublieft moed, want ik durf het niet!'

Ze herinnerde zich wat ze vroeger altijd deden als ze Zijn raad en troost nodig hadden. Ze droogde snel haar ogen af, pakte de bijbel gretig met haar linkerhand vast en haalde haar rechterduim langs de zijkant van de bladzijden. Toen sloot ze haar ogen en sloeg de bladzij op waar haar duim was blijven steken, liet haar vinger over de bladzij gaan om op goed geluk een vers te kiezen. Zo bleef ze zitten, met gesloten ogen en met haar wijsvinger als een speer met de punt in de Heilige Schrift. Nu zou Hij spreken. De boodschap brengen die Hij haar wilde geven en die Hij haar vinger had laten aanwijzen.

'Heer, laat me niet alleen.'

Ze was zo bang. Alles wat ze vroeg was een beetje troost, één klein teken dat ze niets te vrezen had, dat ze kon worden vergeven. Dat Hij nu aan haar kant stond, nu alles binnenkort voorbij was, dat verzoening mogelijk was. Ze haalde diep adem en zette haar bril op, ging met haar ogen langs de vinger naar beneden, naar de tekst.

En toen ze het las, begreep ze pas goed dat de vrees die ze nu voelde niets was vergeleken met wat haar te wachten stond.

Haar handen trilden toen ze Zijn woorden las: *Nu breekt het einde voor u aan, want Ik zal mijn toorn tegen u loslaten, Ik zal u richten volgens uw wandel en al uw gruwelen aan u vergelden. Ik zal u niet ontzien en geen deernis hebben, maar Ik zal uw wandel aan u vergelden, uw gruwelen zullen op u neerkomen, en gij zult weten dat Ik de Here ben.*

Een onvoorstelbare angst perste de laatste lucht uit haar longen.

Ze had antwoord gekregen.

Hij had eindelijk antwoord gegeven.

# 31

Haar slaap was droomloos. Een niets waar niets was. Alleen een storend geluid ergens op de achtergrond. Eigenwijs kerfde het zich in het niets en eiste haar aandacht op. Ze wilde terug naar de leegte, maar het geluid hield maar aan. Ze moest het laten ophouden.

'Hallo?'

'Spreek ik met Monika Lundvall?'

Alles was zo onduidelijk dat ze niet kon antwoorden. Ze deed een poging om haar ogen te openen, maar dat lukte niet, alleen de greep van haar handen om de hoorn van de telefoon kon haar ervan overtuigen dat wat ze meemaakte echt was. Alles was aangenaam diffuus. Haar hoofd lag op het kussen en in de korte stilte die was gevallen, kon de slaap weer vat op haar krijgen. Maar toen kwamen er weer nieuwe woorden.

'Hallo? Spreek ik met Monika Lundvall?'

'Ja.'

Ze dacht in ieder geval van wel.

'Met Maj-Britt Pettersson. Ik wil je graag spreken.'

Met een flinke krachtsinspanning slaagde Monika erin haar ogen te openen en genoeg werkelijkheid te onderscheiden om tot een antwoord in staat te zijn. Het was volslagen donker in de kamer. Ze besefte dat ze in haar bed lag en de telefoon had opgenomen toen die rinkelde en dat de beller iemand was met wie ze nooit meer wilde praten.

'Bel maar naar het gezondheidscentrum.'

'Daar gaat het niet om. Het is iets anders. Iets belangrijks.'

Ze ging op een elleboog liggen en schudde haar hoofd in een poging wat ordening aan te brengen. Om te kunnen begrijpen wat er gebeurde en zo mogelijk een uitweg te vinden, zodat ze weer verder kon slapen.

De stem vervolgde: 'Ik wil het niet over de telefoon bespreken, dus ik stel voor dat je hierheen komt. Zullen we zeggen morgenvroeg om negen uur?'

Monika wierp een blik op de wekkerradio. Drie uur negen-
enveertig. En ze wist bijna zeker dat het nacht was, want het was
donker achter de ramen.

'Dan kan ik niet.'

'Wanneer kun je wel?'

'Ik kan überhaupt niet. Bespreek het maar met je gezondheidscentrum.'

Daar ging ze echt nooit meer heen. Van zijn levensdagen niet.
Ze had geen verplichtingen. Niet aan haar. Ze had al meer gedaan
dan je redelijkerwijs kon vragen. Ze wilde net de hoorn erop
leggen toen de stem verderging: 'Als je toch doodgaat, ben je niet
meer zo bang om de deur uit te gaan, weet je. Als je al meer dan
dertig jaar binnenzit, heb je wat in te halen. Zoals met je buren
omgaan bijvoorbeeld.'

De angst wist niet door de verdoving heen te dringen. Hij bleef
buiten staan, gaf een paar kwade bonzen, om het vervolgens op te
geven en te gaan staan wachten. Op een kans. Hij wist dat er
vroeg of laat een kier zou ontstaan en dan zou hij klaarstaan om
haar te overmeesteren. Intussen maakte hij haar duidelijk dat er
geen keuzemogelijkheden waren. Ze moest erheen. Ze moest
erheen om te horen wat die vreselijke vrouw van haar wilde.

Ze sloot haar ogen. Ze was compleet afgepeigerd. Alles wat ze
had was opgebruikt.

'Hallo? Ben je er nog?'

Vast wel.

'Ja.'

'Dan spreken we negen uur af.'

# 32

Maj-Britt zat als verlamd in de stoel, niet in staat om rustig te ademen. Haar gedachten stoven als verschrikte dieren weg in een poging te ontkomen. Urenlang had ze gebeden, Hem gesmeekt om een teken dat haar zou tonen wat ze moest doen. Keer op keer had ze haar vinger over de bladzijden van de bijbel laten jagen zonder een begrijpelijk antwoord te krijgen. Wanhopig had ze om duidelijkere aanwijzingen gevraagd en toen, eindelijk. Toen ze het voor de veertiende keer probeerde, had Hij weer tot haar gesproken. De eerste brief van Paulus aan Timótheüs. Haar vinger was niet precies op die plek neergekomen, maar op de bladzij ernaast, maar ze wist dat de vinger verkeerd terechtgekomen was doordat ze zelf zo van streek was. Het was Timótheüs 4:16. Hij wilde het haar laten zien, ze wist het.

*Zie toe op uzelf en op de leer, volhard in deze dingen; want door dit te doen zult gij zowel uzelf als hen, die u horen, behouden.*

Dankbaar voor Zijn antwoord sloot ze haar ogen. Ze herinnerde zich de tekst van de Gemeente. Een vermaning om eropuit te gaan en de medemens te bekeren en hem daarmee te redden van het eeuwige vuur. Een goede daad. Hij wilde dat ze iemand anders ging redden en daarmee ook zichzelf zou behouden. Maar wie moest ze redden? Wie? Wie had haar hulp nodig?

Ze stond op en liep naar de balkondeur. In de gevel aan de overkant blonken de ruiten zwart. Een enkele lamp probeerde het nachtelijke duister te trotseren. Ze wilde de deur opendoen, gauw even wat buitenlucht opsnuiven. Dat verlangen was nieuw en ongewoon. Ze legde haar hand op de deurkruk, zag de zwarte ruiten die haar als boze ogen aanstaarden en gaf het op. Ze ging bij de deur weg en liep weer naar haar leunstoel.

De bijbel voelde zwaar aan in haar hand. Ze liet haar duim weer een bladzij uitkiezen. Hij mocht haar nu niet in de steek laten, nu ze wel had begrepen wat er moest gebeuren, maar nog niet hoe ze het moest aanpakken. Ze vroeg wel veel, dat wist ze. Hij had haar Zijn grote genade bewezen door de antwoorden die Hij al had gegeven.

'Nog één antwoord, Heer, dan zal ik U nooit meer ergens om vragen. Toont U mij alleen wie ik moet redden.'

Ze sloot haar ogen. Voor de laatste keer liet ze haar duim langs de bladzijden van het gesloten boek glijden. Als Hij nu niet antwoordde, probeerde ze het niet weer. Ze sloeg de bladzij op. Met haar ogen dicht liet ze haar wijsvinger neerkomen en ze bleef even stilzitten om moed te verzamelen.

Psalm 52. Hij had haar niet in de steek gelaten.

In de plotselinge rust die daardoor werd teweeggebracht viel alles op zijn plaats.

Er stond maar één Monika Lundvall in het telefoonboek.

Maj-Britt legde de hoorn op het toestel. Ze hield de Heilige Schrift in een stevige greep en haalde een paar maal diep adem. Het was haar gelukt, ze had gedaan wat Hij haar had aangewezen en dat had haar moeten geruststellen. Toch bonsde haar hart hevig. Haar vinger zat nog steeds tussen de bladzijden geklemd en ze sloeg de bijbel nog eens open om zich er nogmaals van te overtuigen dat het echt juist was wat ze wilde gaan doen. Ondanks haar belofte had ze Hem nog een vraag gesteld. En Hij had toegestemd. Op de opgeslagen bladzij stond vijf keer het woord 'ja' en slechts twee keer het woord 'nee'.

Saba lag in diepe slaap in haar mand en Maj-Britt probeerde troost te putten uit het huiselijke geluid van haar ademhaling. Het had haar al zoveel nachten geholpen om tot rust te komen. De zekerheid dat er iemand was, daar in het donker. Iemand die haar nodig had. Iemand die er zou zijn als zij wakker werd en blij zou zijn haar te zien. Nu bezorgde die vertrouwde ademhaling haar schuldgevoelens. Saba zou alleen achterblijven en hetzelfde onzekere lot tegemoet gaan áls zijzelf. Met dit verschil dat Saba niet eens het verstand had om bang te zijn.

Nog vijf uur, dan was het negen uur. Proberen te slapen was onnodig tijd verspillen en dat kon ze zich niet meer veroorloven. Ze moest een opdracht uitvoeren en God had haar de weg gewezen. Ze wist dat Monika zou komen. Dat ze niet zou durven wegblijven. Opnieuw kreeg Maj-Britt hartkloppingen als ze dacht aan wat ze op het punt stond te gaan doen.

Een goede daad.

Dat mocht ze niet vergeten. Dat het Een Goede Daad was en niets anders. De dreigende toon die ze had moeten gebruiken om Monika te laten gehoorzamen diende een goed doel! De Heer zelf had zijn instemming betuigd. Ze waren nu met zijn tweeën, zij tweeën samen. Angst was een machtig middel om mee te regeren, maar ze was dankbaar dat ze zich ondergeschikt mocht maken. Alle macht was aan Hem en zij hoefde zich alleen maar waardig te betonen. Laten zien dat ze het verdiende om eindelijk te worden uitverkoren. Dan zou Hij in Zijn grote genade misschien barmhartig genoeg zijn om haar te vergeven.

Dertig jaar lang had ze de dood als een laatste vluchtmogelijkheid gezien. De wetenschap dat ze ertussenuit kon piepen als ze het niet meer aankon had haar gesterkt. Toen ze de beschikking had over meer alternatieven, had ze met die gedachte gespeeld. Maar dat was vroeger, toen de dood nog lang niet in zicht was en de keuze nog steeds aan haar was. Voordat haar lichaam hem in het geniep binnen had gevraagd en hem vrijgeleide had gegeven om langzaam maar doelbewust haar overwicht te verpulveren, om haar ten slotte van iedere keuzemogelijkheid te beroven. Nu de dood haar aangrijnsde was er niets dan verterende angst.

Nu breekt het einde voor u aan, want Ik zal mijn toorn tegen u loslaten, Ik zal u richten volgens uw wandel. En gij zult weten, dat Ik de Here ben.

# 33

Maj-Britt Pettersson.

Bij het zien van de naam op de brievenbus werd ze al misselijk. Maar ze bevond zich nog steeds veilig verschanst buiten bereik. Ze wist dat de angst op de loer lag, maar hij kon niet bij haar komen. De kleine witte tabletjes hadden alle doorgangen geblokkeerd.

Ze duwde met haar vinger op de bel. Ze had de auto aan de andere kant van de flat geparkeerd, zodat Pernilla hem niet zag, en net als de vorige keer was ze door de kelderingang aan de voorkant naar binnen gegaan.

Ze hoorde binnen iets en meteen daarop werd de deur opengedaan. Ze huiverde toen ze over de drempel stapte, ze had niet gedacht dat ze er ooit nog heen zou hoeven.

Ze hield haar jas aan, maar haar laarzen trok ze uit. De dikke hond kwam aan haar snuffelen, maar aangezien ze geen notitie van hem nam, draaide hij zich om en liep weer weg. Toen ze langs de lege keuken kwam wierp ze een blik naar binnen, ze vroeg zich af of Ellinor er ook was, maar het leek van niet. Ze liep door naar de woonkamer en heel even wist ze niet zeker of zij naar de deuropening liep, of dat die op haar afkwam.

Het monster zat in de leunstoel en gesticuleerde met haar ene hand naar de bank. Een breed gebaar, dat misschien uitnodigend bedoeld was.

'Aardig dat je bent gekomen. Ga zitten, als je wilt.'

Monika was niet van plan te blijven en bleef liever in de deuropening staan. Ze wilde dit snel achter de rug hebben, dan kon ze weer weg.

'Wat wil je?'

De enorme vrouw zat roerloos naar haar te kijken met haar doordringende blik, schijnbaar tevreden met de situatie. Want ze glimlachte naar haar. Voor het eerst glimlachte ze naar Monika en om de een of andere reden kreeg ze daar nog meer de kriebels van dan van haar gewone gedrag. Monika was zich onaangenaam bewust van het voordeel dat de vrouw had. Het feit alleen al dat ze erin had toegestemd te komen. Een bekentenis zo goed als een schriftelijke verklaring. Haar verdoofde brein probeerde erachter te komen wat er eigenlijk aan de hand was, maar ze herkende haar gedachten niet meer. Ellinor en Maj-Britt en Åse en Pernilla. De namen zoemden rond en struikelden over elkaar, maar ze kon niet langer uit elkaar houden wie wat wist en waarom dan wel. De gedachte aan wat er zou gebeuren als alles aan het licht kwam en openbaar werd, wilde ze ver van zich houden. Het kwam allemaal goed. Ze zou er gewoon voor zorgen dat Pernilla een nieuwe man ontmoette en weer vrolijk werd en ze zouden vriendinnen blijven en ze zouden allemaal nog lang en gelukkig leven.

Ze was bijna vergeten waar ze was toen ze de stem weer hoorde vanuit de leunstoel.

'Sorry dat ik je wat rauw op je dak viel met mijn verzoek om hier te komen, maar zoals ik al zei is het belangrijk. Het is voor je eigen bestwil.'

Ze glimlachte weer en Monika werd een beetje misselijk.

'Ik heb je gevraagd te komen omdat ik je wil helpen. Zo voelt het nu misschien niet, maar op een dag zul je het begrijpen.'

'Wat wil je?'

De vrouw in de stoel ging rechtop zitten en haar ogen werden spleetjes.

'Je zint op verderf, je tong is als een scherpgeslepen scheermes, jij, die bedrog pleegt. Je hebt het kwade lief boven het goede, leugen boven waarheid spreken, jij, bedrieglijke tong.'

Monika kneep haar ogen dicht en opende ze weer. Het hielp niet. Dit gebeurde echt.

'Wat?'

'Daarom zal God je voor eeuwig verbreken, Hij zal je weg-rukken en je uit de tent sleuren, je ontwortelen uit het land der levenden.'

Monika slikte. Alles draaide. Ze zocht steun bij de deurpost.

'Ik probeer je alleen maar te redden. Hoe heet ze ook alweer, de weduwe die hiertegenover woont? Tegen wie je liegt?'

Monika antwoordde niet. Even wervelden alle gedachten weg en ze constateerde alleen dat alprazolam toch maar een fantastische uitvinding was. Het kwam je redden als alle problemen weigerden zich te laten oplossen, ook al had je er alles aan gedaan.

Toen de vrouw geen antwoord kreeg, ging ze verder.

'Ik hoef haar naam niet te weten. Ik weet immers waar ze woont.'

'Ik begrijp niet wat je ermee te maken hebt.'

'Ik niks, vermoedelijk, maar God wel.'

Deze vrouw was gek. Ze bleef Monika aankijken, nagelde haar als het ware vast met haar ogen. Ze voelde duidelijk hoe haar blik naar binnen ging, om haar uitgeputte verdediging heen speelde en recht op het doel af ging.

Om te scoren zeker.

Plotseling hoorde ze iemand giechelen en ze besefte tot haar verbazing dat ze het zelf was. Het monster in de stoel schrok ervan en staarde haar aan.

'Wat valt er te lachen?'

'Niks, ik moest gewoon ergens aan denken en toen dacht ik... nee, niks.'

Weer moest er iemand lachen, maar daarna werd het stil. Een doelpunt voor het team van de hel.

Toen het monster weer begon te praten, klonk haar stem kwaad, alsof ze beledigd was.

'Ik zal je niet vermoeien met details, want ik kan met eigen ogen zien dat je daar niet erg in bent geïnteresseerd, maar weet wel dat ik dit voor jou doe. Ik zal het kort houden en je drie keuzemogelijkheden geven. De eerste is: je vertelt zelf aan de weduwe op de tweede verdieping hier aan de overkant dat je hebt gelogen. Je neemt haar mee hiernaartoe, zodat ik het met eigen oren kan horen. De tweede mogelijkheid is de volgende. Ik heb een brief geschreven en die ligt ergens goed opgeborgen. Als je niet uit jezelf bekent, wordt die brief over een week bij haar bezorgd en als ze die leest, komt ze erachter dat jij haar man hebt overgehaald om met jou van auto te ruilen op de terugreis vanaf de cursus.'

De angst wist een gat te slaan, een kleintje maar. Ze voelde zich nog steeds tamelijk veilig. De tabletten zaten in haar tasje, maar ze had de dosis al overschreden. Dubbel en dwars.

'De derde mogelijkheid is dat je een miljoen kronen overmaakt naar de girorekening van Red de Kinderen. En dat je mij het stortingsbonnetje komt laten zien als bewijs.'

Monika staarde haar aan. Het exacte bedrag en de concrete opdracht maakten haar duidelijk dat dit kennelijk echt was, hoe waanzinnig ook. Luid en duidelijk drong de hele ongerijmde inhoud ervan tot haar door.

'Ben je gek? Zoveel geld heb ik niet.'

Het monster wendde haar hoofd af en keek uit het raam. Haar onderkinnen schommelden toen ze verderging.

'Nee? Nou, dan kies je toch een van de andere mogelijkheden?'

De deur werd wijd opengezet. Ze rukte haar handtas open en griste de verpakking eruit, zag uit een ooghoek dat het monster naar haar keek, maar dat kon haar niets schelen; ze liet de metalen strip op de vloer vallen en toen ze hem wilde oprapen viel ze bijna om.

'Je mag er een paar dagen over nadenken en me dan laten weten wat het wordt. Maar er is haast bij. Je mag de genade van de Heer niet misbruiken.'

Monika wankelde naar de hal en slikte de tabletten in. Ze liep met haar laarzen in de hand het trappenhuis in en ging daar zitten om ze aan te trekken. Onderweg naar beneden hield ze zich aan de trapleuning vast en ten slotte vond ze de kelderuitgang. Op de een of andere manier moest ze tijd zien te winnen. Ze moest alles zo lang stilzetten totdat ze de kans had gehad om na te denken en op een rijtje te zetten wat er zo fout gelopen was, wat haar opnieuw tussen de vingers door was geglipt. Die vrouw was gek en maakte op de een of andere manier deel uit van het net waarin ze verstrikt was geraakt en nu moest ze een uitweg vinden uit deze ellende, waar ze niets meer van begreep.

Toen voelde ze dat het alprazolam de juiste receptoren in haar hersenen had bereikt en ze bleef staan en gunde zichzelf een moment van welbevinden. Ze genoot van het bevrijdende gevoel dat het door een fantastische ommekeer allemaal niet zo belangrijk meer was, dat al het scherpe werd ingebed in iets zachts en hanteerbaars, dat haar geen pijn meer kon doen.

Ze bleef doodstil staan, zoog de lucht in haar longen en haalde adem. Gewoon ademhalen.

De zon was erbij gekomen. Ze sloot haar ogen en liet de stralen over haar gezicht spelen.

Het kwam allemaal goed. Het wás allemaal best goed. Met Xanax en Red de Kinderen. Het was allemaal voor een goed doel. Zoiets als het donatiefonds waarvoor ze in de kliniek verantwoordelijk was. Waaruit geld moest gaan naar behartigenswaardige hulpacties voor kinderen met oorlogstrauma's. Ieder jaar hielpen ze honderden kinderen over de hele wereld. Het was geweldig, ze redden hen, redden de kinderen. Red de Kinderen. Hé! Nu ze erover nadacht: dat was bijna hetzelfde. En niemand zou er iets van merken, er stond zoveel geld op die donatierekening. Ze zou er voor nood iets van kunnen lenen totdat ze het probleem op een andere manier kon oplossen. Ze had het rekeningnummer in haar portemonnee en de bank was open. Het was immers ook voor Pernilla, dat mocht ze niet vergeten. Die mocht ze niet in de steek laten, anders bleef ze helemaal alleen achter. Pernilla had haar nodig. Totdat ze een gelijkwaardige vervanger voor Mattias had gevonden, had Pernilla alleen Monika. En Monika had naar eer en geweten verklaard dat ze ernaar zou streven haar medemensen te dienen met humaniteit en respect voor het leven als richtsnoer, en nu moest ze een leven redden. Het was haar plicht om alles te doen wat in haar vermogen lag.

Alleen kon ze zich op dit moment niet herinneren wiens leven ze ditmaal eigenlijk moest redden.

# 34

Maj-Britt zat op een stoel vlak achter de voordeur. Die stond op een klein kiertje, waardoor ze 's ochtends vroeg enkele buren had zien voorbijgaan. Ze waren haastig de trap afgelopen, de wereld in die zij jaren geleden had verlaten. Ze zoog de lucht op die van buiten kwam binnenstromen en deed haar best om eraan te wennen.

Ellinor had een paar buitenschoenen voor haar gekocht en die had ze al aan, maar een jas in haar maat had Ellinor niet gevonden. Die moest speciaal besteld worden, hadden ze gezegd, en daar kon Maj-Britt niet op wachten. Wat ze ging doen moest zo snel mogelijk gebeuren, voordat de moed haar weer in de schoenen zonk.

Ellinor was doorgegaan met haar overredingspogingen, maar had het uiteindelijk op moeten geven. Ze had moeten inzien dat het geen zin had om iemand die nergens meer naar verlangde over te halen tot het ondergaan van een heleboel gecompliceerde operaties, alleen maar om een leven te behouden dat eigenlijk allang afgelopen was.

Met geen woord had Maj-Britt over haar plannen gesproken. Ellinor verkeerde in volledige onwetendheid omtrent de lopende onderhandelingen met God. Dat Maj-Britt bezig was haar zonden goed te maken zodat ze alsnog zou kunnen worden vergeven. Waarna ze de moed zou hebben om te sterven.

Monika had het niet willen begrijpen. Maj-Britt wist niet goed hoe ze het had opgevat. Maar dat maakte niet zoveel uit. Wat Monika ook besloot te gaan doen, het zou betekenen dat Maj-Britt een goede daad had gedaan. Of ze zou Monika van de hel redden door haar te laten stoppen met liegen, of als Monika liever wilde betalen, zou het Maj-Britts verdienste zijn dat Red de Kinderen een aantal kinderen een draaglijker bestaan kon bieden.

Een beetje tegenwicht.

Het zou weliswaar niet genoeg zijn, maar God had aangeduid dat het vernietigende oordeel dat haar te wachten stond er iets milder door zou worden.

Maar vergeven was ze niet.

Ze moest nog iets doen. Want Monika was niet de enige die had gelogen.

Daarom zat ze nu achter haar voordeur door de kier naar buiten te kijken en probeerde ze zichzelf te overwinnen. Om voetje voor voetje het doel te naderen dat haar voor ogen stond en het ongelooflijke te doen waartoe ze had besloten.

De brieven die ze had geschreven.

Ze moest die leugens terugnemen, anders zou ze het leven niet durven verlaten en ze moest Vanja met eigen ogen zien om zich er echt van te overtuigen, er zeker van te zijn dat ze vergeving van haar kreeg. En ze wilde het antwoord weten op de vraag die voortdurend door haar hoofd spookte. Hoe Vanja had kunnen weten van het gezwel dat in haar lichaam groeide en waarvan ze zelf het bestaan niet eens had gekend.

Ze had overwogen om toch een brief te schrijven, ook al had Vanja geschreven dat ze niet van plan was in een brief of over de telefoon iets te vertellen. Als ze maar half zo koppig was als ze in haar jeugd was geweest, dan hoefde ze het niet eens te proberen.

Maj-Britt moest zichzelf overwinnen, ze moest dit doen. Dan ontbrak verder alleen nog de bekentenis van Monika Lundvall aan de weduwe of het bonnetje van de storting aan Red de Kinderen. Als ze het bewijs had gekregen, zou ze haar sterven geen halfjaar meer uitstellen. Dan zou ze ervoor zorgen dat het aanmerkelijk sneller ging.

Ellinor had het allemaal geregeld. Maj-Britt had voor het eerst de hoorn opgepakt en het mobiele nummer gebruikt dat Ellinor op haar nachtkastje had gelegd. Ellinor was enthousiast geweest. Ze had een auto geleend die groot genoeg was en had gebeld om naar de bezoekmogelijkheden te vragen. Ze had Maj-Britt verteld dat de vrouw die zij had gesproken bijna blij was geweest met haar vraag. Had geantwoord: ja zeker, Vanja Tyrén mocht bezoek

ontvangen, zelfs zonder bewaking erbij, en dat ze een bezoekers-
kamer zou reserveren.

Zelf had Maj-Britt het druk genoeg met haar voorbereidingen,
twee dagen lang had ze geprobeerd te snappen waar ze mee bezig
was, en dat ze dat feitelijk geheel vrijwillig ging doen. Dat ze
Ellinor niet eens de schuld kon geven als het misliep.

Het was een onwerkelijk moment toen ze klaarstonden bij de
voordeur. Net of ze droomde. Saba stond een stukje verderop in
de hal en keek hen na toen ze de deur uit gingen, probeerde niet
eens achter hen aan te lopen, omdat die kant op niet naar buiten
betekende voor haar. Voor haar was het een wonderlijke opening,
waaruit met regelmaat mensen opdoken, die later weer in rook
opgingen. Maar nu stond het vrouwtje aan de andere kant, en
kennelijk werd ze daar onrustig van. Saba liep tot aan de drempel
en bleef daar staan. Ze jankte en Ellinor ging op haar hurken
zitten en aaide over haar rug.

'Stil maar, we komen gauw terug. Vanavond is ze er weer.'

En met iedere cel in haar enorme lichaam wenste Maj-Britt dat
het nu al avond was en dat ze weer naar binnen kon gaan.

De stad was veranderd. Er was zoveel gebeurd sinds ze die voor
het laatst had gezien. Nieuwe gebouwen waren verrezen op
beschermde stukken groen en in bekende buurten en die hadden
haar woonplaats in een vreemde stad veranderd. Hij was ook
groter geworden. Hele woonwijken hadden zich over de met bos
beklede heuvels aan de zuidelijke toegangsweg uitgespreid en
hadden de stadsgrens enkele kilometers opgeschoven. Ze was
meer dan dertig jaar lang de stad niet uit geweest en toch was
die haar volledig vreemd. Haar ogen probeerden wanhopig alle
indrukken op te nemen, maar ten slotte gaf ze het op en moest ze
haar ogen even dichtdoen om weer tot zichzelf te komen. Ze
moest aldoor aan Vanja denken. Hoe ze zou reageren. Of ze boos
op haar was. Maar alle visuele indrukken hielpen haar op dit
moment om de ergste zenuwachtigheid te verdrijven.

Ze was even ingedut. Toen ze wakker werd doordat de motor werd uitgezet, wist ze niet hoe lang ze onderweg waren geweest. Ze stonden op een parkeerplaats. Ze wierp een haastige blik op de bebouwing in de buurt, zag witte gebouwen achter hoge hekken, maar durfde het niet aan om beter om zich heen te kijken. Ze had getracht zich zo goed mogelijk voor te bereiden op de belangstelling die haar verschijning zeker zou wekken, maar nu het zover was, werd ze door onlustgevoelens overvallen. Alleen al bij de gedachte dat ze zich aan Vanja zou moeten vertonen en voor haar enorme mislukking uit moest komen, zonk de moed haar weer in de schoenen. Haar keel deed pijn en er welden tranen op. Ze was niet in staat tot een poging ze te verbergen, ook al voelde ze dat Ellinor naar haar keek. De angst die ze voelde om de auto uit te moeten en zich tussen onbekenden te begeven was even hevig als de angst die ze had ervaren toen ze met haar duim bijbelverzen had opgezocht en Hij Zijn vonnis had uitgesproken. Ze trilde over haar hele lichaam.

'Rustig maar, Maj-Britt.'

Ellinors stem was kalm en ferm.

'We hoeven nog niet naar binnen, dus we blijven hier gewoon nog even zitten. Ik ga zo met je mee om te kijken of alles in orde is voordat ik jullie alleen laat.'

Ze voelde dat Ellinor haar hand vastpakte en ze liet het toe, pakte zelf haar tengere hand vast en kneep er stevig in. Van ganser harte wenste ze dat er een greintje van de vanzelfsprekende kracht die in Ellinor school naar haar getransporteerd kon worden. Ellinor die het niet had opgegeven. Die met haar koppigheid tegen alle verwachtingen in tot haar door had weten te dringen en had bewezen dat er zoiets bestond als het beste met iemand voor hebben. Zonder iets terug te verwachten.

'Het is tijd, Maj-Britt. Het bezoekuur begint nu.'

Ze draaide haar hoofd om en ontmoette Ellinors glimlach. Tot haar verbazing zag ze dat haar ogen vol tranen stonden.

Maj-Britts nieuwe schoenen liepen over nat asfalt. De neuzen kwamen met regelmatige tussenpozen onder de zoom van haar jurk uit, en verder durfde ze niet te kijken. De onderkant van een deur die openging, een drempel, een zwarte deurmat, geelbruin linoleum op de vloer. Ellinor die met iemand praatte. Het gerammel van sleutels. Zwarte herenschoenen voor haar, die onder een donkerblauwe broek uit kwamen en nog meer geelbruin linoleum. Enkele gesloten deuren in de muren aan de rand van haar blikveld.

Ze hief haar ogen niet eenmaal op, maar toch voelde ze alle blikken die haar volgden.

De herenschoenen bleven staan en er ging een deur open.

'Vanja komt zo. Jullie mogen vast naar binnen.'

Weer een drempel, waar ze ook overheen wist te stappen. Toen waren ze er kennelijk. De zwarte herenschoenen verdwenen door de deur en ze richtte haar blik langzaam op om zich ervan te overtuigen dat ze alleen waren. Ellinor stond nog bij de deur.

'Alles goed met je?'

Maj-Britt knikte. Zover was ze gekomen en ze probeerde kracht te putten uit haar overwinning. Maar de uitdaging had veel van haar gevergd, haar benen wilden niet meer en ze liep naar een tafel met vier stoelen, die er stevig genoeg uitzagen om haar gewicht te kunnen dragen. Ze trok een ervan onder de tafel uit en liet zich erop neerploffen.

'Dan wacht ik zolang buiten.'

Maj-Britt knikte weer.

Ellinor stapte over de drempel, maar toen bleef ze staan en draaide zich om.

'Weet je, Maj-Britt, ik ben zo ontzettend blij dat je dit doet.'

En toen was ze alleen. Een kamertje met neergelaten jaloezieën, een eenvoudig bankstel, de tafel waaraan ze zat en een paar schilderijen aan de muur. De geluiden vanuit de gang bleven binnenstromen. Een rinkelende telefoon, een dichtslaande deur. En straks kwam Vanja. Vanja, die ze vierendertig jaar niet had gezien. Door wie ze zich in de steek gelaten had gevoeld en tegen wie ze nu zelf had gelogen. Ze hoorde voetstappen naderen op de gang en ze klemde haar vingers steviger om het tafelblad. Het moment daarop stond ze in de deur. Maj-Britt voelde dat ze onwillekeurig naar adem hapte. Ze herinnerde zich de foto van de bruiloft, Vanja als bruidsmeisje, en zag haar denkfout in. In de deur stond een vrouw van middelbare leeftijd. Haar donkere haar veranderd in zilver en met een fijnmazig net van rimpels op het gezicht dat ze ooit zo goed had gekend. Het begrip tijd plotseling aanschouwelijk gemaakt. In één klap zo duidelijk dat alles wat aldoor zo vanzelfsprekend voorbijtrok zijn tol eiste, voortdurend jaarringen maakte, of je de tijd nu benutte of niet.

Maar het waren Vanja's ogen die haar haast de adem benamen. Ze herinnerde zich de Vanja die ze had gekend, met de altijd guitige blik en een spottend lachje om haar lippen. De vrouw die ze voor zich zag, droeg een oneindig verdriet in haar blik, alsof haar ogen meer hadden moeten zien dan ze konden verdragen. Toch glimlachte ze, en heel even schoot er een glimp van de Vanja die ze ooit had gekend over het vreemde gezicht.

Ze liet op geen enkele manier blijken wat ze dacht toen ze Maj-Britts verschijning zag.

Ze vertrok geen spier.

De bewaker stond nog bij de deur en Vanja keek om zich heen door de kamer.

'Zeg, Bosse, kunnen de jaloezieën niet een stukje omhoog? Je ziet hier geen hand voor ogen.'

De bewaker glimlachte en legde zijn hand op de deurkruk.

'Sorry, Vanja, het moet zo blijven.'

Hij deed de deur achter zich dicht, maar Maj-Britt hoorde niet of hij hem op slot deed. Ze dacht van niet. Vanja liep naar het raam en probeerde de jaloezieën te draaien, maar dat lukte niet. Ze bleven zitten zoals ze zaten. Ze gaf het op en bleef weer om zich heen staan kijken. Ze liep naar een schilderij en boog voorover, keek nog wat beter. Een landschap met bos.

Toen draaide ze zich om en ging met haar blik door het vertrek.

'Dat heb ik me nou al die jaren afgevraagd, hoe de bezoekers-ruimtes eruitzien.'

Maj-Britt zweeg. Al die jaren. Zestien jaar lang had Vanja zich dat afgevraagd.

Vanja kwam naar de tafel toe en trok de stoel recht tegenover haar aan, ze keek bijna verlegen toen ze ging zitten. Maj-Britt was helemaal van haar stuk gebracht. Zozeer dat ze niet meer zenuwachtig was. Het was toch wel echt Vanja die daar zat. Verborgen in dat vreemde lichaam zat ergens de Vanja van vroeger. Er was niets om bang voor te zijn.

Ze keken elkaar een hele poos aan. Doodstil, alsof ze elkaars gelaatstrekken afspeurden op zoek naar bekende details. Seconden en minuten tikten voorbij in werkeloosheid en Maj-Britts ongerustheid viel helemaal weg. Voor het eerst in een heel, heel lange tijd voelde ze zich volledig kalm. De veilige haven die ze in haar hele jeugd rondom Vanja had ervaren, was intact, daar kon ze zich ontspannen en hoefde ze zich niet meer te verdedigen. En ze dacht weer aan Ellinor. Hoe die had moeten vechten om tot haar door te dringen.

Vanja was degene die het zwijgen verbrak.

'Dat hadden ze ons vroeger eens moeten vertellen, dat we hier vandaag zouden zitten. In een bezoekersruimte in Vireberg.'

Maj-Britt sloeg haar ogen neer. Doordat er zoveel uit haar was weggevloeid, was er nu ruimte voor iets anders. Het besef van alle tijd die verloren was gegaan. Dat het inmiddels overal te laat voor was.

'Ben je al bij een dokter geweest?'

Alsof Vanja haar gedachten had gehoord.

Maj-Britt knikte.

'Wanneer word je geopereerd?'

Maj-Britt aarzelde. Ze wilde niet meer liegen. Maar ze kon de waarheid ook niet vertellen.

'Hoe wist je het?'

Vanja glimlachte.

'Slim van me, hè? Dat ik je hierheen heb laten komen, terwijl ik het al had gezegd. In mijn eerste brief had ik het toch al verteld? Maar je moet wat, als je wilt weten hoe het er in de bezoekersruimtes uitziet.'

Dezelfde Vanja van vroeger, geen twijfel mogelijk. Maar Maj-Britt begreep niet wat ze bedoelde. Ze probeerde zich te herinneren wat er in die brief had gestaan, maar daar had Vanja het toch niet over gehad? Dat zou Maj-Britt beslist nog geweten hebben.

'Hoe bedoel je "al verteld"?'

Vanja's glimlach werd breder. Weer kwam haar Vanja even voorbij. De Vanja die zoveel van haar herinneringen deelde.

'Ik schreef toch dat ik over je had gedroomd?'

Maj-Britt staarde haar aan.

'Wat bedoel je?'

'Gewoon wat ik zeg. Dat ik het heb gedroomd. Natuurlijk wist ik het niet helemaal zeker, maar ik wilde het risico niet lopen.'

Maj-Britt hoorde zichzelf snuiven, maar bedoelde dat eigenlijk niet zo. Deze verklaring was alleen zo onverwacht en zo onwaarschijnlijk dat ze haar niet serieus kon nemen.

'Moet ik dat geloven?'

Vanja haalde haar schouders op en plotseling leek ze zo op haar vroegere zelf. Door het gezicht dat ze zette. Hoe langer Maj-Britt naar haar keek, hoe meer ze haar herkende. Er was alleen tijd voorbijgegaan en daardoor was het omhulsel wat versleten geraakt.

'Je kunt geloven wat je wilt, maar zo is het. Als jij een betere uitleg hebt, waar je liever in wilt geloven, is mij dat ook best.'

Maj-Britt werd plotseling boos. Ze had dit hele eind gereisd, ze had zichzelf dubbel en dwars overwonnen, en dan kreeg ze dit te horen. Opeens herinnerde ze zich dat ze ook gekomen was om haar excuses aan te bieden, maar daar had ze nu geen zin meer in. Niet als Vanja haar in de maling nam.

Het bleef een hele poos stil. Vanja was kennelijk niet van plan om terug te nemen wat ze had gezegd of om het verder uit te leggen en Maj-Britt wilde niet doorvragen. Dat zou opgevat kunnen worden als een aanvaarding van wat ze net te horen had gekregen en daar wenste ze niet aan mee te werken. Echt niet. Ze was er zo zeker van geweest dat de verklaring op de een of andere manier bevredigend zou zijn. Wat ze precies had gehoopt wist ze eigenlijk niet; het was allemaal zo verwarrend geweest, zo volstrekt onbegrijpelijk. Maar dit was erger dan verwarring, dit wilde ze niet eens weten. Al helemaal niet omdat ze in haar wildste fantasie geen betere verklaring kon bedenken.

'Ik weet wat je denkt, ik vond het zelf eerst ook beangstigend. Maar toen ik aan het idee gewend was, besefte ik dat het eigenlijk iets geweldigs is. Dat er iets kan bestaan waarvan wij niets wisten.'

Zo dacht Maj-Britt er helemaal niet over. Integendeel, het maakte haar echt bang. Als Vanja gelijk had konden er een heleboel dingen bestaan waarvan ze niets wist. Maar dat leek Vanja niet te deren. Ze zat doodkalm met de bruine servetten-houder te spelen, die tussen hen in op tafel stond.

En toen zette ze het gesprek voort, alsof het niets bijzonders was waar ze het net over hadden gehad.

'De regering heeft mij gratie verleend. Over een jaar kom ik vrij.'

Maj-Britt was dankbaar dat het gesprek op iets concreets overging.

'Gefeliciteerd.'

Nu was het Vanja's beurt om te snuiven. Het klonk niet gemeen, het was gewoon een uiting van hoe ze erover dacht.

'Ik heb het verzoek niet gedaan, dat hebben enkele personeels-leden ingediend.'

'Dat was toch mooi, of niet?'

Vanja zweeg even.

'Weet jij nog wat je zestien jaar geleden deed?'

Maj-Britt dacht na: 1989. Waarschijnlijk had ze op de stoel gezeten. Of misschien op de bank, want dat kon toen nog.

'Vanaf die tijd zit ik hier in ieder geval opgesloten. Maar eigenlijk heb ik gewoon de ene gevangenis voor de andere ver-ruild en ik kan je verzekeren dat dit in het begin in vergelijking gewoon paradijselijk was. Toen het geen kwestie meer was van de dag zien door te komen zonder hem boos te maken. Of wat hij dan ook maar was. Het enige was dat ik hier zoveel tijd had om na te denken.'

Vanja keek naar haar handen, die op de tafel rustten.

'Een gevangenisstraf is eigenlijk hetzelfde als een boete, alleen je betaalt met tijd. En het grote verschil is dat je altijd opnieuw aan geld kunt komen.'

Maj-Britt koos ervoor om niets te zeggen.

'Je kunt hierbinnen niet overleven als je niet leert om anders tegen tijd aan te kijken. Je moet jezelf ervan proberen te overtuigen dat tijd eigenlijk niet bestaat. Als je hier zit opgesloten, moet je ergens anders heen gaan om het vol te houden.'

Ze tikte met haar wijsvinger tegen haar zilvergrijze hoofd.

'Hier naar binnen. Iedere avond om acht uur doen ze de deur op slot en vanaf dat moment ben je alleen met je gedachten. En ik kan je wel vertellen dat ik er heel wat voor over zou hebben gehad om sommige gedachten niet te hoeven denken. De eerste jaren raakte ik ervan in paniek, ik dacht dat ik gek werd. Maar later, toen ik de energie niet meer had om me ertegen te verzetten en eraan toegaf...'

Ze maakte haar zin niet af en Maj-Britt wachtte ongeduldig op het vervolg. Maar Vanja zweeg, staarde met een lege blik het vertrek in en leek uitgesproken. Maar Maj-Britt wilde meer horen.

'Wat gebeurde er toen?'

Vanja keek haar aan alsof ze vergeten was dat ze daar zat, maar blij was haar te zien.

'Dan besef je dat je een heleboel hoort, als je maar durft te luisteren.'

Maj-Britt slikte. Ze wilde het nu over een ander onderwerp hebben.

'Wat ga je doen als je hieruit komt?'

Vanja haalde haar schouders op. Toen draaide ze haar hoofd om en bleef zitten met haar blik gericht op het schilderij dat ze eerder had bekeken. Het beboste landschap.

'Weet je dat er daarbuiten eigenlijk maar één ding is waarvan ik weet dat ik ernaar verlang? Weet je wat?'

Maj-Britt schudde haar hoofd.

'Fietsen, over een grindpad, door een bos. Het liefst pal tegen de wind in.'

Ze keek weer naar Maj-Britt. Glimlachte bijna gegeneerd. Alsof het een zot verlangen was.

'Misschien is het voor jullie daarbuiten moeilijk te begrijpen

271

hoe je zo hevig naar zoiets kunt verlangen. Als je het elk moment kunt doen dat je er zin in hebt.'

Maj-Britt keek naar het tafelblad. Ze voelde dat ze een kleur kreeg en ze wilde niet dat Vanja dat zag. Haar waarheid was in dit verband een lachertje. Zestien jaar had Vanja betaald. Zelf had ze geheel vrijwillig bijna tweeëndertig jaar vergooid. Ze had geen grindpad van dichtbij gezien. Geen bos. En als het een beetje waaide, trok ze de balkondeur dicht. Ze was uit eigen beweging haar gevangenis binnengegaan en had de sleutel weggegooid en alsof dat nog niet genoeg was, had ze van haar lichaam een permanente boei gemaakt.

'Er is geen regering die mij gratie kan verlenen.'

Maj-Britt werd uit haar gedachten opgeschrikt en ze werd getroffen door het verdriet in Vanja's stem.

'Wat bedoel je?'

Maar Vanja gaf geen antwoord. Ze zat maar zwijgend naar het schilderij te kijken. Maj-Britt voelde plotseling dat ze wilde troosten, verzachten, voor één keer er voor Vanja zijn in plaats van andersom. Ze zocht ijverig naar woorden.

'Maar wat er is gebeurd was toch niet jouw schuld?'

Vanja zuchtte diep en haalde haar handen door haar haar.

'Als je eens wist hoe verleidelijk het al die jaren was om me achter die oplossing te verschuilen, dat het allemaal niet mijn schuld was. Om Örjan overal de schuld van te geven.'

Maj-Britt werd nog feller.

'Maar het wás toch zijn schuld!'

'Wat hij deed was walgelijk, onvergeeflijk. Maar hij was niet degene die...'

Vanja stopte en deed haar ogen dicht.

'Weet je, ik kan het na al die jaren nog steeds niet zeggen. Niet zonder dat mijn hele lichaam er pijn van doet.'

'Maar hij heeft je ertoe gedreven, hij bracht je ertoe. Hij liet je geloven dat er geen andere uitweg was. Dat heb je immers zelf geschreven en uitgelegd in de brief die ik van je heb gekregen.'

'We hebben het over jaren. Jaren dat ik bij hem bleef en het liet gebeuren. Het begon lang voordat de kinderen kwamen. Ik had er zelfs al eens een artikel over geschreven, dat je meteen na de eerste klap moet weggaan.'

Ze zweeg een poosje.

'Ik weet niet of iemand kan begrijpen hoe vreselijk ik me schaamde dat ik het liet gebeuren.'

Vanja streek met haar hand over haar gezicht. Maj-Britt wilde iets zeggen, maar kon geen woorden vinden.

'Weet je wat mijn grootste vergissing is geweest?'

Maj-Britt schudde langzaam haar hoofd.

'Dat ik niet wegging, maar in plaats daarvan mijzelf als slacht-offer ging zien. Op dat moment liet ik hem winnen. Het bete-kende immers dat ik naar zijn kant overliep en hem het recht gaf om zich te gedragen zoals hij deed, want een slachtoffer heeft zich maar te schikken, dat kan immers zelf niets veranderen aan zijn situatie. Ik kon het patroon gewoon niet doorbreken, ik was er immers van huis uit al aan gewend.'

Maj-Britt dacht aan Vanja's thuis. Dat zij had ervaren als een veilige haven, weg van Gods strenge blik, waar het altijd een gezellige drukte was. Dat Vanja's vader soms dronken was wist iedereen, maar hij was meestal vrolijk en ze was nooit bang voor hem. Alleen zijn flauwe grapjes waren wel eens vervelend. Vanja's moeder zag ze bijna nooit. Die zat meestal achter de dichte deur van de slaapkamer en daar slopen ze altijd langs om haar niet te storen.

'Mijn vader heeft mij nooit geslagen, maar hij sloeg mijn moeder en dat was bijna hetzelfde.'

Vanja keek weer naar het schilderij en het was even stil voor ze verderging.

'Je wist nooit wie er thuiskwam als je de voordeur hoorde opengaan. Of het mijn vader was, of die ander die er net zo uitzag, maar die ik niet kende. Maar hij hoefde zijn mond maar open te doen en één woord te zeggen, dan wist je het al.'

Maj-Britt had daar nooit wat van geweten. Vanja had nooit met een woord gesproken over wat er bij haar thuis gebeurde.

'Je moet niet vergeten dat Örjan net zo'n jeugd had als ik, met een vader die sloeg en een moeder die het over zich heen liet

komen. Dus tegenwoordig vraag ik me altijd af waar alles eigenlijk begint. Dat maakt het iets gemakkelijker, iets gemakkelijker
te begrijpen hoe mensen zoiets onvergeeflijks kunnen doen.'

Het werd stil in het vertrek. De zon had het raam bereikt en
was door de smalle kieren tussen de lamellen van de jaloezieën
door gekropen. Maj-Britt bekeek het streepjesmotief op de muur
ertegenover. Toen haalde ze diep adem om de vraag te durven
stellen waarvan ze voelde dat ze die wilde stellen.

'Ben je bang om te sterven?'

'Nee.'

Vanja had niet eens geaarzeld.

'Jij?'

Maj-Britt sloeg haar ogen neer en keek naar haar handen op
haar schoot. Toen knikte ze langzaam.

'Ik denk altijd maar zo: waarom zou het erger zijn om te
sterven dan om niet geboren te zijn? Want het komt toch eigenlijk op hetzelfde neer, gewoon dat onze lichamen niet hier op
aarde zijn. Sterven is immers gewoon teruggaan naar wat we
hiervoor waren.'

Maj-Britt voelde de tranen opkomen. Ze wilde zo graag troost
vinden in Vanja's woorden, maar dat lukte niet. Ze moest het op
tijd goedmaken, dat was haar enige kans. Opeens herinnerde ze
zich wat ze hier kwam doen. Ze wilde niet blijven aarzelen, dus
begon ze te vertellen. Ze maakte niets mooier dan het was en liet
ook niets weg; ze bracht haar hele trieste waarheid onder woorden. Hoe het was geweest. Wat ze had gedaan.

Vanja luisterde zwijgend. Ze liet Maj-Britt ongestoord haar
hele bekentenis doen. Er was maar één ding dat Maj-Britt niet
durfde op te biechten en dat was het plan dat ze wilde uitvoeren.
De schuld die ze aan het afbetalen was.

Om moed te krijgen.

Vanja zat in gedachten toen Maj-Britt zweeg. De zon had zich
teruggetrokken en de jaloeziestrepen op de muur waren uitgewist. Maj-Britt voelde haar hart slaan. Vanja's zwijgen werd met
de minuut dreigender. Maj-Britt was zo bang voor wat ze zou
zeggen, hoe ze zou reageren. Als Vanja haar ook veroordeelde en

haar verontschuldigingen niet accepteerde. Het waren niet alleen de leugens. Nu Maj-Britt inzag wat Vanja had verloren, was haar eigen levenskeuze een pure belediging. Tot haar verschrikking besefte ze dat ze nog een schuld had.

'Weet je, Majsan, ik denk niet dat je ooit doorhad hoe belangrijk je al die jaren voor mij bent geweest, hoeveel het voor mij betekende dat ik jou had.'

Maj-Britt stopte met ademhalen. Ze was stomverbaasd over de plotselinge wending die het gesprek nam.

'Ik vond het zo erg dat je nooit meer iets van je liet horen en niet vertelde waar je naartoe was gegaan. Ik dacht eerst dat je misschien ergens boos om was op mij, maar ik kon met geen mogelijkheid bedenken wat dat dan zou kunnen zijn. Ik schreef een brief aan je ouders en vroeg waar je ergens zat, maar ik heb nooit antwoord gekregen. En toen ging de tijd verder en... ja, liep alles zoals het liep.'

Wat Vanja had gezegd was zo verbijsterend dat Maj-Britt geen woorden vond. Dat zíj belangrijk was geweest voor Vanja. Het was toch precies andersom geweest? Vanja was altijd de sterkste geweest van hen tweeën, degene die nodig was. Maj-Britt was degene die nodig had. Zo was het altijd geweest.

Vanja glimlachte naar haar.

'Maar ik ben altijd aan je blijven denken. Daarom maakte die droom vast zoveel indruk op me.'

Ze zaten elkaar een poosje zwijgend aan te kijken. Zoveel tijd en zo weinig veranderd. Eigenlijk.

'Zouden wij niet samen iets kunnen gaan doen als ik vrijkom, jij en ik?'

Maj-Britt schrok van die woorden, maar Vanja vervolgde: 'Jij bent de enige die ik buiten ken.'

De vraag kwam zo onverwachts en de gedachte was zo revolutionair dat ze niet echt tot haar door wilde dringen. Wat Vanja had gezegd hield zoveel meer in. Het schoot grote gaten in Maj-Britts vast verankerde beeld van hoe alles was en tot het eind toe zou blijven. Dat Vanja überhaupt iets met haar te maken wilde hebben, haar bijna nodig had, helemaal uit zichzelf vroeg of ze niet iets samen konden doen wanneer dat mogelijk zou zijn.

Maar het wás niet mogelijk. Zou nooit mogelijk worden. De dag waarop Vanja de mogelijkheid zou hebben iets te doen, zou Maj-Britt er niet meer zijn. Ze had haar besluit immers genomen.

'Ik moet nog een jaar en ik denk dat ik iets belangrijks te doen heb in dat jaar.'

Iets samen doen. Een irritant klein kansje deed zich voor, maar ze zou dit immers afsluiten. Alles was toch zo volstrekt zinloos. Ze probeerde een weg uit haar gedachtegang te vinden en te luisteren naar wat Vanja zei, maar haar gedachten gingen alle kanten op en sloegen onbekende zijpaden in die er nooit eerder waren geweest. Ze slopen ongeoorloofd de nieuwe paden op en probeerden voorzichtig hun begaanbaarheid uit.

Vanja en zij?

Iets inhalen van wat ze waren kwijtgeraakt.

Niet meer eenzaam zijn.

'Wat weet ik nog niet, maar ik hoop dat ik dat begrijp op het moment dat het zich voordoet.'

Ze probeerde zich te concentreren op wat Vanja zei.

'Sorry, ik heb het niet goed gehoord. Wat ga je doen?'

'Dat weet ik juist niet. Alleen dat het iets belangrijks is. Het kan zijn dat iemand mijn hulp nodig heeft.'

Maj-Britt besefte dat ze waarschijnlijk iets had gemist van wat Vanja had gezegd.

'Hoe weet je dat?'

Vanja glimlachte, maar gaf geen antwoord. Maj-Britt herkende de uitdrukking op haar gezicht. Ze had in hun jeugd zo vaak zo gekeken en die blik maakte Maj-Britt altijd heel erg nieuwsgierig.

'Het heeft geen zin als ik dat vertel. Je gelooft me toch niet.'

Maj-Britt vroeg niet verder, want ze begreep welke kant het op ging. Ze wilde niet meer horen over voorspellende dromen. Alles was zo al verwarrend genoeg.

Er werd aangeklopt. De man die Vanja had gebracht stak zijn hoofd naar binnen.

'Nog vijf minuten.'

Vanja knikte zonder zich om te draaien en de deur ging weer dicht. Toen strekte ze haar hand uit en ze legde die op de hand van Maj-Britt.

'Hou jij je strenge God maar, als je dat wilt, ook al jaagt hij je doodsangst aan. Ik zal je later nog eens een geheim vertellen, wat er gebeurde die keer dat ik wilde sterven en bijna in de vlammen omkwam. Maar als je nog niet eens in een onnozel voorspellend droompje kunt geloven, dan is het daar nu waarschijnlijk nog te vroeg voor.'

Vanja glimlachte, maar Maj-Britt kon haar glimlach niet beantwoorden en misschien merkte Vanja hoe moeilijk ze het had. Ze streek met haar hand over die van Maj-Britt.

'Je hoeft niet bang te zijn, want er was daar niets om bang voor te zijn.'

En toen verscheen de glimlach die Maj-Britt zo goed kende en waarvan ze nu pas besefte hoe erg ze die had gemist. Haar Vanja, die haar altijd op had kunnen beuren, die haar met haar onverschrokkenheid door haar jeugd heen had geholpen en die haar de dingen altijd van een andere kant had laten zien. Kreeg ze maar een kans om alles over te doen, alles anders te doen. Hoe had ze Vanja uit haar leven kunnen laten verdwijnen? Hoe had ze haar kunnen verlaten?

*Je hoeft niet bang te zijn, want er was daar niets om bang voor te zijn.*

Ze zou Vanja's zekerheid maar wat graag willen delen. Alle angsten achter zich laten en voorgoed voor het leven kiezen.

'O, kon ik maar geloven zoals jij.'

Vanja's glimlach werd nog breder.

'Kun je niet voorzichtig beginnen met "misschien"?'

Saba stond achter de deur te wachten toen ze thuiskwam. Maj-Britt liep regelrecht naar de telefoon en toetste het nummer van Monika Lundvall in.

Keer op keer weerklonk het signaal over de lege lijn, totdat ze wel moest inzien dat er niemand op zou nemen.

# Epiloog

Het had 's nachts gesneeuwd. De wereld lag verstopt onder een dunne, witte deken. Tenminste het deel van de wereld dat zij nog kon zien. Ze had wat sneeuw van een bankje geveegd en zat naar haar witte adem te kijken.

Eén nacht.

Eén nacht was ze doorgekomen en nu waren er nog maar honderdnegenenzeventig nachten te gaan en evenzoveel dagen. Dan was ze vrij. Vrij om te doen wat ze wilde. Over honderdnegenenzeventig dagen en evenzoveel nachten zou ze de straf hebben uitgezeten die de samenleving haar had opgelegd voor het misdrijf dat ze had begaan, en zou ze haar vrijheid terugkrijgen.

Vrijheid. Het woord was tot dan toe in haar leven zo vanzelfsprekend geweest dat ze nooit over de werkelijke inhoud ervan had nagedacht. Misschien was het met vrijheid net als met alles wat je vanzelfsprekend vond. Dat je het pas echt naar waarde wist te schatten op het moment dat je het kwijtraakte.

Ze was zo te benijden geweest. Chef de clinique met een goed salaris, een exclusieve dienstwagen en een luxueus appartement. Een leven vol met begerenswaardige symbolen van succes. Het algemeen aanvaarde bewijs dat ze geslaagd was, iets voorstelde. Maar met iedere trec die ze hoger was geklommen om boven de middelmaat uit te stijgen, was ze verder weggeraakt van de vrijheid, want hoe meer ze te verdedigen kreeg, des te banger was ze geworden om te verliezen wat ze had weten te bereiken.

Nu had ze alles verloren. In één klap was al het succes dat ze met zoveel moeite had opgebouwd aan gruzelementen geslagen, en het was zo onherroepelijk weg dat het leek alsof het nooit had bestaan. Was dat dan wel echt succes, als het je zo gemakkelijk afgenomen kon worden? Ze wist het niet meer. Ze wist eigenlijk niets. Er zat alleen nog een leegte vanbinnen, waarvan ze niet begreep hoe ze die ooit nog op zou kunnen vullen. Wanneer ze op een dag uiteindelijk gedwongen zou worden terug te kijken op haar leven, dat serieus onder de loep te nemen, wat zou ze er dan vinden wat van werkelijke waarde was? Echt en authentiek? Als ze op dit moment terug zou moeten kijken, zag ze maar twee dingen. Het allesdoordringende verdriet over Lasse en de duizelingwekkende liefde voor Thomas. Maar ze had zichzelf zulke sterke gevoelens niet toegestaan. Ze had zich afgesloten, alles gedaan om de schijn op te houden. Ze had zich zo laten uithollen dat ze ten slotte had geleefd als een schim. Ze had zoveel gedaan. O, wat had ze veel gedaan en o, wat had ze haar best gedaan.

Toch was ze alles misgelopen.

Ernstig misbruik van vertrouwen.

Bij de beoordeling van de vraag of er sprake was van een ernstig vergrijp, had men gekeken of de dader haar opdrachtgever bijzondere of aanmerkelijke schade had toegebracht.

De conclusie was dat ze dat inderdaad had gedaan. Zij, de knappe, succesvolle Monika Lundvall.

Ze had geld gestort op de rekening van Red de Kinderen en het stortingsbewijs in een envelop gestopt met Maj-Britts adres erop en ze had gedacht dat ze hem op de bus had gedaan. Een week later had ze hem in haar jaszak gevonden, maar toen was het allemaal al te laat. Toen ze thuiskwam van de bank had ze alle telefoons uitgezet, het doosje Xanax en het doosje slaaptabletten binnen handbereik op het nachtkastje gelegd en ze was naar bed gegaan. Drie dagen later was de geneesheer-directeur samen met een collega haar flat binnengegaan, geholpen door een slotenmaker. Iemand van de bank had de geneesheer-directeur gebeld om te checken of het wel goed zat met het grote bedrag dat ze had opgenomen uit het donatiefonds van de kliniek, en hij had een opmerking gemaakt over haar merkwaardige gedrag. Dat ze zich natuurlijk konden vergissen, maar dat het leek alsof ze onder invloed was van drugs. De schaamte die ze had gevoeld toen ze wakker werd in haar bed met de geneesheer-directeur en haar collega in haar kamer was zo diep dat ze geen woord kon uitbrengen. En hoewel hij had aangeboden om geen aangifte te doen, als ze maar vertelde wat er was gebeurd en wat ze had gedaan, had ze er de voorkeur aan gegeven om te zwijgen, ook toen haar spraakvermogen was weergekeerd. Het bestaan dat ze had gehad was toch verloren. Ze zou niemand van hen ooit meer recht in de ogen kunnen kijken als ze bekende wat ze had gedaan.

Dan aanvaardde ze haar straf liever.

En op een wonderlijke manier voelde ze zich toch bevrijd nadat ze haar uit de absurde werkelijkheid hadden gehaald waarin ze zich had opgesloten.

Want je had veel soorten gevangenissen. Degene die gevangenzat hoefde niet eens altijd in de buurt van een rechtbank te zijn geweest.

Er lag een brief van Maj-Britt in de hal. Met diep berouw had ze Monika om excuses gevraagd voor wat ze haar had aangedaan en ze schreef dat ze aan één stuk door had geprobeerd te bellen om terug te nemen wat ze had gezegd. Maar dat Monika niet had opgenomen. Ze had de brief keer op keer gelezen. Eerst kwaad, maar toen steeds bedroefder. Vergeefs had ze geprobeerd zondebokken te zoeken om een kans te krijgen zichzelf schoon te wassen, maar uiteindelijk moest ze inzien dat ze niemand anders verantwoordelijk kon stellen.

Een paar dagen voor de rechtszaak was er een brief van Pernilla gekomen. Monika had niets van zich laten horen en had in haar wanhoop niet gereageerd op haar berichten op het antwoordapparaat en ten slotte waren ze gestopt. Ze had de brief opgevat als een teken dat Pernilla het wist, en de naam van de afzender maakte haar bang, als een plotseling geluid in de nacht. Met vingers die stijf waren van angst had ze de envelop geopend en de opluchting die ze voelde toen ze het korte briefje las was onbeschrijflijk. Het was haar vergeven. Ze hadden Pernilla alles uitgelegd en ze gaf toe dat ze eerst boos en verdrietig was geworden. Maar degene die het haar had verteld had haar ten slotte doen inzien waarom Monika zo had gehandeld en ze had haar kwaadheid om weten te zetten in meegevoel. Pernilla had ook gevraagd hoe het zat met het geld dat ze had gekregen. Of er daarom

280

aangifte tegen Monika was gedaan bij de politie, of dat het om het geld ging dat ze naar Red de Kinderen had moeten overmaken.

Pas toen begreep Monika dat Maj-Britt haar had bevrijd.

De zon kwam over de daken van de gebouwen heen kijken en verspreidde miljoenen glinsterende diamantjes over de pas gevallen sneeuw. Monika trok haar jas dichter om zich heen, maar dat hielp niet veel. Ze keek op haar horloge en zag dat ze de helft van het uur dat ze buiten mocht blijven erop had zitten, maar geen kou ter wereld kon haar ertoe brengen dat voortijdig te beëindigen.

Uit een ooghoek zag ze een deur opengaan en iemand de binnenplaats op komen. Ze keek niet, durfde niet, ze had er geen idee van aan welke regels je je hier moest houden om je te handhaven. Het vernietigende gevoel dat ze tijdens het avondeten de vorige dag had gehad te midden van alle mensen, dat ze een eenzame buitenstaander was, was zo beangstigend geweest dat ze had gevraagd of ze weer naar haar cel mocht, ook al hoefde dat nog niet. Maar pas toen ze de deur op slot hadden gedraaid ervoer ze voor het eerst in haar leven echt hoe het was om niet te kunnen ademen in een vertrek vol lucht. Ze dacht dat ze doodging. Maar de enigen die ze om hulp kon vragen waren degenen die haar opgesloten hadden, en de pijn die ze haar aandeden kwam niet voort uit een nonchalante vergissing, maar was een weloverwogen doel. Ze verdiende het, vond men.

Ze voelde zich zo machteloos dat ze er bijna aan onderdoor ging.

Ze merkte dat degene die naar buiten was gekomen dichterbij kwam en ze keek om, een defensieve reactie, om een idee te krijgen van de eventuele dreiging. Het was een van de oudste vrouwen in de inrichting, Monika had haar gisteren tijdens het eten gezien. Ze had alleen gezeten en eruitgezien alsof het haar eigenlijk niet aanging wat er om haar heen gebeurde, en de anderen in het vertrek leken haar afzijdigheid te respecteren. Eerst had ze zich slecht op haar gemak gevoeld bij de aanblik van de vrouw, dat kwam door iets in haar ogen toen ze elkaar ontmoetten. Alsof ze een schok kreeg, als bij het zien van een bekende. Maar Monika had de vrouw nooit eerder gezien en wilde niet dat iemand überhaupt aandacht aan haar zou schenken. Zo had ze gedacht door haar verblijf hier heen te komen. Door niet op te vallen.

Nu was de vrouw bij het bankje aangekomen en Monika voelde haar hart slaan. Ze herinnerde zich hoe er gepraat was tijdens het eten, de duidelijke hiërarchie, de indruk dat iedereen handelde volgens een onzichtbaar script waarin voor haar geen rol was weggelegd. Ze wist absoluut niet hoe ze haar plaats moest vinden zonder met iemand in aanvaring te komen. Ze had geen idee wat voor soort gedrag er van haar werd verwacht. Toch was dit een ander soort angst dan waaraan ze gewend geraakt was. In haar hart zat niets meer wat nog schade kon oplopen. Nu was het het lichaam zelf dat bang was voor fysieke pijn. Dat ze haar te lijf zouden gaan.

'Krijg je geen blaasontsteking als je daar zo zit?'

In haar dankbaarheid dat ze het antwoord op de vraag wist, was Monika's eerste ingeving om te zeggen dat je een bacterie in de urine moest hebben om blaasontsteking te krijgen, maar ze beet op haar tong en zei het niet. Anders kwam ze misschien arrogant over.

'Ja, misschien wel.'

Ze stond op.

De vrouw ving een zilverkleurige haarlok op die was losgeraakt en streek die achter haar oor.

'Zullen we een stukje lopen?'

Monika aarzelde. De vrouw zag er weliswaar niet erg gevaarlijk uit, maar ze vond het geen aanlokkelijk idee om samen met haar verder bij de gebouwen weg te gaan. Ze wierp een snelle blik op de deur. Maar ze wilde nog niet naar binnen. Niet als er nog tijd over was. En 'nee' zeggen en dan blijven staan kon ook niet.

'Oké.'

Ze begonnen langzaam over de binnenplaats te wandelen. Waarom zouden ze zich ook haasten?

'Jij bent gisteren toch gekomen?'

'Ja.'

'Hoe lang moet je zitten?'

'Zes maanden.'

Monika antwoordde beleefd en prompt op alle vragen. Tot dusver ging het goed.

'Dat valt mee. De tijd gaat sneller dan je denkt als het ongezellig is.'

De vrouw lachte en Monika glimlachte voor alle zekerheid ook. Ze besefte dat ze zelf een vraag moest stellen om te laten zien dat ze deelnam aan het gesprek. Misschien moest ze vragen hoe lang zij hier al zat, maar dat durfde Monika niet. Misschien vroeg je zoiets niet.

'Zestien en een half jaar.'

Monika schrok ervan.

'Maar ik hoef nu nog maar acht maanden.'

Haar verbazing duurde maar heel even, toen nam die onbewust alweer af. Zestien en een half jaar. Er werden maar weinigen tot zo'n lange straf veroordeeld. Alleen mensen die echt vreselijke dingen hadden gedaan, en kennelijk was de vrouw met wie ze was gaan wandelen daar een van. Monika wierp een snelle blik achterom naar de gebouwen en kreeg veel zin om terug te gaan. Ze weerstond de impuls en probeerde zelf een vraag te verzinnen. Ze moest het hier toch nog zes maanden zien uit te houden. Het zou waanzin zijn om meteen de eerste ochtend al iemand tegen zich in het harnas te jagen.

'Wat ga je doen als je hieruit komt?'

Ze had haar best gedaan om luchtig te klinken en ze deed van schrik een stap naar achteren toen de vrouw plotseling bleef staan en zich naar haar toe keerde.

'Ik heet Vanja, trouwens.'

Ze stak haar hand uit.

'De gewone omgangsvormen raak je hier gemakkelijk kwijt.'

Monika trok haar want uit en stelde zich snel voor.

'Monika.'

Vanja knikte en ze liepen weer verder. Monika liep onwillig

achter haar aan. Een stukje verderop stond een groepje vrouwen en dat stelde haar enigszins gerust.

'Wat ik ga doen als ik hieruit kom? Dat weet ik niet precies; om te beginnen trek ik bij een jeugdvriendin in. Ze is heel ziek, maar na de laatste operatie lijkt ze godzijdank aan de beterende hand, al kunnen we er nog niet helemaal gerust op zijn. Als alles goed gaat, ga ik misschien samen met haar op reis. We moeten maar eens zien wat het wordt.'

Monika probeerde te bevatten wat zeventien jaar wilde zeggen. Een eeuwigheid als je bedacht dat je die op een plaats als deze moest zien door te komen. Je kon gek worden van minder. Dat wist ze uit eigen ervaring.

Ze waren een pad in geslagen dat tussen bomen door liep en aan de andere kant ervan kwamen ze op een open, glooiend terrein dat het eind van de wereld was. Ze waren al bijna zo ver als ze mochten. Het terrein was omgeven door dubbele hekken met een paar meter tussenruimte, waar cilindervormig uitgetrokken rollen prikkeldraad overheen lagen. Zodat iedereen die op het idee kwam om eroverheen te klimmen, opengereten zou worden. Binnen die hekken zat zij opgesloten. De samenleving vond het niet vertrouwd als zij buiten die hekken kwam. Niet eens in de buurt ervan, want ze moesten op vijftig meter afstand ervan blijven. Ze wierp een blik over haar schouder en vergewiste zich ervan dat er nog steeds mensen in zicht waren.

Vanja bleef staan en stak haar handen in haar zakken.

'Het is belangrijk dat er buiten iemand op je wacht. Dat maakt het wat gemakkelijker. Ik kan het weten, want ik heb het allebei meegemaakt.'

Monika keek naar de sneeuw. Zij had niemand die buiten op haar wachtte. Haar moeder misschien, maar dat wist ze niet zeker. Ze had een paar keer gebeld, maar Monika had niet opgenomen. Ze wist niet of ze wist waar Monika nu was. En als ze eerlijk moest zijn, maakte het haar ook niet uit.

Vanja haalde een zakdoek uit haar zak en veegde haar neus af.

'Ze zijn hier niet zachtzinnig en daarom is het niet altijd gemakkelijk als je nieuw bent. Maar de afdeling waar jij terechtgekomen bent, is best rustig. Zorg voor sigaretten, die kunnen je goed van pas komen.'

Vanja hield haar hand omhoog tegen de zon en keek uit over de glinsterende velden die zich achter de hekken uitstrekten. Monika keek tersluiks naar haar.

'Moet je eens zien hoe mooi.'

Monika volgde haar blik over het landschap en ze stonden even zwijgend te kijken.

'Onbegrijpelijk dat we zo idioot slordig omspringen met wat we hebben. Dat we niet meer verstand hebben. Jij en ik zijn er schitterende voorbeelden van hoe weinig we eigenlijk snappen, want anders stonden we niet aan deze kant van het hek.'

Monika was geneigd het met haar eens te zijn, maar ze was nog niet zo ver dat ze dat al in woorden kon vatten. Vanja maakte een geluid dat klonk als snuiven.

'We denken dat we er zijn, dat alles klaar en af is, alleen omdat we toevallig op dit moment leven. Maar het kleine fluttijdje dat wij hier leven is op het grote geheel niet meer dan een scheet in de ruimte. Ik heb gelezen dat we nog niet eens helemaal ontwikkeld genoeg zijn om op twee benen te lopen, dat er hierbinnen nog een paar ophangingsdingetjes zijn die zich nog niet helemaal hebben aangepast.'

Ze maakte een draaiende beweging met haar hand over haar buik. Monika vroeg zich af welk van de weefsels van het lichaam ze bedoelde, maar ze vroeg er maar niet naar. Dat leek op dit moment niet zo belangrijk.

Een vlucht vogels vloog langs de hemel en Vanja boog haar hoofd achterover om hun route te kunnen volgen. Monika volgde haar voorbeeld.

'Weet je dat er alleen in de melkweg al tweehonderd miljard sterren zijn? Dat is toch waanzinnig: tweehonderd miljard, en dan hebben we het alleen nog maar over ons sterrenstelsel. Het is toch raar als je bedenkt dat onze zon één van al die prutssterretjes is.'

De vogels verdwenen boven het bos. Monika sloot haar ogen en vroeg zich af wat ze daarachter zagen.

'Wat zullen de mensen bang geweest zijn toen hun duidelijk werd dat de aarde niet het middelpunt van het heelal was. Wat een schrikbeeld, eerst loop je hier rustig rond in de wetenschap dat God de aarde en alle mensen heeft geschapen als het centrum van alles en dan krijg je plotseling te horen dat we maar vliegendrek zijn.'

Vanja haalde haar zakdoek te voorschijn en veegde haar neus opnieuw af.

'Het is nog niet eens vierhonderd jaar geleden dat we dat geloofden, maar toch staan we die sufferds van toen hartelijk uit te lachen. Zelf zijn we immers zo fantastisch geïnformeerd, je hoeft maar om je heen te kijken, dan zie je hoe goed het gaat.'

Monika keek stiekem naar Vanja. Het was onmiskenbaar een vreemde vrouw die ze had ontmoet en ze gaf verbaasd toe dat ze de wandeling op prijs stelde. Niemand die zij kende had het ooit over zulke dingen. Als ze niet achter een hek met prikkeldraad hadden gezeten, had ze het vast echt verfrissend gevonden.

Vanja keek Monika glimlachend aan.

'Ik vermaak mezelf vaak met de vraag om welke dingen wij over vierhonderd jaar uitgelachen zullen worden. Van welke zekerheden die we nu hebben zal blijken dat we er compleet naast zitten.'

Monika beantwoordde haar glimlach en Vanja keek op haar horloge.

'Het is bijna tijd.'

Monika knikte en ze keerden om. Ze voelde zich enigszins opgelucht. Het was goed om te weten dat hier iemand als Vanja was.

'Heb jij buiten iemand die op je wacht?'

De vraag deed Monika's glimlach besterven. Heel even zweefde het gezicht voorbij dat ze meer miste dan wat dan ook. Ze sloeg haar ogen neer en schudde haar hoofd.

'Weet je dat wel zeker? Ik had wel iemand, ook al wist ik dat niet.'

Monika wilde het niet zeker weten en daarom gaf ze maar geen antwoord. Maar hoe zou ze ook maar in haar wildste dromen kunnen hopen dat hij nog steeds op haar wachtte? Hem laten gaan was de tweede gigantische vergissing in haar leven geweest.

'Je weet het pas zeker als het bewezen is.'

Monika bleef staan.

'Wat?'

Maar Vanja zei niets meer. Ze liep gewoon door en het enige wat uit haar mond kwam, was haar witte, wervelende adem.

Ook voor kleine stapjes heb je doorzettingsvermogen nodig. Dat had ze ergens gelezen; waar en wanneer wist ze niet meer. Ze was eraan gewend om kleine stapjes te zetten, ze had niet anders gedaan sinds alles was ingestort, maar hoe doorzettingsvermogen voelde wist ze niet meer. Ze had jaren geknokt om erboven uit te steken, haar uiterste best gedaan om de buitenkant te versieren met het fraaiste mozaïek, maar ze was de eigenlijke inhoud onderweg kwijtgeraakt. Ze was wat ze had gepresteerd en wat ze bezat en meer niet. Toen de pracht was afgepeld, bleef alleen de leegte over na alles wat ze verloren had laten gaan. De kans die ze had vergooid.

Slechts één wens.

Eén enkele wens.

Voor het zetten van die stap was een moed nodig die het verstand te boven ging. Maar als ze die moed niet had, hoefde ze nooit meer iets te durven.

En met de moed die alleen iemand kan opbrengen die heel, heel erg bang is, tilde ze uiteindelijk de hoorn op.

'Met mij. Monika.'

Het duurde een eeuwigheid voordat hij iets zei, waarop zij kon vertellen wat haar van het hart moest.

'Er is zoveel wat ik je zou willen vertellen.'

En met al haar hoop gericht op het geheim waarvan ze zo vurig hoopte dat het er was, ergens, sprak ze de woorden uit.

'Thomas, ik verlang naar huis.'

# Karin Alvtegen bij De Geus

## *Schuld*

Zakenman Peter Brolin zit in grote geldnood. Daarom ziet hij het als een buitenkansje wanneer een wildvreemde vrouw hem vraagt om tegen riante betaling een pakketje te bezorgen bij 'haar man', Olof Lundberg. Die blijkt echter al jaren weduwnaar te zijn, en de inhoud van het pakje is, luguber genoeg, een afgesneden teen. Wanneer Brolin zich inspant om de identiteit van zijn opdrachtgeefster te achterhalen, richt de terreur zich ook op hem.

## *Verraad*

De levenspaden van Eva en Jonas kruisen elkaar op een fatale manier. Eva ontdekt dat haar man een relatie heeft en bereidt zich voor op een scheiding. Tijdens een avondje uit in Stockholm ontmoet ze Jonas. Wat deze haar niet vertelt is dat hij een geliefde heeft, Anna, die in coma ligt. Jonas ziet in Eva een tweede Anna en dat zal Eva's leven drastisch veranderen…

## *Voortvluchtig*

Sybilla is al vijftien jaar op de vlucht. Voor haar ouders, maar ook voor zichzelf. Als dochter van een welgesteld echtpaar weet de dakloze jonge vrouw hoe ze zich moet gedragen in chique kringen. En ze buit die kennis op inventieve wijze uit, tot het noodlot toeslaat. In een exclusief Stockholms hotel wordt een man vermoord terwijl ook Sybilla er verblijft. Ook als er een tweede slachtoffer valt, is Sybilla in de buurt. Nu moet ze echt op de vlucht: voor de politie.